Sous la direction de
Paolo Caucci von Saucken

Fernando López Alsina, Anna Benvenuti, Franco Cardini, Paolo Caucci von Saucken,
Manuel C. Díaz y Díaz, Klaus Herbers, Massimo Miglio, Juan Ignacio de la Peña,
Robert Plötz, Julien Ries, Marco Tangheroni

Pèlerinages
Compostelle, Jérusalem, Rome

Présence de l'art

ZODIAQUE
DESCLÉE DE BROUWER

© Pour l'édition française

© Édition Zodiaque, 1999
Abbaye de la Pierre-qui-Vire
89630 Saint-Léger-Vauban
ISBN 2-7369-0258-0

© Desclée de Brouwer, 1999
76 *bis* rue des Saints-Pères
75007 Paris
ISBN 2-220-04627-3

Composé par
Graphe, 15 *bis*, rue Rochonen, 22800 Quintin

Achevé d'imprimer en août 1999
sur les presses de Lunwerg à Barcelone
pour le compte des Éditions Desclée de Brouwer, Paris
et des Éditions Zodiaque, Saint-Léger-Vauban
Dépôt légal : octobre 1999

SOMMAIRE

LE MONDE
DES PÈLERINAGES

Portico

par Paolo Caucci von Saucken

Cet ouvrage paraît dans l'intervalle entre l'ouverture de la Porte Sainte de la cathédrale Saint-Jacques qui a marqué le début de la 117ᵉ Année sainte compostellane – inaugurée solennellement le 31 décembre 1998 – et celle de Rome qui aura lieu lors de la vigile de Noël de 1999. Au cours de ces deux années, des millions de pèlerins auront pénétré par ces portes dans l'espace sacré des deux basiliques et dans le climat spirituel et mental profondément emblématique qui imprégnera la fin d'un millénaire et le début du suivant. Au même moment, bon nombre de pèlerins iront aussi à Jérusalem, puisque la Terre sainte est partie intégrante de la liturgie du *Grand Jubilé de l'an 2000*. En outre, 1999 est le 900ᵉ anniversaire de cet événement étroitement lié aux pèlerinages en Terre sainte qu'est la Première Croisade. La coïncidence singulière de toutes ces dates anniversaires nous offre l'occasion de reconstruire, dans ses aspects conceptuels, spirituels et rituels, l'unité fondamentale entre les trois *peregrinationes maiores* qui ont profondément marqué la civilisation de l'Europe médiévale.

Cette unité – objet, précisément, de notre livre – est perçue et vécue par le pèlerin dans des itinéraires qui relient les différents sanctuaires et articulent l'ensemble de l'espace sacré de la Chrétienté. Si ces routes sont alors souvent les mêmes, c'est que les principales voies de communication sont parcourues dans les deux sens, à l'aller et au retour, par les pèlerins qui se rendent dans des sanctuaires situés à l'opposé l'un de l'autre. De ce point de vue, la *via francigena* a un caractère exemplaire. De fait, les jacquaires qui se rendent à Compostelle, et montent donc vers le nord, y croisent les roumieux et paumiers qui cheminent vers le sud en direction de Rome et de Jérusalem, mais aussi les pèlerins qui vont se recueillir auprès de saint Michel du mont Gargan. Ainsi la *via francigena* est à la fois *romea*, hiérosolymitaine, compostellane et michaelienne. Mais les autres grands axes de pèlerinage aussi sont tous plus au moins suivis dans les deux sens. Lorsqu'au début du XIᵉ siècle, Gómez, comte de Carrión, décide d'édifier sur le *Camino de Santiago* un hospice à Arconada, près de la magnifique église des Templiers de Villalcázar de Sirga, à l'intention des pèlerins qui traversent la Meseta léonaise, il ne manque pas de préciser par écrit que l'hospice est destiné à accueillir *euntium vel regredentium sancti Petri et sancti Iacobi Apostoli*, c'est-à-dire ceux qui vont ou reviennent de Rome ou de Compostelle. Le comte est donc bien conscient que la route est utilisée dans les deux sens, même si Saint-Jacques-de-Compostelle est distant de quatre cents kilomètres et Rome de deux mille. Et c'est le même esprit qui préside à la fondation d'hospices, à la construction de ponts ou à la création de confréries qui, un peu partout, visent à faciliter le voyage et les haltes du grand peuple des pèlerins, quelle que soit la direction empruntée.

Le long de toutes ces routes, la présence de structures d'accueil, non seulement locales mais fréquemment supranationales, contribue à renforcer le sentiment d'appartenance à une même civilisation. A l'origine de ces structures, on trouve la notion d'*hospes tamquam Christus*, profondément ancrée dans la *caritas* chrétienne. Développée dans le chapitre 53 de la *Règle de saint Benoît*, cette notion est reprise et clairement formulée dans le *Livre V* du *Codex Calixtinus*, dont le chapitre XI, qui traite « De l'accueil à faire aux pèlerins de Saint-Jacques », précise que « [...] quiconque les aura reçus et hébergés avec empressement, aura pour hôte non seulement saint Jacques, mais Notre-Seigneur lui-même ainsi qu'il l'a dit dans son Évangile : *Qui vos recepit me recepit.* » Cette philosophie de l'accueil, qui est la même sur toutes les routes du monde chrétien, explique la nature et la naissance d'ordres hospitaliers supranationaux – Saint-Jean-de-Jérusalem, Saint-Antoine-en-Viennois, Saint-Jacques-du-Haut-Pas et Saint-Lazare – qui renforcent le sentiment de trouver partout des structures communes au service de la *peregrinatio*. Par ailleurs, dès le milieu du XIIᵉ siècle, le *Codex Calixtinus* entérine cette philosophie en indiquant les structures d'accueil les plus utiles aux pèlerins : l'une est située sur le chemin de Saint-Jacques, une autre sur la route de Rome, une troisième sur la route de Jérusalem.

Au demeurant, les pèlerins eux-mêmes témoignent de cette unité conceptuelle et réelle dans des carnets de voyage qui, fréquemment, rendent compte de pèlerinages successifs à Rome, à Saint-Jacques et à Jérusalem. Ainsi Nompar, seigneur de Caumont, Jehan de Zeilbeke, Jean de Tournai, Arnold von Harff ou Bartolomeo Fontana, ce dernier n'étant pas allé à Jérusalem mais à Rome et à Compostelle, complétant ces deux grands pèlerinages par la visite des sanctuaires consacrés à la Vierge (Lorette en Italie, Montserrat et Saragosse en Espagne) et à saint François (Assise, la Verna) ; ou encore Domenico Laffi qui, après un *Viaggio in Ponente a San Giacomo di Galitia e Finesterrae*, relatera par écrit son *Viaggio in Levante al Santo Sepolcro*. Les pierres tombales aussi témoignent, comme celle du Danois Jonas grâce à laquelle on sait que le défunt s'est rendu deux fois à Jérusalem, trois fois à Rome et une fois à Compostelle : *Jerusalem repetit bis ter Romanque revisit et semel ad sanctum transiit hic Iacobum.* De Félix Fabri à Gaspar Loarte, les auteurs qui traitent de la mystique du pèlerinage parlent souvent conjointement des trois grands pèlerinages, soulignant leur interdépendance et les associant, à partir du XVᵉ siècle, aux dévotions mariales alors naissantes.

Et les pieux voyageurs des routes médiévales partagent les mêmes saints protecteurs : saint Jacques, bien sûr, mais également saint Christophe, invoqué lors des passages à gué, saint Martin de Tours, saint Antoine abbé, saint Nicolas de Bari, saint Gilles...

Et les mêmes références culturelles accompagnent les pèlerins, qu'elles soient issues de la dévotion la plus simple ou de la culture carolingienne ; présentes sur toutes les routes, elles se transmettent par l'intermédiaire d'un jargon commun dans lequel le latin constitue toujours la part la plus importante.

Le présent volume tente d'explorer les centres vitaux de cette unité dans leurs particularités et leurs différences, dans leurs variantes historiques et leur évolution respective, déterminée par une spiritualité qui change et des stratégies dévotionnelles qui se modifient. La division du livre en *Peregrinatio*, *Peregrini*, *Itinera* et *Loca sancta* répond à la nécessité d'ordonner cette matière complexe qui a été au cœur du vaste congrès réuni à Saint-Jacques-de-Compostelle à l'automne 1997 et auquel ont participé la plupart des auteurs de ce livre.

Il nous a donc paru judicieux, pour comprendre le pèlerinage en général, de nous en remettre à Julien Ries, à Manuel Díaz y Díaz et à Massimo Miglio.

Julien Ries nous expliquera comment le pèlerinage, présent dans toutes les religions, est en soi un événement symbolique et une mise en valeur des symboles fondamentaux dans lesquels s'articule l'expérience religieuse. Replaçant le pèlerinage dans le grand horizon de l'anthropologie religieuse jusqu'à la fonction bien particulière qui consiste à sacraliser l'espace et le territoire, il nous montrera comment l'homme cherche à atteindre les lieux où se manifeste le sacré afin d'être à la fois le témoin et l'acteur de ces manifestations. Ces lieux sacrés vont donc se multiplier tout au long de la route qui mène au but principal.

Manuel Díaz y Díaz explore le sens et la valeur du pèlerinage chrétien au Moyen Age, dans ce domaine qu'il domine parfaitement : la littérature latine médiévale. Avec lui nous retrouvons, dans le sermon *Veneranda dies*, les racines bibliques et évangéliques de la *via peregrinalis* ; mais ce qui caractérise surtout le pèlerinage médiéval, et en particulier le pèlerinage compostellan, est l'éloignement du lieu saint à atteindre.

Massimo Miglio considère la question en relation avec le phénomène spécifique du jubilé romain, déterminé en grande partie, à l'origine, par le désir très fort qu'ont les populations médiévales d'obtenir des indulgences qui rachèteront leurs péchés, un désir capté et habilement administré par Boniface VIII. Miglio relie le sens du pèlerinage jubilaire à la *plenitudo potestatis* exercée par le souverain pontife au plan tant spirituel que temporel, de sorte que cette toute-puissance apparaît alors comme le dépositaire principal de la capacité de rédemption et le dispensateur suprême du salut des âmes. On observe ainsi une réelle différence entre cette absolution qui, bien que comportant confession et contrition des péchés, est pour une bonne part subsidiaire du pouvoir ecclésiastique du pape, et le pèlerinage à Saint-Jacques dans lequel le pieux voyageur joue un rôle plus actif, exalté par les difficultés du voyage et un engagement personnel plus important.

La partie sur les *Peregrini* a été confiée à Robert Plötz et Klaus Herbers. Le premier, président de la *St. Jakobus Gesellschaft*, a consacré à la figure du pèlerin un essai aussi vaste qu'approfondi qui souligne toute la complexité de la structure rituelle, iconographique et mentale de cette figure. Le pèlerin nous est présenté dans ses rites de départ et d'initiation au pèlerinage : la *Benedictio perarum et baculorum*, que l'auteur a amplement étudiée dans ses essais précédents et à laquelle s'ajoute ici la *Coronatio peregrinorum* qui, en terre allemande, accueillait le voyageur à son retour. Entre ces deux moments liturgiques, la vie du pèlerin est analysée à travers les représentations iconographiques, les *signa super vestes* qui l'identifient et énoncent ses buts, les dévotions accomplies, les moments essentiels de la *peregrinatio*, les inscriptions et les signes laissés en cours de route, la relation particulière avec les *loca sancta* (de Sainte-Catherine du Sinaï au Finistèrre galicien) : un long voyage dans les faits et gestes du pèlerin, mais aussi une lecture attentive de sa mentalité et des raisons qui le poussent à entreprendre un pèlerinage qui le retient longtemps loin de chez lui et dans des lieux qui, s'ils sont souvent dangereux, sont néanmoins très féconds pour sa formation culturelle et spirituelle.

Renforçant l'idée première de cet ouvrage en nous présentant des pèlerins concrets et réels qui ont accompli les *peregrinationes maiores*, Klaus Herbers souligne à la fois les traits communs de ces grands pèlerinages – une communauté définie par le pèlerin lui-même en tant que point de contact réel entre les différents lieux saints et par la puissance de salut de ces lieux – et les éléments spécifiques à chacun : Rome, centre du pèlerinage de pénitence, d'indulgences et d'absolution ; Jérusalem, lieu le plus saint du monde ; Compostelle ou un possible salut de l'âme obtenu personnellement à travers les sacrifices imposés par le voyage le plus difficile. Dans ce cadre, Herbers nous parle aussi de pèlerins qui, poussés par leur foi mais aussi par la curiosité, le désir de connaître des pays lointains, ont associé deux ou plusieurs *peregrinationes maiores*. Cet esprit d'aventure s'accentuera à la Renaissance pour configurer ce qu'on appellera le *Ritterfahrt* ou « voyage du chevalier ».

Une partie importante de l'ouvrage est consacrée aux itinéraires. Car si ceux-ci, nous l'avons dit, mènent les pèlerins au but choisi, ils constituent aussi un réseau routier conjuguant et unifiant le trajet des dévotions de la Chrétienté médiévale. Au premier rang de ces itinéraires, la *francigena*, sur laquelle s'est risqué celui qui coordonne cet ouvrage et en rédige le *Portico*. La *francigena*, qui mène à Rome en reprenant et en rattachant entre eux de vieux tracés romains, ressemble à un organisme vivant en constante évolution. Utilisée par les Lombards pour relier leurs duchés éparpillés le long de la péninsule, elle est aussi

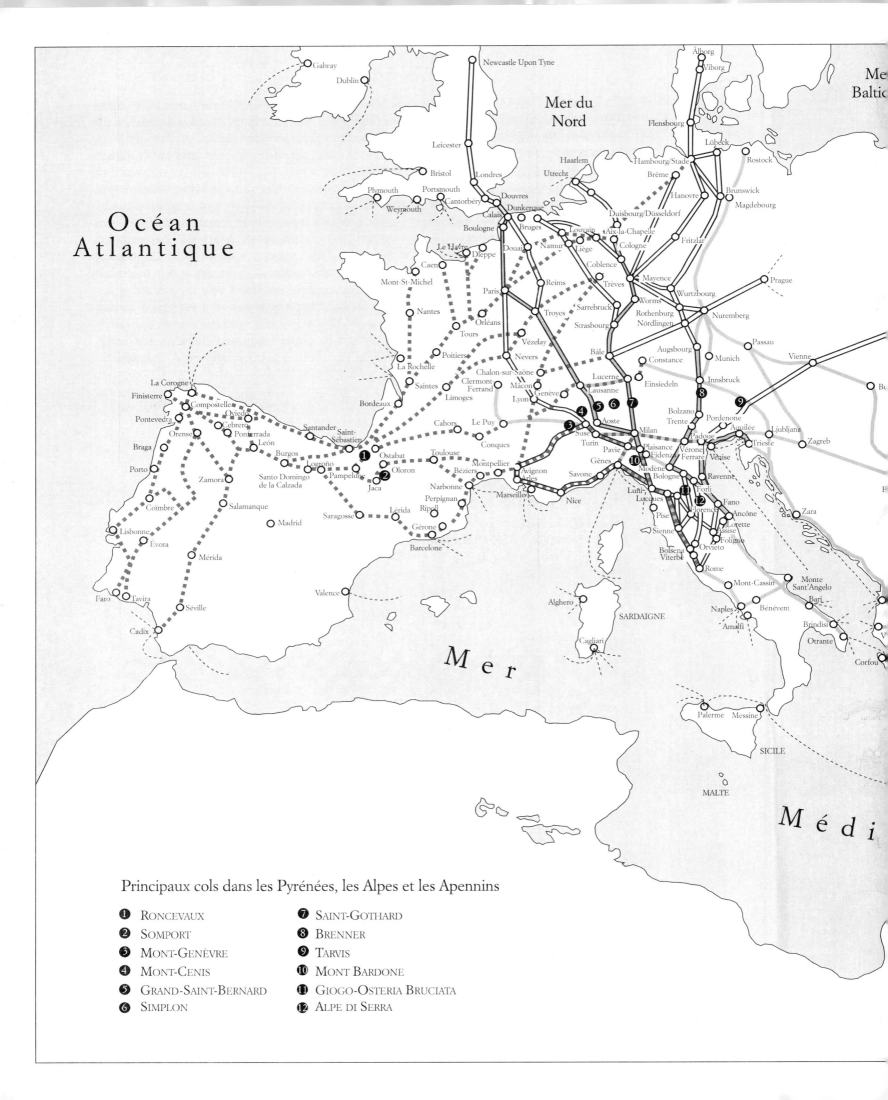

Océan Atlantique

Mer du Nord

Mer Baltique

Mer

Méditerranée

SARDAIGNE

SICILE

MALTE

Principaux cols dans les Pyrénées, les Alpes et les Apennins

❶ RONCEVAUX
❷ SOMPORT
❸ MONT-GENÈVRE
❹ MONT-CENIS
❺ GRAND-SAINT-BERNARD
❻ SIMPLON
❼ SAINT-GOTHARD
❽ BRENNER
❾ TARVIS
❿ MONT BARDONE
⓫ GIOGO-OSTERIA BRUCIATA
⓬ ALPE DI SERRA

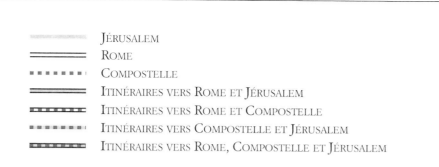

JÉRUSALEM
ROME
COMPOSTELLE
ITINÉRAIRES VERS ROME ET JÉRUSALEM
ITINÉRAIRES VERS ROME ET COMPOSTELLE
ITINÉRAIRES VERS COMPOSTELLE ET JÉRUSALEM
ITINÉRAIRES VERS ROME, COMPOSTELLE ET JÉRUSALEM

Note : sont signalés comme itinéraires multiples les tronçons dont l'utilisation dans deux ou trois directions est attestée par de nombreux documents.

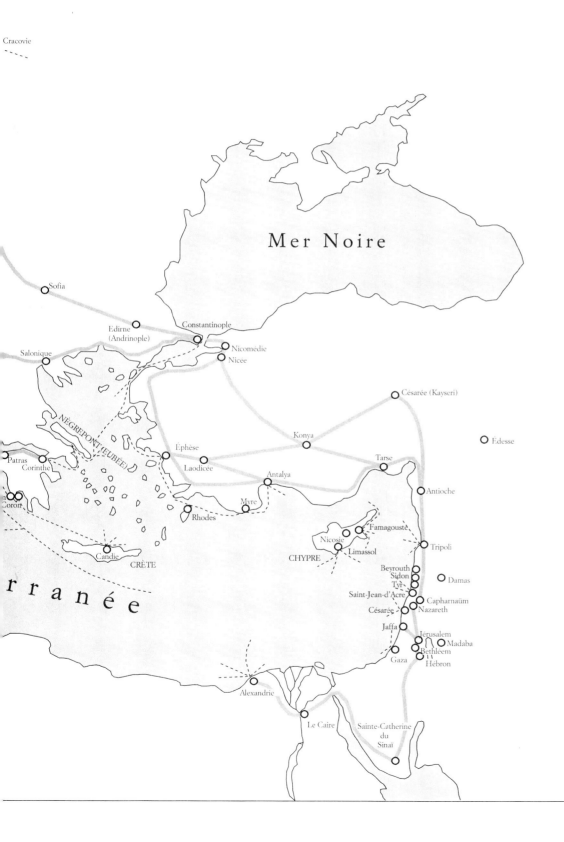

Les principaux itinéraires vers Rome, Compostelle et Jérusalem.

PEREGRINATIO

Pèlerinages, pèlerins et sacralisation de l'espace

par Julien Ries

Université de Louvain-la-Neuve

Le mot latin *peregrinatio* dérivé de *per ager*, « à travers champs », évoque la marche ou le chemin, tandis que le verbe arabe *hajj* utilisé pour désigner le pèlerinage en islam a le sens de « aller vers ». En Inde *tîrtha*, le gué du fleuve à franchir, est devenu une notion essentielle pour les pèlerins hindous, tandis que le vocable *henro* japonais employé pour parler du pèlerinage a le sens de chemin. Ainsi, la sémantique nous oriente vers la définition du pèlerin comme un voyageur qui a quitté sa demeure, afin de prendre la route qui le mènera vers un autre lieu. L'examen de ce phénomène universel qu'est le pèlerinage fait voir que ce lieu est la rencontre « du mystère ». Le présent travail va tenter de décrire brièvement la vision que le pèlerin a du chemin, du centre vers lequel le mènent ses efforts et de l'expérience qu'il y vit.

Le pèlerin en chemin

Le départ

2. Pèlerinage au sanctuaire hindou de Kârla, non loin de Bombay (Inde). Le sanctuaire, creusé dans la roche aux premiers siècles de notre ère, est encore aujourd'hui un centre de pèlerinage.

Le choix que fait le pèlerin est une décision libre qui implique des gestes porteurs de sacré puisqu'ils visent déjà le but final, à savoir la rencontre avec le « mystère ». Ainsi, avant d'entreprendre le *hajj*, ce pèlerinage à La Mekke qui est le cinquième pilier de l'islam, le musulman se met dans les dispositions requises par la foi en Dieu, il paie ses dettes et il se réconcilie avec ses ennemis. Il prévoit les moyens suffisants pour son voyage et il assure la subsistance de sa famille pour toute la durée de son absence. A l'île Maurice, le départ du grand pèlerinage à Shiva dans la cité du Grand Bassin est précédé d'une semaine de préparatifs dans chaque temple de l'île : chants, bains rituels, offrandes (*pûjâ*) puis bénédiction des pèlerins avant le départ. En chrétienté, dès le haut Moyen Age, le pèlerin est identifié par des insignes : chapeau, besace, bourdon. Ce dernier est le bâton du pèlerin muni d'un pommeau servant à la défense. Des dispositions juridiques protègent les biens et les intérêts du pèlerin pendant son absence. Avant leur départ, les pèlerins reçoivent la bénédiction de l'Église, donnée par l'évêque lorsqu'il s'agit d'un groupe imposant. Les formules des rituels et des eucologes nous permettent de comprendre l'expérience religieuse des pèlerins au moment de leur départ. Au commencement de la route vers Saint-Jacques-de-Compostelle, vers Rome, vers Jérusalem, l'imposition du costume et la consécration des insignes confirment en quelque sorte la décision des pèlerins et les préparent à l'épreuve du chemin avec ses distances, ses fatigues, ses difficultés quotidiennes provenant du temps, des intempéries, des dangers, du gîte à trouver[1]. Jusqu'à l'époque moderne, l'espace pèlerin était souvent parcouru à

L'espace sacral

Une série de caractéristiques déterminent le caractère sacral de l'espace pèlerin qui se détache par rapport à son environnement du fait qu'il est le lieu de la rencontre avec le divin, avec le mystère. L'espace sacral chrétien se reconnaît à une série de signes qui ne trompent pas : le cimetière autour de l'église, témoin de la croyance en la résurrection des morts et de la foi des vivants qui traitent leurs affaires à proximité de leurs défunts ; les chapelles de dévotion autour du sanctuaire principal du lieu de pèlerinage ; l'existence de processions avec des circuits et des itinéraires déterminés inscrits dans la mémoire collective ; la présence de croix de plein air, de croix nues ou de chemins de croix, de croix avec les instruments de la Passion du Christ. L'étude du sanctuaire principal est déterminante pour comprendre le sens du pèlerinage et découvrir certains aspects anthropologiques spécifiques. Ainsi la présence de saints thérapeutes, protecteurs et auxiliaires font découvrir les angoisses et les besoins des populations et des pèlerins. Les ex-voto sont les témoins des maladies et des épidémies. L'espace sacral du pèlerinage s'est articulé autour des besoins des pèlerins.

11. Vue du Jourdain, au nord d'Israël.

A propos de la nature des lieux sacrés auxquels aboutissent les pèlerins, Alphonse Dupront classe en quatre catégories « ces lieux où l'espace se transmue jusqu'à devenir puissance sacralisante » : lieux sacrés consacrant un phénomène de la nature physique ; lieux qu'illustre une histoire ; lieux sacrés à caractère eschatologique ; lieux de règne ou de sources[8]. Parmi les premiers sont classées les montagnes saintes avec leurs sanctuaires ; la deuxième catégorie englobe les événements majeurs des religions des peuples ; les lieux d'accomplissement eschatologiques se rencontrent en Égypte (Abydos), dans le christianisme (Jérusalem), en Inde et en islam ; il en est de même pour les lieux de règne marqués par l'espérance eschatologique des fidèles qui, par leur pèlerinage, préparent symboliquement leur survie ou leur résurrection.

12. Église Saint-Pierre près de Prizren (Kossovo). Le cimetière s'étend sur la colline autour de la petite église médiévale, lieu de dévotion pour le peuple serbe.

Page précédente :
1. Le mont Ararat vu du sud, le symbole de la montagne
dans toute sa splendeur.

2. Sanctuaire de la Vierge-du-Secours à Cholula
(haut plateau du Mexique), construit sur les vestiges
d'une pyramide sacrée précolombienne. Les pyramides
étaient des rappels symboliques des montagnes et
des volcans. Encore de nos jours, on demande
à la Vierge d'envoyer la pluie sur les cultures.

3. Le baobab des savanes de Tanzanie offre
un superbe exemple de l'arbre considéré comme
symbole sacré : point de repère sur l'horizon et lien entre
le ciel, la terre et les mondes souterrains.

Pages suivantes :
4. La grotte, symbole des relations avec l'au-delà, devient
un lieu sacré. Dans cette grotte près de Laura (Australie),
se déroulaient des rites d'inhumation au cours desquels
les peintures aussi jouaient un rôle.

5. La grotte d'Altamira (Espagne), l'un des grands
« sanctuaires » de l'Europe paléolithique. L'animal,
représenté dans toute sa masse et sa force, transmettait
ses pouvoirs aux hommes lors des rites d'initiation.

13. Le Sacro Monte de Varallo est l'un des exemples les plus connus, non seulement du nord de l'Italie mais de toute l'Europe, de sacralisation d'une montagne. Au début du XVIᵉ siècle, ce lieu a été aménagé et dédié à la Passion du Christ, représentée dans plusieurs chapelles. Ici, la scène de l'*Ecce Homo* où le Christ, après l'épreuve de la colonne, est conduit devant Pilate.

La rencontre festive

Entrée dans le lieu sacré

Au terme de sa route, le pèlerin pénètre dans le lieu sacré où il attend la rencontre mystérieuse et invisible. Il sait que ce lieu est imprégné de sacralité : basilique, cathédrale, sanctuaire marqués par un épisode miraculeux, image sacrale, icône vénérable voire miraculeuse, présence de corps de martyrs ou de saints thaumaturges, vénérable temple hindou ou bouddhique, grotte célèbre par des apparitions de la Vierge Marie, statue miraculeuse. Tout de suite, le pèlerin est pris d'émotion devant l'image spécifique du lieu sacré de la rencontre. La sacralisation acquise en chemin va à présent s'épanouir. L'ambiance du lieu s'empare du sentiment : chant et prière, architecture, lumière et décoration, fleurs, verdure et fontaines, déploiement des tentures. Le pèlerin est préparé pour la rencontre.

Le hajj *islamique, rencontre solennelle avec le Dieu unique*

Les rites du pèlerinage islamique à La Mekke sont évocateurs. A l'entrée du territoire sacré, le pèlerin revêt le costume *ihrâme* qui le sacralise, puis il proclame *labbayka*, « me voici à Toi », cri incessant répété par tous les pèlerins. Ils pénètrent alors en prière dans la grande mosquée pour accomplir ensuite sept fois le tour de la *ka'aba* dans le sens contraire des aiguilles d'une montre : à chaque tour, ils récitent une prière pour demander à Dieu de les garder dans la vérité et dans la foi. Suivent les sept parcours de la course d'Agar qui rappellent l'épisode d'Ismaël et de sa mère Agar chassés par Abraham et venus à La Mekke clamer leur détresse. Au septième jour débute le sommet du *hajj*, la rencontre de la communauté avec le Dieu unique. Elle s'ouvre par une prédication de l'*îmam* de La Mekke devant la *ka'aba,* puis tous les pèlerins vont vénérer les lieux saints rattachés à la tradition abrahamique. Le 9 du mois est la grande station au mont Arafāt, la montagne de Dieu située hors du territoire sacré ; c'est devant cette montagne que les pèlerins se tiennent en prière, saisis par la Majesté et par la Toute-Puissance de Dieu le Miséricordieux. Cette station d'Arafāt est le point culminant du pèlerinage musulman qui donne à tous le sentiment de la Grandeur d'Allāh, mais aussi la sensation de la force et de l'unité de la communauté, l'*umma* musulmane.

Le pèlerinage a valeur purificatrice ; il efface les péchés. On peut faire un *hajj* de remplacement pour un autre musulman. Après la station du mont Arafāt débute la désacralisation des pèlerins : le rite des jets de pierres contre un pilier, une symbolique de la lapidation du démon, le sacrifice des animaux, rappel du sacrifice d'Abraham, le sacrifice de la chevelure des pèlerins, l'abandon du vêtement sacré après avoir mouillé dans la source *zamzam* un suaire dans lequel le corps du pèlerin défunt sera enveloppé après sa mort et dans l'attente de la résurrection. Dans les circumambulations des pèlerins autour de la *ka'aba*, dans la course d'Agar répétée sept fois, dans leur station au mont Arafāt, nous avons des exemples typiques de la sacralisation de l'espace[9].

Rencontre sacrée des pèlerins grecs et bouddhistes

En Grèce, Delphes éveillait chez les Anciens le sentiment de la divinité à cause de la beauté du site, des rochers, des grottes, des sources, du bosquet de lauriers, du champ d'oliviers et de sa bouche souterraine. Douze peuples assuraient la protection du site et on venait de loin consulter l'oracle. Les foules venaient en pèlerinage auprès du dieu Apollon prophète, purificateur et guérisseur. Les pèlerinages de Delphes sont un modèle de choix d'une cosmogonie sacralisée.

Située à vingt kilomètres d'Athènes, Éleusis a donné à la Grèce un de ses mouvements religieux les plus importants : les mystères y furent célébrés durant plus de deux millénaires et ils ont procuré aux pèlerins l'initiation au salut. Sur la trame du mythe de Déméter et de sa fille Corè, les mystères d'Éleusis ont fait de cette plaine fertile « le sein de la terre qui donne la vie ». Le sens mystique et eschatologique du pèlerinage ne s'exprime pas seulement dans le mythe, mais aussi dans le rituel d'initiation dont nous savons peu de choses à cause du secret qui l'entourait. Dans la phase finale, un épi de blé était montré aux pèlerins initiés et on leur annonçait la naissance d'un enfant divin. Cette contemplation ultime d'un mystère divin ne pouvait avoir lieu qu'au terme d'une longue préparation rituelle et spirituelle. La procession d'initiation se faisait deux fois par an, au printemps et en automne. Partie d'Athènes, elle suivait la « voie sacrée » bordée de sanctuaires, ce qui permettait l'accomplissement de rites de purification. Le soir, la foule enthousiaste des pèlerins entrait dans le sanctuaire d'Éleusis, « le pays de l'Arrivée ». Dans le secret et dans un climat de ferveur mystique débutait l'initiation [10].

Nous disposons d'une série de rituels relatifs aux pèlerinages bouddhiques aux quatre montagnes à l'intérieur de la Chine. Ces quatre montagnes, Omei, Wutai, Putuo et Jiuhua, véritables splendeurs de la nature, représentent les quatre points cardinaux et constituent ainsi une cosmogonie sacrée liée à la présence d'un des grands *bodhisattva* (sauveur bouddhiste) sur chacune d'elles. Elles symbolisent l'origine de tout et les quatre coins de la terre. Les rituels explicitent les sentiments qui doivent animer les pèlerins durant leur marche ainsi que leur illumination au moment de leur séjour sur la montagne sacrée [11].

Les pèlerins chrétiens et leur Rencontre avec le Mystère

Le pèlerinage chrétien est un phénomène analogue à tous les pèlerinages mais avec une série de spécificités importantes. D'abord, en christianisme, la foi en un Dieu personnel unique et trinitaire modifie profondément les perspectives. Bien plus, le salut des fidèles, axé sur les mystères de l'Incarnation du Verbe de Dieu et de la Rédemption par Jésus-Christ dans l'Église animée par l'Esprit Saint, inspire les actes pèlerins des chrétiens. Enfin, le sacré chrétien s'enracine dans la médiation de Jésus-Christ en régime messianique, s'exprime et se vit par des rites et des symboles mais à l'exclusion des mythes qui sont spécifiques aux religions non chrétiennes [12]. Nous allons prendre trois exemples : Jérusalem, Rome et Lourdes.

Jérusalem est un lieu signé de manifestations historiques et surnaturelles, d'une série d'épisodes qui pour les chrétiens sont déterminants : Passion et mort de Jésus, Résurrection, Ascension et Pentecôte. Le pèlerin chrétien va revivre ces événements devant les ruines du Temple, dans la basilique du Saint-Sépulcre, dans l'église de l'Ascension, sur la voie du chemin de croix, sur le lieu du tribunal de Pilate, dans la chapelle du Cénacle, à Gethsémani. Pour les pèlerins chrétiens, la Terre sainte est évocatrice de la vie de Jésus. Il peut la parcourir, le texte des évangiles en mains. Pour les chrétiens qui visitent la Terre sainte en pèlerins et pas en simples touristes, le pays apparaît sous les traits d'une géographie sacrée. Au cours de leur marche, ces pèlerins baignent dans une atmosphère de prière et de méditation qui les unissent au Christ.

Il en est de même pour les pèlerins de Rome, des catholiques qui vont au centre deux fois millénaire de la chrétienté. C'est toute l'histoire de l'Église qui est inscrite dans la pierre et dans le marbre, dans les catacombes et dans les basiliques, dans les tombes des Apôtres, des martyrs et des saints, depuis Pierre et Paul jusqu'à Jean-Paul II. La visite aux basiliques, la participation aux grandes célébrations sur la place Saint-Pierre ou à l'intérieur de la basilique, le parcours des catacombes, la prière devant les tombes des martyrs et des saints, la réception des sacrements donnent aux pèlerins une conscience plus profonde du Mystère de l'Église [13].

14. L'*Omphalos*, considéré comme le nombril du monde, est conservé au musée de Delphes (Grèce).
Sa présence dans la Delphes classique témoigne de l'importance cosmogonique de ce lieu consacré à Apollon.

15. La Chine bouddhiste s'est souvent nourrie de l'ancienne culture taoïste. La sacralisation des montagnes réunit les deux cultures.
Ici, un exemple taoïste. On voit une partie du parcours sacré de la montagne Wudangshan, dans la province du Hubei. Le temple est perché sur le versant sud ; on y parvient par un chemin qui passe par la porte donnant accès au ciel.

16. Représentation du prétoire de Jérusalem, avec l'arche de l'*Ecce Homo* et, au premier plan, la colonne et les instruments de la passion du Christ.
Extrait du livre de Jean Doubdan, *Le voyage de la Terre Sainte* (publié à Paris en 1666), qui témoigne du regain d'intérêt au XVIIe siècle pour les lieux où a vécu le Christ.

L'exemple de Lourdes apparaît remarquable parmi les pèlerinages modernes. La Grotte de l'apparition mariale est le lieu signé d'une manifestation surnaturelle historique et, dans cette grotte, la représentation de la Vierge Marie telle qu'elle a été décrite par Bernadette, l'*imago* vénérée, soutient la prière des pèlerins venus pour obtenir des grâces par son intercession. La Grotte est le point d'espace sacré et comme un lieu de présence du Ciel et du Mystère, un lieu d'écoute céleste pour le pèlerin qui va y passer de longs moments de méditation et de prières. C'est aussi le lieu historique d'une série de guérisons miraculeuses. Mais autour de ce lieu, il y a une composition d'un espace sacré qui permet le déploiement des exercices du pèlerinage : les basiliques, le chemin de croix, l'esplanade pour la procession du Saint-Sacrement, ainsi que les piscines où coule l'eau de la fontaine surgie de terre à l'appel de la Vierge au cours d'une de ses apparitions, un lieu privilégié puisque historiquement espace de guérisons miraculeuses reconnues par l'Église. A Lourdes, le pèlerinage est une démarche religieuse totale pour les chrétiens : célébrations eucharistiques dans les basiliques, processions du Saint-Sacrement l'après-midi avec bénédiction des malades, procession aux flambeaux le soir d'un peuple en marche, éclairé par l'Esprit Saint et lumière pour le monde, prière intense à Marie devant la grotte, bain aux piscines qui rappelle le baptême et la mission du chrétien. D'un pèlerinage d'une semaine à Lourdes, les chrétiens reviennent réconfortés voire transformés : c'est le fruit de leur rencontre avec la grâce du Mystère chrétien.

Les rites de la rencontre

La rencontre avec le mystère, avec l'invisible, avec le divin est le terme de chaque pèlerinage. Cette rencontre s'est préparée durant la marche qui a mené le pèlerin vers son but, mais un prolongement de cette préparation s'impose afin que l'approche soit parfaite : c'est le rôle du rituel qui aide le pèlerin à prendre possession de l'espace sacré.

Parmi les rites d'approche, il y a la procession, prière debout, chantée au cours de la marche, cheminement collectif qui entraîne au-delà de la fatigue corporelle et qui aide à prendre conscience de l'événement que constitue la rencontre. Parmi ces rites d'approche, nous avons les circumambulations autour de la *ka'aba* de La Mekke, autour du *stûpa* bouddhique, la procession des pèlerins chrétiens chantant des cantiques et récitant le rosaire.

Les rites de participation aident le pèlerin à prendre contact avec le mystère, car par des gestes comme l'attouchement, le baiser, les lèvres posées sur le reliquaire, le fidèle a conscience de prendre à la puissance mystérieuse une parcelle qui l'aidera à opérer en lui une mutation physique ou spirituelle. Les pèlerinages de l'Antiquité et la Bible nous citent de nombreux exemples d'immersion dans les eaux sacrées des fleuves, des lacs, des piscines : le bain sacré est une manière absolue de participation qui, en Inde, est partie intégrante du pèlerinage. L'offrande s'inscrit aussi dans le registre des rites de participation, car elle marque un lien du pèlerin avec la divinité ou avec le saint. Le sacrifice dans les religions anciennes constituait l'acte sacral par excellence parmi les rites de participation : c'était l'échange du don de la vie qui ouvrait la voie à la rencontre parfaite entre la divinité et le pèlerin. Les diverses offrandes cultuelles des pèlerins ont pris le relais de ces rites de participation[14].

Il reste à dire quelques mots de la rencontre que fait normalement le chrétien au terme de son pèlerinage. Comme les disciples d'Emmaüs le jour de la résurrection du Sauveur, le pèlerin a trouvé sur son chemin le Christ, un compagnon qui a marché à ses côtés de façon très discrète mais l'a préparé à vivre une expérimentation analogue à celle des disciples. Au moment de pénétrer dans le sanctuaire, le cœur du pèlerin est devenu brûlant. L'Église l'invite à se mettre à genoux dans un confessionnal, à ouvrir son cœur à la miséricorde du Père, à recevoir l'absolution salutaire qui le décharge du poids de ses péchés. Après cette démarche qui donne purification et libération, le pèlerin participe à la célébration de l'Eucharistie : c'est la Rencontre avec le Christ son Sauveur qui illumine sa vie. Ainsi c'est dans le sanctuaire que le pèlerinage s'achève et se transfigure au terme d'une longue marche. Le lieu saint, sanctuaire ou basilique, devient comme le reflet de la Jérusalem céleste où tout exprime plénitude de la grâce et de la jubilation.

Conclusion

L'*homo religiosus* est l'homme pour lequel existe, au-delà de la réalité visible, une réalité transhumaine radicalement autre, source de vie et de valeurs absolues susceptibles de donner un sens à son existence. Cette réalité se manifeste à travers des objets et des personnes de ce monde ; cette manifestation est, selon l'expression de Mircea Eliade, une hiérophanie. C'est à travers la phénoménologie de la manifestation que l'on peut percevoir et comprendre la nature du sacré. Le sacré se manifeste comme une puissance d'un autre ordre que l'ordre naturel. L'*homo religiosus* fait l'expérience et vit l'expérience du sacré dans les diverses religions.

Le pèlerinage est une donnée fondamentale de l'anthropologie religieuse et constitue une des grandes expériences du sacré vécu dans les cultures. Son accomplissement final se fait en un lieu sacré – montagne, sanctuaire, source, lieu fixé par un événement mythique ou historique – où se réalise la rencontre qui constitue pour le pèlerin la sacralisation de sa démarche : purification, guérison, conversion ou au moins un réconfort spécial dans sa vie. Pour arriver à ce terme, le pèlerin doit parcourir une préparation psychologique et un chemin pèlerin fait d'un parcours parsemé de lieux de dévotion, de sanctuaires, de sources sacrées : cet itinéraire pèlerin devient une *via sacra* qui prépare les pèlerins à la grande rencontre qu'ils doivent faire au terme de leur chemin.

Nous disons les pèlerins, car le pèlerinage s'inscrit dans une « tradition collective ». La sacralisation de l'espace pèlerin devient réalité dans un groupe pèlerin qui avance d'étape en étape vers son lieu d'arrivée et vers sa rencontre. L'effort sans cesse renouvelé constitue une victoire permanente sur la fatigue et sur les difficultés du chemin. Chaque

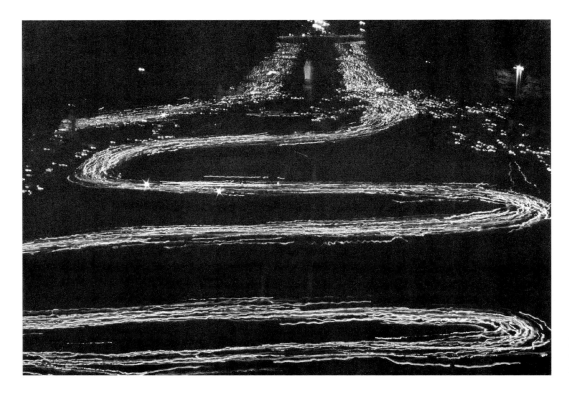

17. La grande procession aux flambeaux de Lourdes, l'un des rites rassemblant la communauté des fidèles autour du sanctuaire et de la Grotte de l'apparition mariale.

18. Groupe statuaire près d'un portail de la cathédrale romane de Fidenza (Italie). On y voit une famille de pèlerins, probablement en route pour Rome ; la cathédrale était une étape sur la *via francigena*.

lieu sacré a valeur de ressourcement. Cependant, il s'agit de bien mesurer la distance qui sépare la sacralisation de la route des pèlerins chrétiens, du sacré et de la sacralité vécus par des pèlerins hindous par exemple. Lorsque ces derniers avancent sur les chemins qui les mènent aux sources du Gange, ils ont conscience de vivre des heures intenses en communion avec le fleuve sacré dans lequel ils se plongent pour se purifier et cueillir des forces vitales nouvelles. Leur route du pèlerinage est éclairée par une sacralité cosmique. Le groupe des pèlerins chrétiens sur le chemin de Compostelle qui s'arrête à Saint-Isidore de León pour la célébration solennelle d'une messe fait étape sur la *via sacra* afin de participer à la sanctification du peuple chrétien par le mystère rédempteur du Christ. La route du pèlerinage chrétien est une *via sacra*, mais qui s'inscrit non dans une vision purement cosmique, mais aussi et par priorité dans une histoire et une optique de salut et de rédemption par le Christ.

NOTES

1. Alphonse DUPRONT (éd.), *Saint-Jacques-de-Compostelle. Puissances du pèlerinage*, Paris, Brepols, 1985.

2. Michel DELAHOUTRE, « Les pèlerinages bouddhiques en Inde », in Jean CHÉLINI et Henry BRANTHOMME (éd.), *Histoire des pèlerinages non chrétiens*, Paris, Hachette, 1987, pp. 242-257. Cet ouvrage fait le parcours des diverses religions et cultures non chrétiennes et donne une vision de l'ensemble des pèlerinages dans les religions non chrétiennes du monde.

3. Gilbert DURAND, *Les structures anthropologiques de l'imaginaire*, Paris, Dunod, 1992, 11ᵉ éd., pp. 25-28.

4. Mircea Eliade, *Traité d'histoire des religions*, Paris, Petite Bibliothèque Payot ; se reporter au chapitre sur la symbolique de l'eau.

5. Jean CHÉLINI et Henry BRANTHOMME (éd.), *Les chemins de Dieu. Histoire des pèlerinages chrétiens des origines à nos jours*, Paris, Hachette, 1982.

6. Carl A. KELLER, « Le sacré et l'expression du sacré dans l'hindouisme », in J. RIES (éd.),

19. Sanctuaire baroque de Manquiri, près de Potosí (Bolivie). On accède au sanctuaire en passant devant la chapelle dédiée à la *Via Crucis*.

Les motivations

Le pèlerin doit avoir certaines disposition fondamentales qui constituent le point de départ spirituel pour prendre la route. Il sait, peut-être par expérience, que l'épreuve la plus pénible sera de se sentir étranger parmi des étrangers, lorsqu'il aura quitté son pays. Quels que soient les moyens dont il dispose pour entreprendre son voyage, il devra passer de longues journées de route à travers des terres inconnues, il sera exposé à toute sorte d'abus en partie justifiés, ou excusés, par sa condition d'étranger. A certains moments, il aura l'impression d'être un apatride, qui a abandonné les siens et qui ne trouve de réconfort auprès de personne, car partout il risque de se sentir rejeté. La solitude et l'incompréhension lui pèseront à des degrés divers, lorsqu'il traversera des pays parlant une autre langue que la sienne et qu'il ne pourra pas entrer directement en contact avec les gens qu'il rencontrera. La maladie le guette aussi et il ne pourra alors compter que sur la bonne volonté et la générosité des gens parmi lesquels il se trouvera. En fait, il va devenir une sorte de rebut de la société, éloigné des uns, rejeté par les autres. Garder intacte sa volonté et sa décision, ne pas abandonner son vœu dans ces conditions, voilà ce qui confère sa véritable profondeur spirituelle au pèlerin.

Celui qui décide de faire vœu de pèlerinage, c'est-à-dire de quitter sa patrie en renonçant, ne serait-ce que temporairement, à tout ce qu'il possède, doit donc être mû par de hautes et puissantes motivations. En premier lieu, il doit aimer Dieu et désirer se rapprocher de lui. Même s'il n'est pas toujours formulé de façon explicite, ce sentiment doit être suffisamment intense pour donner un sens à toute sa démarche. En second lieu, il doit croire fermement que les choses saintes rapprochent de Dieu ; en particulier, un corps saint ayant appartenu à un *vir Dei*, à un « homme de Dieu », qui entretient désormais une relation privilégiée avec la divinité en sa qualité de bienheureux. C'est pourquoi l'invocation, la supplication de l'intercession du saint, constitue un des recours les plus sûrs pour se rapprocher de Dieu et même, dans certains cas, pour se sentir réellement à ses côtés.

21. Statuette d'*azabache* (XVIᵉ siècle) représentant saint Jacques avec des pèlerins en prière, probablement de facture compostellane. Vienne, Kunsthistorisches Museum.

22. Hans Burgkmair, *Basilique Sainte-Croix*, détail avec un groupe de pèlerins. Augsbourg, Staatsgalerie, Bayerische Staatsgemäldesammlung.

10. « Et je vis la Cité sainte, Jérusalem nouvelle, qui descendait du ciel, de chez Dieu » (Ap 21,2). Cycle de l'*Apocalypse* de Nicolas Bataille, fin du XIVᵉ siècle. Angers, musée des Tapisseries, tapisserie n° 80.

11. « Alors, l'un des sept Anges [...] s'en vint me dire : "Viens, que je te montre la Fiancée, l'Épouse de l'Agneau" [...] et [il] me montra la Cité sainte, Jérusalem » (Ap 21,9-10). Cycle de l'*Apocalypse* de Nicolas Bataille, fin du XIVᵉ siècle. Angers, musée des Tapisseries, tapisserie n° 81.

12. Le pèlerin rappelle à chacun la dimension de la vie
en tant que chemin. Guillaume de Digulleville,
Pèlerinage de la vie humaine, enluminure flamande
de la fin du XIVᵉ siècle. Bruxelles,
Bibliothèque royale Albert Iᵉʳ, ms. 10176-78, fᵒ 43v.

13. Trois scènes de la vie de Raymond Lulle : à gauche,
la conversion ; au centre, la prière devant la Vierge
de Rocamadour ; à droite, la prière devant saint Jacques.
D'après les textes, lors de ses deux pèlerinages, Raymond
Lulle demanda l'aide divine pour mener à bien son projet
de rencontre entre chrétiens et musulmans. Thomas le
Myesier, *Electorium parvulum*, anthologie de textes de
Raymond Lulle, Karlsruhe, Badische Bibliothek.

Page suivante :
14. Dans les Évangiles, le Christ est toujours en chemin.
Ici, en compagnie des disciples sur la route d'Emmaüs,
le Christ est représenté avec les insignes de pèlerin.
Monastère Santo Domingo de Silos (XIIᵉ siècle).

23. Maître d'Alkmaar, *Fremde beherbergen* (1504). Sur ce détail, on voit un groupe de pèlerins qui s'apprête à entrer dans une auberge. Amsterdam, Rijksmuseum.

24. Hans Schäufelein, dessin d'un pèlerin (1510). Vienne, Albertina.

Le point crucial dans la gestation du pèlerinage est donc l'idée que le dévot se fait de la personnalité du saint, qu'il doit croire capable d'intercéder efficacement en sa faveur auprès de Dieu. Sa résolution d'entreprendre le pèlerinage sera d'autant plus ferme que les capacités du saint lui paraîtront certaines. En fait, il veut avoir la certitude que Dieu porte un amour et une attention spéciale au lieu ou au corps saints qu'il désire vénérer. Ainsi, au contact ou à proximité du saint, il pourra accéder plus facilement à Dieu, parce qu'il bénéficiera de l'aide de l'homme de Dieu, à qui Dieu ne peut normalement rien refuser, surtout s'il s'agit d'une demande en faveur d'une personne pieuse qui reconnaît publiquement et par son effort personnel la grandeur et les vertus de l'ami de Dieu.

Le pèlerin baigne donc dans une atmosphère d'idéaux qui lui donne la force de surmonter les épreuves et le conforte dans l'intention qu'il s'est forgée : la confiance en Dieu, mais surtout la conviction que le chemin qu'il a choisi, par la vénération et la prière fervente au saint auquel il s'est voué, lui permettra de se sentir près de la divinité et de voir exaucés ses vœux les plus chers.

Ce sentiment n'est en rien celui d'une spiritualité éthérée, il s'agit d'une authentique *devotio*, tout imprégnée de l'amour de Dieu et de ses saints. L'amour envers Dieu n'est pas toujours aussi ostentatoire, mais le culte des saints, même s'il semble dominant et exclusif, en découle certainement.

Vertus et but du chemin

Au cours du Moyen Age, la condition du pèlerin sur les routes devient moins pénible. Les gens qui le recevaient étaient nourris d'un sentiment de charité spéciale envers ceux qui venaient de loin, qu'ils se devaient d'accueillir avec une attention particulière[3]. Le voyage devenait ainsi, dans une certaine mesure, plus supportable. Le chemin n'en était pas pour autant moins long, dangereux et semé d'embûches, en dépit de la compassion et de la bienveillance dont faisaient preuve les bonnes gens. Un sentiment réciproque d'affection naissait donc, qui rayonnait sur le pèlerin et l'encourageait dans sa démarche.

Le pèlerin devait certes connaître sa destination, mais tout n'était pas fini lorsqu'il atteignait son but. Il fallait revenir, ce qui multipliait par deux les épreuves et difficultés. La plupart du temps, il prenait le chemin du retour dans un état d'esprit complexe où se mêlaient la satisfaction d'être arrivé au lieu saint et d'avoir par conséquent accompli son vœu principal, la grâce qu'il avait ressentie au terme de la route, en compagnie d'autres pèlerins, par l'édification intérieure offerte par le sanctuaire et la vue d'autres dévots ; et surtout, il revenait rempli d'une nouvelle espérance si, comme cela devait arriver souvent, il n'avait pas réussi à sentir dans sa propre chair la proximité de Dieu[4] et l'exaucement de ses prières.

Les gens qui voyaient passer les pèlerins, ou qui les accueillaient, ne pouvaient ignorer les souffrances qu'ils enduraient « par les rochers à flanc de montagne, au milieu des embuscades des voleurs, avec les tourments infligés par les brigands, par les innombrables escroqueries des aubergistes[5] ». Leur compassion était l'une des récompenses de celui qui partait en pèlerinage, car elle lui offrait réconfort et paix intérieure.

Au Moyen Age, le dénominateur commun des grands pèlerinages était la destination lointaine des lieux sacrés que les pèlerins allaient visiter. Le voyage était perçu comme composante d'une mécanique spirituelle dans le cadre de laquelle il fallait pratiquer les vertus.

C'est pourquoi les théories pastorales sur le pèlerinage insistent souvent sur la nécessité des actes vertueux qui permettent au pèlerin de se rendre digne des grâces divines : atteindre le but fixé, d'une part, mais aussi tirer pleinement parti du voyage pour affirmer sa foi, augmenter son espérance et pratiquer la charité.

C'est cette dernière vertu qui était particulièrement mise en avant, les autres allant apparemment de soi. Ainsi, les pèlerins portaient toujours sur eux une besace ou panetière qui devait rester ouverte afin de mettre en pratique l'amour du prochain; en partageant tous leurs biens, ils étaient persuadés de gagner en trésors célestes ce qu'ils abandonnaient en biens matériels.

La charité fraternelle commençait par les siens. Il fallait résoudre querelles et tensions au sein de la famille et du village afin que le départ fût placé sous la bénédiction de Dieu. On demandait pardon aux offensés et, pour marquer le caractère spirituel du pèlerinage, il convenait de procéder à une cérémonie de bénédiction dans sa propre paroisse, en présence de la famille et des amis. A cette occasion, réconciliation et pénitence étaient de rigueur.

Tout au long de la route, il fallait pratiquer les œuvres de piété et de miséricorde. C'est pourquoi il était vivement recommandé de visiter les sanctuaires rencontrés sur le chemin ou qui se trouvaient à proximité, même si l'on devait pour cela faire un détour. On pouvait y recevoir des grâces spéciales du ciel, en particulier le don de force, si appréciable dans ces circonstances. Par ailleurs, les saints qu'il avait l'occasion de révérer servaient d'exemple au pèlerin en personnifiant les vertus qu'il devait développer. Leur intercession pouvait aussi l'aider à atteindre son but.

25. H. Cock, gravure de Bruegel. Pèlerins dans un paysage du centre de l'Europe.

La charité devait s'appliquer à tout le monde, sans distinction, en dépit des fréquentes mises en garde contre les dangers des mauvaises rencontres qui cachaient, sous l'apparence d'indigents, des crapules dont le seul but était d'escroquer ou de voler le brave pèlerin. Être frères dans le Christ constituait le principe régisseur qui permettait, dans une certaine mesure, au voyageur de ne pas se sentir seul et désemparé : Dieu voulait qu'il aime tous ses semblables, car tous étaient ses fils, et par leur intermédiaire le pèlerin pouvait obtenir des grâces spéciales ainsi que le pardon de ses propres fautes.

Par la foi et les bonnes œuvres, s'affirme pleinement l'intention d'atteindre la Jérusalem céleste qui est en fait le symbole le plus haut de tout pèlerinage[6].

Et en effet, le pèlerinage est une métaphore du passage de l'homme sur terre, où nous sommes tous des hôtes et des pèlerins[7]. Pour un esprit chrétien, la vie terrestre n'est qu'une pérégrination (on est loin de sa maison, rien de ce qui se trouve ici-bas ne peut

26. Giovanni Sercambi, *Come si fé lo perdono di Roma* (1350). Lucques, Archivio di Stato.

être considéré comme sien) et le but auquel on aspire est le Royaume des Cieux, où se trouve la grande maison commune qu'a préparée le Père.

Tout pèlerinage en quête d'un sanctuaire doit être une métaphore de la grande pérégrination de l'homme : celui qui arrive à la fin de sa vie sans avoir atteint les niveaux requis de bonnes œuvres et de sanctification personnelle n'atteindra pas la nouvelle Jérusalem[8].

Typologie du pèlerinage

Pour le pèlerinage, nous disposons de précédents glorieux qui servent de modèle au pèlerin. Dans un célèbre sermon, qui forme le noyau du *Liber Sancti Jacobi* et qui fut composé à Compostelle à l'usage des jacquaires, nous retrouvons les grands archétypes de pèlerins qui permettent de dessiner un schéma d'ensemble des vertus et conditions requises. Nous allons le prendre comme guide, car il rend l'atmosphère, plus ou moins idéalisée, du pèlerinage à Saint-Jacques-de-Compostelle et il résume par ailleurs les recommandations que les théologiens compostellans diffusaient parmi les dévots de saint Jacques[9].

« Comment naît le chemin de pèlerinage chez les anciens pères et comment doit se faire ce chemin ? », tel est le thème d'une des parties du sermon. L'auteur esquisse une présentation de cette typologie pèlerine afin de recomposer une image des vertus et récompenses du pèlerinage.

L'histoire remonte à Adam, pour se poursuivre avec Abraham et Jacob ainsi qu'avec les Israélites de l'Ancien Testament, et s'achève avec le Christ et les apôtres de la Nouvelle Loi.

Après avoir péché, Adam fut chassé du Paradis et envoyé en exil dans ce monde, d'où il sera sauvé par le sang du Christ et sa grâce. De même, le pèlerin est envoyé en pèlerinage par un prêtre, loin de chez lui, pour obtenir la rémission de ses péchés, comme s'il était exilé, et il sera sauvé après s'être confessé et repenti.

Abraham devint pèlerin lorsque Dieu lui enjoignit de quitter son pays et sa parenté pour le pays qu'il avait prévu[10]. C'est ainsi que le pèlerin abandonne sa maison et sa

27. *Cronaca* de Pietro et Floriano Villola (XIVᵉ-XVᵉ siècle). Figure allégorique du pèlerin représentant l'auteur de la chronique protégeant ses écrits à l'aide de son bourdon. Bologne, bibliothèque de l'Université.

28. L'accueil des pèlerins comme œuvre de miséricorde. Florence, école de Domenico Ghirlandaio.

peut-être de la prédication d'un clerc du chapitre de Saint-Pierre, comme disent les uns, mais certainement d'une forte demande populaire – et celui d'Alexandre, soigneusement préparé aux plans symbolique et matériel, c'est dans un bouleversement total fait de violentes crises que Rome s'est transformée en une ville cosmopolite. Il est plus difficile de cerner les transformations subies par la papauté. Pour le jubilé de Boniface VIII, on a pu dire, sans doute avec un peu d'emphase, que « le jubilé de 1300 a été [...] l'ultime témoignage du grand pontificat médiéval », alors que « les jubilés suivants, même s'ils ont encore déplacé des multitudes, n'ont été que des commémorations de celui de Boniface, destinées à revivifier la dévotion, à distribuer la grâce divine et peut-être aussi à "collecter des fonds", mais ils ne prétendaient plus être la célébration solennelle de cet idéal politico-religieux tel qu'il était proclamé, mesuré et défini dans l'*Unam Sanctam* ». Il est peut-être possible aujourd'hui, cinquante ans après les recherches fondamentales de Frugoni, de montrer comment chaque pontife, dans la célébration des jubilés suivants, a interprété chacun des aspects mentionnés plus haut. La situation religieuse et politique en Europe avait certes changé, mais l'idéologie pontificale avait proposé avec force, au milieu du XVe siècle, le modèle du *pontifex-imperator*, avec les conséquences que l'on sait en termes de pouvoir temporel et spirituel. Nous pouvons certainement reprendre, et étendre aux jubilés suivants, les raisons avancées à la présence, chaque fois, de multitudes marchant vers le pardon : « Les foules exprimaient simplement l'angoisse du salut, la coutume religieuse qui reconnaissait en Rome le guide de la foi. »

Certains de ces pèlerins avaient probablement pris connaissance, dans l'Ancien Testament, du jubilé hébraïque, ou bien en avaient-ils entendu parler dans les prêches ou homélies ; certains avaient peut-être réfléchi sur les grandes ponctuations du temps et les avaient rapprochées des ponctuations plus rapides de la vie personnelle ; bien sûr, chacun d'eux sentait peser sur sa propre conscience chrétienne l'imperfection de sa vie, le poids des petites et grandes fautes, obstacles à l'espérance d'une vie éternelle. Si le voyage à Jérusalem avait constitué, à l'origine de la diffusion du christianisme en Occident, le pèlerinage par excellence et si, à partir du XIe siècle, la croisade, *peregrinatio armata,* était proposée par les pontifes (au moins aux hommes) comme l'occasion de gagner l'indulgence plénière, une idéologie du pèlerinage à Rome naissait parallèlement. Boniface VIII a récupéré et institutionnalisé l'afflux de pèlerins à Rome, qui avait toujours eu les faveurs des pontifes qui l'avaient précédé, même si, comme on le sait, la *vox populi* du flot de pèlerins venus dans les premiers jours de 1300 est à l'origine de sa décision. Mais ce sont la tradition romaine, l'idéologie monarchique de la papauté, la réflexion canonique sur les indulgences, la volonté d'apporter à Rome le caractère sacré lié au pèlerinage hiérosolymitain, et une intuition remarquable, qui l'ont convaincu de son bien-fondé.

L'espérance du salut éternel, ou au moins d'un séjour abrégé au purgatoire, restait un motif suffisant pour affronter de longs voyages, la fatigue, les dangers et parfois le sacrifice ultime. Au bout du voyage, il y avait le bois de la Croix, le voile de Véronique, la *Scala Sancta*, le sépulcre et la chaire de Pierre, et tous les martyrs de la foi. Au bout du voyage, il y avait Rome et le salut.

Traduit de l'italien par Hélène Ladjadj

15. D'après l'interprétation traditionnelle, sur cette fresque
attribuée à Giotto, le pape Boniface VIII bénit
les pèlerins du jubilé de 1300 depuis la loge du Latran.
Autrefois dans la Loge des bénédictions de
Saint-Jean-de-Latran, la fresque se trouve aujourd'hui
à l'intérieur de la basilique.

18. Les pèlerins arrivent à Rome pour le jubilé de 1300.
Giovanni Sercambi, *Cronache*, début du XVᵉ siècle.
Lucques, Archivio di Stato, bibliothèque,
ms. 107, f° 29r.

Ci-contre :
19. La statue de saint Pierre accueille les pèlerins à Rome.
Bronze d'Arnolfo di Cambio, antérieur à 1296.
Rome, basilique Saint-Pierre.

20. Parti en quête du visage du Christ, le pèlerin
trouvait sa Sainte Face dans chaque image
du Voile de Véronique, *mandylion* dans l'art byzantin.
Ce *Mandylion* figure au portail de l'église de
la Dormition du monastère de Humor
(Moldavie).

PEREGRINI

Pèlerins en chemin et sur les lieux saints

par Robert Plötz

De peregrinationibus maioribus liturgica et paraliturgica :
benedictiones, ritus, sacra et signa

En général, il convient de considérer les us et coutumes d'une société comme les expressions normatives et récurrentes d'une foi, résultat d'une cohésion sociale, culturelle et religieuse. On peut en déceler et donc en contrôler et en sanctionner l'évolution, puisqu'elle répond à des normes. La littérature ne permet pas souvent d'analyser ce consensus, élément d'une forme de vie communautaire partiellement repliée sur elle-même. En effet, les sources médiévales n'en parlent même pas, le considérant comme allant de soi. Il en est uniquement question en cas de confrontation entre la sphère du quotidien, du familier et ce qui est étranger, par exemple dans les récits de voyage, de pèlerinage en de lointains lieux saints. Par ailleurs, plus les chroniques se rapprochent des temps modernes, plus elles sont détaillées. Mais comme elles sont le reflet de la mentalité du moment, on se doit, pour les temps reculés, de les utiliser avec réserve. Et c'est précisément pour cette période pauvre en écrits et en moyens d'expression, où la plupart des hommes étaient incultes, que la structure religieuse du temps et de l'espace est la plus déterminante ; celle-ci génère en effet des forces et des équilibres qui influencent largement l'*ordre* non seulement religieux, mais aussi social. Ce sont avant tout les usages fixés et admis par l'Église, comprenant aussi bien des célébrations liturgiques que paraliturgiques, qui dévoilent de façon exemplaire les rapports et les tensions entre les besoins de la vie quotidienne, voire inconsciente ou affective, et les exigences du « canon des vertus » strictement codifié par l'Église de Rome. Pour autant qu'on puisse en juger – les clés manquant aux chercheurs du fait de l'insuffisance des documents –, en ces temps lointains, l'individu pouvait et devait se débrouiller au milieu de ces contradictions. Les mentalités ne sont pas toutes coulées dans le même moule, la culture, dont nous avons hérité, n'est pas uniforme. Elle semble d'ailleurs s'être adaptée aux évolutions, aux transformations et aux révolutions plus lentement qu'à l'heure actuelle, où nous assistons à une explosion du potentiel de l'information, des techniques médiatiques et de l'équipement technologique en général. Il est toutefois possible d'explorer prudemment la genèse de cette ancienne culture, ses structures mentales imprégnées de magie et ses schémas idéologiques et sociaux.

Les pèlerinages à Jérusalem, Rome et Saint-Jacques-de-Compostelle, principalement, illustrent parfaitement la psychogenèse de l'Occident latin, de ses formes sociales chrétiennes et post-chrétiennes. Pour quelle raison ? Parce que la dimension spatio-temporelle des *peregrinationes maiores* a influencé toute la civilisation de l'Ancien Monde (jusqu'en 1494) et a laissé son empreinte sur l'expression de la spiritualité dans le monde

45. Pierre, Jean et Jacques, disciples favoris du Seigneur, sur le retable de Göttingen (Barfüsseraltar).

occidental moderne. C'est aussi parce que les phénomènes de la sphère psychologique ont des répercussions sur de nombreuses situations humaines : abandon de l'espace homogène, périple dans un espace hétérogène, accès au cercle magico-religieux du lieu saint ou de la géographie sacrée, retour au pays et réintégration dans la société statique et dans la paroisse d'origine.

L'appréciation et la vitalité de ces modes de vie et de ces manières de l'illustrer sont évidemment sujettes à bien des changements au fil du temps. Image, acte, geste, rite, signe et cérémonie apparaissent ainsi à la fois comme des nécessités élémentaires et comme des vecteurs permettant à l'ensemble des croyants d'exprimer leur aspiration communautaire. Et celle-ci ne se limite pas aux lieux où les saints sont réputés présents ; outre ces lieux sacrés, votifs, sanctifiés ou objets de pèlerinages, on trouve bien des sites naturels, comme des paysages avec leurs particularités topographiques ou physiques ; tant et si bien que de nouveaux centres de culte et de dévotion surgissent fréquemment.

A l'aide d'exemples choisis au sein d'un corpus d'une complexité prodigieuse, cette quête des indices nous fait découvrir des rituels, des contraintes extérieures et intérieures, des oppositions entre tradition et innovation dans un univers où l'*orbis christianus* se trouve un peu dans la situation de l'Ancien Monde avant la découverte de l'Amérique.

Liturgica

Benedictio perarum et baculorum

Au cours de son initiation, le pèlerin, pour être reconnu comme tel, doit remplir certaines conditions. La bénédiction est d'une importance particulière pour l'acquisition de ce statut. Lorsque l'abbé islandais Nicolas Bergsson de Munkathvera († 1159) part pour Rome au XIIᵉ siècle, il se fait bénir à Utrecht, appartenant alors au diocèse de Cologne, tout comme le fera, encore en 1743, Nicola Albani, un habile fripon qui reçoit en l'église San Giacomo de Spagnoli les *indumenta peregrinorum*. Dès l'époque carolingienne, et plus encore à partir du XIᵉ siècle, les us et coutumes des pèlerins marquent la liturgie officielle. L'Église adopte les prières *pro fratribus in viam dirigendis* et *pro redeuntibus de itinere*, en faveur de ceux qui partent et qui reviennent des lieux saints. Dans le missel de Vich, de 1083, on découvre une messe spéciale *pro fratribus in via dirigendis*, ainsi que dans les cérémonials de Roda et de Lérida et dans le sacramentaire de la cathédrale de Laon du début du XIᵉ siècle. D'après l'évêque islandais Gilbert de Limerick (XIᵉ siècle), la bénédiction des pèlerins fait partie des quatorze devoirs du prêtre. Un recueil de bénédictions provenant de Munich et datant du XIᵉ siècle contient des formules pour les pèlerins sur le départ ainsi que d'autres, dont la *benedictio super capsellas et fustes et super homines*, pour bénir les insignes. Cette cérémonie se déroule de préférence sur les lieux de ralliement : la foule des pèlerins du haut Moyen Age profite de centres comme Aix-la-Chapelle, Einsiedeln, Gênes, Cologne ou Venise, pour se rassembler et partir en groupes, pour se retrouver en compagnie de gens poursuivant le même but et ayant la même origine, et ne pas affronter seul les dangers et les épreuves de la route. Plusieurs manuscrits enluminés illustrent le thème de la bénédiction des pèlerins : citons l'enluminure en provenance de l'abbaye bénédictine de Maillezais, près de Fontenay-le-Comte en Vendée (fin du XIIᵉ siècle), celle du *Rituale Lambacense* du monastère de l'Assomption de la Vierge de Lambach (v. 1200), le cérémonial du XIIIᵉ siècle conservé à la bibliothèque communale de Besançon ou encore un pontifical du XVᵉ siècle de la bibliothèque municipale de Lyon. L'assimilation

46. Statuette-reliquaire offerte par le pèlerin français Geoffroy Coquatrix en 1321. Cathédrale de Compostelle, trésor.

47. Bénédiction du bourdon et de la besace sur une enluminure du XVᵉ siècle.

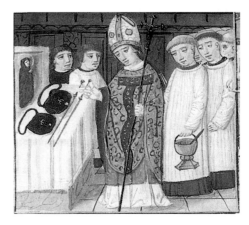

48. Bas-relief représentant saint Jacques qui remet la besace et le bourdon aux pèlerins en partance (1260-1280). Mayence, musée de la cathédrale.

49. Pèlerins et infirmes se rassemblent autour du tombeau d'un saint sur une peinture provençale du XVe siècle.

iconographique entre les pèlerins et les saints pèlerins est perceptible dans deux représentations en relief de saint Jacques datant du XIIIe siècle, l'une à Mayence, l'autre à Constance. Situées toutes deux sur des axes importants, fréquemment empruntés dès le haut Moyen Age par les pèlerins, ces deux villes germaniques disposent en effet de l'infrastructure, tant caritative que sociale, nécessaire à l'accueil et au regroupement des foules de voyageurs.

Devant la perte de prestige des grands pèlerinages et la multiplication des centres de dévotion régionaux après le concile de Trente, l'Église se désintéresse progressivement des premiers ; et ce changement des mentalités est transposé dans le *Rituale Romanum*, lorsque le pape Paul V (1605-1621) remplace la cérémonie de bénédiction des insignes par une simple bénédiction de la personne.

Incubatio

Le désir de toucher, de palper l'objet sacralisé tire son origine de la quête de salut et de l'octroi de ce salut par le saint patron. Le désir du contact physique rapproché avec les sépultures des saints est satisfait au Moyen Age par la pratique de l'incubation.

Nompar II, seigneur de Caumont, nous rapporte qu'au début du XVe siècle il était d'usage de se rendre trois fois de nuit dans l'église du Saint-Sépulcre de Jérusalem et de débourser, au tarif de l'époque, environ six florins à chaque fois. Sa quatrième visite, qu'il mentionne fièrement, lui aurait d'ailleurs coûté davantage.

Le *Codex Calixtinus* du XIIe siècle donne une indication précise sur la manière d'accomplir cette pénitence : « Il convient que le peuple prie devant l'autel de l'église durant toute la nuit en tenant dans les mains des cierges allumés, debout et non assis, en veillant et non pas en dormant [...]. Tout comme, parmi les gens qui veillent, celui qui prie est attentif au corps vénéré, de même, sans doute, saint Jacques transmet ses prières à Dieu. Bien des gens affirment même avoir aperçu le saint sous sa forme apostolique lors de la vigile de sa fête. »

L'animation, qui devait régner lors de ces nuits d'incubation où se confondaient réalité, visions et réactions psychosomatiques, est attestée par un événement survenu dans la cathédrale de Compostelle. Au cours d'une nuit du début du XIIIe siècle, la bousculade a été telle autour de l'autel de l'apôtre qu'on en est venu aux mains et même au meurtre ; si bien que le pape Innocent III juge utile de prononcer un édit de purification de l'autel.

A l'orée des temps modernes, la pratique de l'incubation subsiste encore auprès de quelques saintes sépultures.

Coronatio peregrinorum

La coutume du couronnement des pèlerins par saint Jacques le Majeur n'a cours que dans les régions germanophones et plus particulièrement dans le sud-ouest de l'Allemagne. Une des premières illustrations de la *coronatio peregrinorum*, dont nous connaissons à ce jour quelque trente exemples, est le relief en grès de style roman tardif de la fin du XIIe siècle, à l'entrée sud du chœur de la cathédrale de Fribourg. Saint Jacques y est assis sur un trône devant le pèlerin agenouillé et dépose une couronne sur sa tête. En rapport étroit avec cette scène, il convient de rappeler une tradition quasi liturgique qui se déroulait à Compostelle. Une représentation assise de l'apôtre figure dès le haut Moyen Age sur le maître-autel de la cathédrale. Un texte, datant de 1240-1250 environ et rapporté par les *Constituciones de la iglesia de Santiago*, décrit la répartition des offrandes entre les gardiens du tronc pour l'entretien de l'église et ceux de l'autel de saint Jacques. On y mentionne une règle spécifique aux pèlerins allemands : les

« Te(u)tonici » étaient les seuls à devoir déposer une offrande pour la fabrique devant une couronne qui se trouvait normalement avec une croix de procession dans le trésor de la cathédrale. Quand la couronne se trouvait sur l'autel, on les y menait en premier lieu pour juger de leur qualité, c'est-à-dire de leur offrande. A propos du couronnement, les sources sont confuses, voire contradictoires. A la fin du Moyen Age, l'origine de ce rite quasi « canonique » semble totalement oubliée ; il est plutôt tourné en dérision. C'est la seule explication possible au récit d'Arnold von Harff qui, lors de son séjour à Compostelle en 1499, raconte que les pèlerins montent derrière l'autel et se ceignent d'une couronne en argent qui surmonte le retable. Il rapporte que les bourgeois de la ville se gaussent à cette occasion des Allemands. Erich Lassota de Steblau (1581) a lui, en revanche, l'impression que les pèlerins déposent « la grande couronne d'or », suspendue au-dessus de la statue de saint Jacques, sur la tête de celui-ci. D'autres témoignages écrits ou illustrés reprennent cette scène rituelle. La *coronatio* ne semble être tombée en désuétude qu'au XVIIe siècle, à l'apparition de la nouvelle coutume de l'*apreta* (baiser ou accolade). Il est en tout cas indéniable que le rite du couronnement a laissé des traces profondes dans l'iconographie du saint apôtre dans les pays germaniques. A partir du XVe siècle, on trouve également des représentations de *coronatio* en liaison avec les confréries de jacquaires, les *confratres peregrinorum*.

50. *Coronatio peregrinorum* (fin du XIIIe siècle), musée de Villingen. Dans l'imaginaire allemand en particulier, saint Jacques « couronne » les pèlerins qui ont accompli le pèlerinage.

Apprehensio Sancti Jacobi

Un autre rite liturgique pratiqué dans la cathédrale Saint-Jacques de Compostelle est donc l'*apreta* : les pèlerins montent jusqu'à la statue du saint derrière l'autel pour lui donner l'accolade. Ce geste y est pratiqué aujourd'hui encore tant par les Espagnols que par les pèlerins étrangers. Il est possible d'en voir un prototype dans un groupe datant de 1235-1250 et figurant au tympan du portail occidental de Notre-Dame de Lippstadt. Lors de travaux de restauration, on a découvert, grâce à la coquille qui ornait la poitrine du personnage central, qu'il s'agissait de saint Jacques le Majeur. Le groupe devrait donc représenter des pèlerins, une *peregrinatio consummata ad Sanctum Jacobum*. Globalement, le tympan relève de l'iconographie des tableaux votifs des chemins de pèlerinage ; Lippstadt se situe en effet sur un des grands axes du commerce international, certainement emprunté par un grand nombre de voyageurs. On y découvre, telles des chorégraphies ritualisées, les scènes suivantes : muni du bourdon et de la besace, le pèlerin entreprend la longue route montant *ad limina Beati Jacobi*, abandonne l'espace homogène, son cadre de vie et, après avoir traversé l'espace hétérogène et les souffrances, les *labores peregrinationis*, il parvient au lieu saint qui, dans ce cas, recèle et abrite le corps du saint et constitue de ce fait le centre où se manifeste la grâce divine.

51. Le chevalier allemand Sebastian Ilsung a représenté dans son journal de voyage l'arrivée à Compostelle.

52. Pèlerins devant le tombeau de saint Martin de Tours.

53. Gravure représentant une pièce de monnaie avec le portrait de Boniface VIII et le symbole de la Porte Sainte.

Un des personnages du groupe s'agenouille devant saint Jacques sur une sorte de prie-Dieu en touchant de la main droite la coquille ornant la poitrine de l'apôtre. Ce geste matériel est l'accomplissement, l'aboutissement de son pèlerinage. Künig von Vach décrit encore vers 1500 le saint de face mais, au plus tard lors de la transformation du maître-autel entre 1655 et 1669, ces rituels se modifient. On en profite aussi pour ajouter un escalier permettant aux pèlerins de donner l'accolade à l'apôtre de dos. Cette *apreta* est introduite officiellement. En ayant recours à un style quelque peu archaïque de lignes et de courbes, le relief de Lippstadt montre également le retour du pèlerin de manière concise et expressive.

« Afin d'obtenir grâce et indulgence romaines » (Künig von Vach)

Une des caractéristiques les plus frappantes du pèlerin médiéval est la quête de l'indulgence, de la rémission des châtiments dans ce monde et dans l'autre. Pour remplacer l'ancienne pratique religieuse de la pénitence, on a vu apparaître, au sud de la France et en Espagne, l'indulgence, essentiellement sous la forme d'une remise de toutes les peines dues à leurs péchés accordée aux croisés. Le dogme du « trésor des bonnes œuvres » (*thesaurus ecclesiae*) ouvre la voie à l'indulgence plénière. La concession d'indulgences a profondément modifié la route des pèlerinages, comme le montre l'exemple du Sinaï ; elle a même souvent plus d'importance que le corps du saint lui-même. Ainsi, il était de notoriété publique qu'on ne pouvait plus accéder aux ossements de l'apôtre depuis les travaux de reconstruction de l'archevêque Diego Gelmírez au XIIᵉ siècle et que, en outre, Toulouse se targuait également d'abriter les restes de saint Jacques le Majeur, et pourtant les pèlerins se pressaient en masse vers Saint-Jacques-de-Compostelle. C'était dans le seul but de se voir accorder grâce et indulgence sur le chemin et sur le tombeau du saint. Arnold von Harff écrit à ce propos : « On prétend que le corps du saint apôtre Jacques Le Majeur gît dans le maître-autel. Certains le contestent énergiquement puisqu'il repose à Toulouse en Languedoc, comme je l'ai déjà mentionné. En distribuant généreusement des pourboires, j'ai essayé de me faire montrer le corps saint. On m'a répondu que celui qui n'est pas totalement convaincu que le corps saint de l'apôtre Jacques se trouve dans le maître-autel et doute de ce fait devient fou comme un chien enragé à l'instant même où il découvre le corps. »

Hieronymus Münzer, un humaniste nurembergeois qui s'était rendu à Compostelle quatre ans avant Arnold von Harff, rapporte au sujet de son séjour dans la basilique : « On pense qu'il a été enseveli sous le maître-autel en compagnie de ses deux disciples, l'un à sa droite l'autre à sa gauche. Personne n'a vu son corps, pas même le roi de Castille lorsqu'il s'y rendit en visite en l'an 1487 de Notre-Seigneur. Ce n'est que par la foi qui nous sauve, nous mortels, que nous sommes amenés à l'accepter. » En 1743, Albani relate également que, même durant les années saintes, les clefs de la sépulture de saint Jacques sont déposées à Rome ; il évoque par ailleurs un archevêque de Compostelle, Marcelo, qui aurait perdu la vue à la suite de sa descente dans le tombeau.

Ce n'est que lors des fouilles de 1879 que l'on a pu retrouver les ossements de l'apôtre et de ses disciples, prétendument cachés en 1589 par crainte d'une incursion de Francis Drake.

Anni Sancti

L'indulgence n'acquiert toute son importance que lors de la célébration des années saintes. Du fait de la présence des tombeaux des principaux apôtres, Rome était une

« ville pleine de grâce », si pleine de richesses que le premier jubilé avait été directement suscité par des laïcs pieux et des pèlerins en 1300. Jusqu'à la fin du XIIIᵉ siècle, les indulgences officielles étaient très rares. En 1230, le pape Grégoire IX étend aux fidèles qui vont à Assise, sur la tombe de saint François, l'indulgence octroyée depuis longtemps aux visiteurs qui se rendaient certains jours de l'année à Saint-Pierre de Rome, d'abord aux insulaires, puis aux transalpins et enfin même aux Italiens. A la fin du siècle, lorsque le bruit se répand que Boniface VIII envisage d'octroyer pour toute l'année suivante (1300) son plus grand pardon aux roumieux, des foules de fidèles convergent sur Rome pour profiter de cette première année sainte et de l'indulgence plénière accordée pour toutes les fautes temporelles en compensation de la visite de la basilique du prince des apôtres. Dans un premier temps, ce jubilé ne devait avoir lieu que tous les cent ans pour éviter qu'un même individu puisse se voir accorder deux fois un pardon total. Suite au succès fantastique du premier jubilé et à la situation difficile de la Ville éternelle, Clément VI, en 1343 déjà, fait de 1350 une nouvelle année sainte en se référant à Moïse (Lv 25,10). En 1389, la périodicité est ramenée à trente-trois ans, puis à vingt-cinq ans en 1468. Pour couronner cette inflation des années saintes et donc des indulgences, on en arrive à partir du XVᵉ siècle à organiser des jubilés extraordinaires.

D'autres lieux de culte et de pèlerinage viennent bientôt concurrencer Rome et ses jubilés : en 1420, Cantorbéry avec le tombeau de saint Thomas et aussi, vers 1426,

54. Innocent X ouvre, en 1649, la Porte Sainte sur cette image de l'imprimeur romain Jacopo De Rossi. Les principales cérémonies du jubilé encadrent la scène centrale.

Compostelle, bien qu'ici, d'après certaines traditions, Calixte II ait introduit une année sainte dès le XIIᵉ siècle.

Portae Sanctae

Depuis Alexandre VI (1492-1503), la cérémonie qui marque le début de l'année sainte est l'ouverture de la Porte Sainte de la basilique Saint-Pierre. Un rite particulier marqué de symbolisme se développe rapidement. Seule l'ouverture de cette Porte, précédée de coups de marteau symboliques frappés par le pape, autorise le franchissement du seuil et l'accès à la grâce. Pour les pèlerins, la possibilité d'accéder aux trésors de la grâce et de l'indulgence est d'une importance capitale ; ils ont devant les yeux les paroles de Matthieu se référant à l'arrivée dans un monde futur : « [...] et la porte se referma » (Mt 25,10 et aussi Lc 13,25). Et qui plus que le successeur de saint Pierre est légitimement habilité à ouvrir la porte de la grâce puisqu'il en a les clefs ? Les sceaux, très convoités, qui sont retirés pour en permettre l'ouverture sont ensuite distribués aux fidèles.

L'église Saint-Jacques de Compostelle dispose également d'une Porte Sainte qui, à l'instar de Rome, est ouverte la veille du début de l'*Año Santo Compostelano*. Ici ce ne sont pas des sceaux qui sont offerts aux pèlerins, mais des morceaux des plaques de pierre qui recouvraient provisoirement la porte.

Humatio peregrinorum

55. Abbaye de Flaran (Gers). Croix du XVIᵉ siècle, provenant d'une tombe du cimetière de Bourisp. Elle est ornée des principaux insignes du pèlerin : le bourdon, la besace, le chapeau et les coquilles.

Le pèlerin a le droit d'être enterré dans une église. Depuis Innocent IV (1241), c'est la cathédrale du diocèse où il meurt qui doit l'accueillir. Dans les grands centres de pèlerinage, telle Rome, les hospices des différentes nationalités disposent d'une église et d'un cimetière pour y inhumer leurs ressortissants. Les Franconiens bénéficiaient ainsi d'un cimetière, tout proche de Saint-Pierre, dont une partie leur est enlevée à la construction du palais du Saint-Office par Pie V (1566-1572). Une section en est attribuée aux Allemands, l'actuel *Campo Santo Teutonico*. Un hospice fondé à l'occasion du jubilé de 1350 a également son importance pour les pèlerins germaniques qui trouvent leur dernière demeure à Santa Maria dell'Anima.

Quantités de fouilles ont permis d'établir que de nombreux voyageurs se faisaient inhumer avec tous leurs effets. Charlemagne, par exemple, aurait été enterré à Aix-la-Chapelle avec sa besace de pèlerin : « *[...] super vestimentis imperialibus pera peregrinalis aurea positum est [...].* » Une coquille de jacquaire de 1120, ou légèrement antérieure, a été trouvée dans une ancienne tombe près de la Torre de Cresconio au pied des murs de Compostelle, recouverte suite aux travaux d'agrandissement de la cathédrale entrepris à l'époque romane par l'archevêque Diego Gelmírez. La coquille perforée reposait sur les restes d'un squelette. Lors des fouilles archéologiques de la chapelle Saint-Marc qui dépendait de l'abbaye de Reichenau (à Mistelbrunn dans la commune de Bräunlingen), dont le nom apparaît pour la première fois en 1095, on a également retrouvé une coquille. De nombreuses découvertes de pièces de monnaie attestent que la chapelle était fréquentée par des voyageurs en provenance du sud de l'Allemagne et de Suisse alémanique. Les fouilles y ont aussi révélé l'existence probable dès la première moitié du XIIᵉ siècle d'un hospice, ce qui n'a rien d'étonnant vu sa position géographique sur un important axe routier. Un jacquaire décédé après son retour a en tout cas été inhumé près de l'église au cours de la seconde moitié du même siècle. En 1986, des recherches dans la cathédrale de Worcester ont permis de mettre au jour la tombe d'un pèlerin dont les effets, les bottes et les vêtements datent de 1500 environ.

Sacra I

Reliquiae

Les reliques peuvent être des restes de saints (ossements, cendres, cheveux ou parties du corps), des objets ou des pièces de vêtements leur ayant appartenu ou ayant été en « contact » avec les reliques authentiques. Elles sont réputées miraculeuses et le lieu où elles sont conservées devient but de pèlerinage. La liste des reliques établie par Nikolaus Omichsel, qui avait accompli les trois *peregrinationes maiores* au cours de la première moitié du XIVᵉ siècle, nous livre un excellent aperçu de la mentalité de l'époque. Quête du salut et croyance aux miracles procurent à l'individu une inégalable assurance de salut éternel. La liste en question est un rouleau de parchemin orné de dessins à la plume et dont le texte est divisé en rubriques ; elle sera ultérieurement copiée sur papier. Ce rouleau faisait autrefois partie d'une *manus* (main ou bras-reliquaire) ; il comporte, de gauche à droite, les représentations du Christ ressuscité, de la Vierge Marie, de sainte Catherine d'Alexandrie, de saint Nicolas de Bari, du saint apôtre Barthélemy et, à l'extrême droite, d'un homme agenouillé en habit de pèlerin, portant le bourdon et le chapeau timbré d'une coquille.

La première partie donne la liste des reliques de Terre sainte rapportées par Omichsel à Passau : huile de l'image miraculeuse de la Vierge de Sardinal près de Damas, huile des ossements de sainte Catherine d'Alexandrie ainsi que d'autres reliques non précisées. C'est seulement sur le phylactère de la Résurrection que l'on découvre qu'elles proviennent du tombeau du Christ. Dans la deuxième partie, on trouve la description des reliques rapportées d'Italie : fragments de peau et de bras de saint Barthélemy et huile des ossements de saint Nicolas. Le texte mentionne également que le pèlerin a prié, à son retour de Rome, sur la tombe de saint Nicolas et qu'il s'est ensuite rendu à Saint-Jacques-de-Compostelle, où il mourut le 13 juin 1333 et fut dignement enterré. Il avait certainement confié auparavant ses précieuses reliques à la communauté des chanoines augustins de Saint-Nicolas à Passau, à laquelle sa famille était très attachée.

Agnus Dei

Avec la cire des cierges de Pâques, on réalisait à Saint-Pierre des rondelles sur lesquelles figuraient la représentation de l'*Agnus Dei* ; la première et la septième année du pontificat de chaque pape, on en distribuait aux fidèles. On leur attribuait, entre autres, le pouvoir de guérir. Ces *Agnus Dei* de cire étaient souvent intégrés dans les objets fabriqués au monastère et, sans doute entourés de fragments de matière sacralisée, disposés à des fins votives dans les différents objets de culte.

Sacra II

Pourquoi les pèlerins se rendent-ils en Palestine dès les premiers temps de la Chrétienté ? Si nous prenons comme point de départ pour la compréhension des lieux saints et consacrés les modes de pensée et les actes du christianisme primitif, ainsi que la possibilité de participer aux événements et au plan divins, nous disposons en premier lieu de l'*imitatio Christi*, présente à chaque instant en Terre sainte puisque s'y sont déroulées la vie, les souffrances et la mort du Seigneur.

L'accomplissement personnel sur les traces de la vie et de la Passion du Christ a incité depuis le haut Moyen Age à la visite des lieux saints de Palestine. Des *sacra*, objets consacrés par la présence du Seigneur lors de sa vie sur terre, sont emportés par les pèle-

56. Les Billanges (Haute-Vienne), reliquaire de saint Étienne de Muret (XII-XIIIᵉ siècle).

rins jusque chez eux : le sable du Sinaï, l'eau du Jourdain, la terre ou des morceaux de pierre ramassés sur les lieux saints, des morceaux de bois d'olivier, des épines, la rose de Jéricho *(Anastatica hierochuntica)*, des pièces en nacre, des plantes séchées, de la cire, etc., et même des fleurs de la passion. Ces objets rapportés de leur voyage représentaient pour les pèlerins bien plus que ne le laissent entendre les termes *sacra* ou « souvenirs de pèlerinage ». Dans les premiers temps de la Chrétienté et au haut Moyen Age, les pèlerins se procurent sur les lieux saints toutes sortes de pains bénis et de fragments de parchemins, d'objets bénis ou oints dont la matière même, sacrée, n'avait pas besoin de traitement iconographique.

Ces matériaux pouvaient donc être des pierres prises sur les lieux ou les bâtiments sacrés, de la terre ou de la poussière ramassée dans les tombes des martyrs ou aux emplacements où avaient vécu saints et ermites. Le désir de se procurer des reliques pouvait pousser les pèlerins jusqu'au vol et au brigandage. Le moine augustin Jacopo da Verona s'était muni, en prévision de sa visite en Palestine, des outils adéquats pour extraire des morceaux de toutes les colonnes et pierres importantes de l'église du Saint-Sépulcre et d'autres sites. Il va jusqu'à se vanter de ses efforts : « *[...] et ego vidi, tetigi et de lapide cum difficultate accepi, quod durus lapis est.* » Ses compagnons de voyage étaient chargés de détourner l'attention des gardiens. Sa propre collectionnite ne lui semble pas condamnable, mais il se déclare en même temps indigné contre ses congénères qui se rendent coupables des mêmes faits et contribuent à la ruine des lieux saints. Un an plus tard, le prêtre Ludolf Sudheim se plaint amèrement de ces collectionneurs passionnés et remarque que, même si le tombeau du Christ était une montagne immense, les pillards n'en laisseraient pas un grain de sable : « *Nam si sepulcrum Christi per grana et arenas posset deportari, jam ultra longa tempora, etiamsi maximum non esset, fuisset deportatum, ita ut vix ibidem una arena permansisset.* » L'eau recueillie dans les fontaines sacrées et dans les sources appartient également aux « souvenirs de pèlerinage », tout comme l'huile des lampes qui éclairaient le Saint-Sépulcre ou les tombes des témoins de l'époque du Christ, ainsi que l'huile qui coulait ou s'égouttait des sépulcres et des corps saints. En définitive, une pléthore d'objets dont le caractère sacré n'est pas dû à une bénédiction mais, à l'instar des vraies reliques et des reliques de contact, à une relation avec un lieu ou un objet sacré. Terre ou poussière, plantes, cailloux, etc., deviennent des reliques qui sont parfois utilisées à des fins curatives, comme l'eau ou le sel bénits. Saint Augustin (354-430) et Paulin de Nole (v. 353-431) rapportent que la terre du Saint-Sépulcre chasse les démons et opère des guérisons miraculeuses. Le plus petit caillou en provenance de Terre sainte procure salut et grâce. Cette croyance s'étend par la suite aux tombes des martyrs. Une symbolique élémentaire de la terre se manifeste ici ; le champ d'action de ces « communions avec la terre » va prendre diverses formes de géophagie.

57. Le Saint-Sépulcre sur une miniature médiévale.

Il convient en outre, à propos des *peregrinationes maiores*, de parler de ces *sacra* qui étaient en contact avec quelque chose de sacré, comme la cire des cierges qui brûlaient sur le maître-autel de Saint-Pierre de Rome, c'est-à-dire au-dessus du tombeau de l'apôtre, ou encore les parcelles de limaille de fer en provenance des chaînes de saint Pierre, voire un chaînon entier, tel celui conservé à Saint-Servais de Maastricht, en un mot de ces restes d'objets ayant appartenu à des saints ou ayant été en contact avec eux. Pour abriter ces *sacra* provenant de Terre sainte, un concept qui n'apparaît d'ailleurs qu'après 1100 dans des chroniques de croisades, un récipient adéquat suffisait : ampoule pour l'huile ou l'eau sainte, encolpion (capsule, croix, médaillon suspendu au cou) pour les matières et les substances solides.

Albae sunt

Des récits miraculeux nous sont rapportés par différentes sources, tous en rapport avec la légende du pendu dépendu relatée depuis le haut Moyen Age. En souvenir des poulets rôtis qui, par leur chant *postmortem*, attestent et rééditent le miracle, une poule et un coq blancs veillent toujours dans une cage à l'intérieur de la cathédrale de Santo Domingo de la Calzada sur le chemin de Saint-Jacques. Johannes Limberg, un converti de Waldeck, décrit les traditions populaires telles qu'elles lui ont été racontées au cours de son voyage en l'an 1690. Il commence son récit par le miracle des poulets qui s'échappent de l'assiette du juge et poursuit ainsi : « [...] jusques à aujourd'hui un coq blanc et une poule de la même couleur produisent tous les sept ans une paire d'œufs, les couvent et ensuite meurent ; les pèlerins et les voyageurs ont coutume de prendre une plume en guise de souvenir, mais, comme par miracle, bien que plusieurs milliers d'étrangers leur arrachent des plumes, le coq et la poule ne sont jamais déplumés. » Limberg se moque de cette « fable » et s'en tient à l'opinion de ses amis qui affirment : « Mon cher ami, on ne peut pas même trouver ici un cochon blanc, alors ne viens pas nous parler d'une poule et d'un coq blancs. » Malgré tout, à partir du XIVᵉ siècle, on voit apparaître toute une série de traditions populaires autour des volatiles mentionnés dans le trésor de la cathédrale de Santo Domingo de la Calzada à partir de 1350 ; elles sont rapportées en ces termes en 1417 par Nompar II, seigneur de Caumont : « [...] je les ay veuz et sont toux

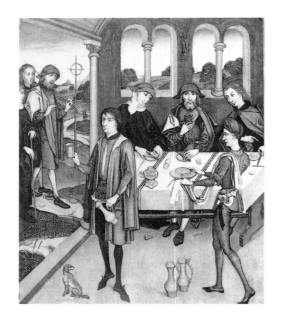 

58. Maître de la Légende de saint Jacques, retable représentant des scènes du miracle du pendu dépendu.
a. L'arrivée des pèlerins à l'auberge (Strasbourg, musée de l'Œuvre Notre-Dame).
b. Les volailles blanches, revenues à la vie, s'envolent (Colmar, musée d'Unterlinden).

blancs. » Limberg n'aurait d'ailleurs pas eu besoin d'aller aussi loin pour se procurer ce genre de talisman. En effet, dès le XIVᵉ siècle, on cite à plusieurs reprises l'existence d'un autel marial à Fulda, dans la chapelle Saint-Jacques, au sud de l'ancienne collégiale, autel placé sur « le trésor des poules », auxquelles il fallait verser une obole. En 1574, ce « trésor des poules » ou *statua Caroli* est à nouveau mentionné. C'est vraisemblablement là que les pèlerins de Fulda se procuraient le talisman, matérialisation de la protection spirituelle qui devait leur assurer un voyage tranquille. Avant Limberg, cette coutume est déjà rapportée par l'historien sicilien Lucius Marinaeus Siculus (XVᵉ siècle) et par Ludovicus de la Vega (début du XVIᵉ siècle). A en croire le récit de Jakob Sobieski, le père du roi de Pologne Jean III Sobieski, qui s'était rendu à Santo Domingo de la Calzada en 1611, les pèlerins entraient dans la cathédrale et mettaient sur leur bâton quelques miettes de pain qu'ils déposaient dans la cage. Si les volatiles picoraient leur offrande, les fidèles y voyaient l'assurance d'atteindre Compostelle sains et saufs ; dans le cas contraire, c'était un présage de mort. Et on pouvait encore y voir une pièce de la potence qui avait servi à pendre le malheureux pèlerin, une trace concrète d'un passé mystique. Le pouvoir protecteur du talisman s'étendait jusqu'à l'intérieur de la cathédrale de Compostelle : d'après Gunziger, un prélat, il y avait là « une cloche qui sonnait toute seule lorsqu'un jeune pèlerin innocent était pendu à Santo Domingo [...] ».

Longitudines

L'*Evagatorium* d'un dominicain d'Ulm, Félix Fabri, constitue une source pleine d'enseignements à propos des us et coutumes des pèlerins. Entre autres, lors de sa visite en 1480 à Jérusalem, procédant à une adaptation très pittoresque de l'*imitatio Christi*, il s'allonge sur une empreinte du corps de Jésus qu'on pouvait voir sur le mont des Oliviers et constate alors que la taille du Christ était supérieure à la sienne. Son geste est tout à fait dans la tradition des pèlerins depuis le haut Moyen Age. Un pèlerin anonyme de Plaisance relate au VIᵉ siècle l'usage de mesurer les traces de pas du Christ sur le mont des Oliviers en mémoire de son Ascension, ainsi que celui de porter sur soi un morceau d'étoffe ayant la même dimension pour s'assurer la protection divine. Cet emplacement est actuellement occupé par un sanctuaire musulman où, une fois par an, le jour de la saint Lazare, les chrétiens orthodoxes ont le droit de célébrer une cérémonie. Tout comme les juifs s'attachent des phylactères, des lanières pour la prière, les pèlerins portaient des bandeaux, rappel des dimensions du tombeau du Christ, avec lesquels ils entouraient et mesuraient la colonne de la flagellation.

Martin Ketzel, un patricien de Nuremberg, se rend à deux reprises en Terre sainte, la première fois en 1468 dans la suite du duc Othon de Bavière, et la seconde – selon des sources non totalement avérées de la fin du XVIIᵉ siècle – pour mesurer la « longueur » exacte des sept stations du chemin de la Passion du Christ, entre la demeure de Pilate et la colline du Calvaire, car il avait perdu le résultat obtenu lors de son premier pèlerinage. En se basant sur ces nouvelles données, il fait construire à l'identique un chemin de Croix dans sa ville. On trouve à Görlitz des copies construites au XVᵉ siècle qui respectent même l'architecture de certaines stations de la Passion (maison de l'onction, chapelle du Golgotha et Saint-Sépulcre). A l'heure actuelle encore, le nombre incroyable de couches de graffiti témoigne de l'affluence vers cette copie de lieu saint.

On assiste au début des temps modernes à la multiplication de ces *sacra* et du recours à ces « longueurs » comme étalon. Comme on y voyait des réminiscences inconscientes des habitudes médiévales, on ne les jugea pas « dignes d'être rapportées par écrit » ; elles étaient en effet considérées dans l'ensemble comme relevant plutôt du domaine de la magie.

Ce n'est certes pas un hasard si les marques extérieures du pèlerin, si caractéristiques du *peregrinus* médiéval, n'apparaissent qu'au XIIᵉ siècle, lors de l'essor de ce phénomène migratoire. Outre des reliques et des morceaux d'hostie, le pèlerin hiérosolymitain rapportait des rameaux de palmier, ce qui lui valut l'appellation de *palmierus* (paumier). C'est sans doute Pierre Damien († 1072) qui, le premier, fait le lien entre le pèlerinage à Jérusalem et la palme : « *quasi ex Hierosolymitana peregrinatione deveniens, palmam ferebat in manu* ». Au début du XIIIᵉ siècle, Gottfried de Strasbourg évoque peut-être aussi ces palmes lorsqu'il cite, dans son *Tristan*, une foule de signes étrangers (« vremeder zeichen genuoc ») parmi les *indumenta peregrinorum*.

Il est frappant de constater qu'aucune enseigne métallique antérieure au XVᵉ siècle ne nous est parvenue, ni de Jérusalem ni de Saint-Jacques-de-Compostelle, alors que nous en possédons en provenance d'autres lieux de pèlerinage comme Saint-Gilles-du-Gard, Notre-Dame de Rocamadour, Cologne ou Aix-la-Chapelle, par exemple. En ce qui concerne Compostelle, nous en trouvons toutefois une allusion dans la *Vie de saint Thomas Becket*, une chronique du XIIᵉ siècle : « de Saint Jame l'ecale qui en plum est muee ». De plus, des édits archiépiscopaux de l'an 1200 mentionnent la vente de coquilles en plomb ou en étain.

Des trois *peregrinationes maiores*, seule Rome a disposé, dès la fin du XIIᵉ siècle, d'enseignes de pèlerinage de ce type. Il s'agissait en l'occurrence de petites plaques rectangulaires à l'effigie des apôtres Pierre et Paul ; on en connaît actuellement une douzaine de variantes découvertes à travers toute l'Europe. Un autre souvenir de prédilection des roumieux durant tout le Moyen Age était orné des deux clefs de saint Pierre entrecroisées, surmontées ou non de la tiare pontificale ; il tirait son origine de l'ancienne tradition romaine des clefs de la *confessio*, mentionnée déjà par Grégoire de Tours. Il arrivait même que ces clefs soient offertes par les papes.

A partir de la première ostension publique du voile de sainte Véronique à l'occasion du premier jubilé romain (1300), les représentations de la sainte tendant son voile ou du visage du Christ *(Vera icon)* supplantent les autres enseignes romaines. On pouvait trouver ce nouvel article populaire non seulement en métal, mais plus souvent encore sous la forme de « Véroniques » peintes sur soie, parchemin ou papier. Une découverte faite à l'abbaye de Wienhausen, près de Celle, montre à quel point cette image du Christ pouvait être vénérée même loin de Rome ; une série de huit dessins a été exécutée vers

59. Pèlerins en quête d'un logement. On peut voir, sur leurs couvre-chefs, des enseignes de pèlerinage. Francfort, autel de Sainte-Anne (vers 1490).

60. Estampe populaire romaine du XIXᵉ siècle, représentant des pèlerins sur la route.

61. Plaque représentant Véronique étendant son Voile (seconde moitié du XVᵉ siècle). Le trou percé en haut indique que la plaque a servi d'enseigne de pèlerinage. Bibliothèque Vaticane.

62. Plaque à l'effigie des saints Pierre et Paul (XIIIᵉ siècle). Les deux attaches attestent son utilisation comme enseigne de pèlerinage. Bibliothèque Vaticane.

1500 sur un rouleau de parchemin pour accompagner une relique que possédait le couvent, une goutte du Sang du Christ.

Outre le bourdon et la besace, c'est avant tout la coquille qui est devenue le *signum peregrinationis*, le signe reconnu internationalement pour le pèlerin, essentiellement pour le jacquaire. Les représentations de saint Jacques sculptées dans des morceaux de jais (« azabaches ») ou les minuscules bâtons de pèlerin taillés dans des os (« bordoncillos ») ne font leur apparition qu'à la fin du Moyen Age. La coquille pèlerine, qui était vendue autour de la fontaine Saint-Jacques devant la *porta Francigena* de la cathédrale, conformément au *Codex Calixtinus* du XIIᵉ siècle, faisait déjà partie de l'iconographie sacrée avant même la représentation de saint Jacques pèlerin. La bourse du Christ en est pourvue dans la scène des Pèlerins d'Emmaüs (v. 1130) qui se trouve dans le cloître de Santo Domingo de Silos. On la retrouve à Santa Maria de Tudela et sur la porte en bronze du Barisanus de Trani, dans la cathédrale de Monreale datant de la seconde moitié du XIIᵉ siècle. Jésus est lui-même un pèlerin, un étranger sur cette terre et il représente de ce fait le modèle de l'*homo viator*. Une interprétation aussi anachronique que mystique des paroles des Évangiles – « *tu solus peregrinus es in Ierusalem [...]* » (Lc 24,18) – veut que ce soit le Christ en personne qui accompagne le pèlerin sur le chemin, sur la voie du salut. On retrouve cette explication dans le *Codex Calixtinus* conservé dans les archives de la cathédrale de Saint-Jacques-de-Compostelle, tout comme chez Lucas de Tuy († 1249) qui confère au pèlerinage un caractère quasiment sacramentel.

Il est en outre intéressant de noter à ce propos que le glissement sémantique du terme *peregrinus*, du sens d'« étranger » à celui de « pèlerin », s'est déjà opéré à cette époque. Plus surprenant, en revanche, le fait que cette iconographie soit apparue assez tardivement, sur une route secondaire de la vallée de l'Èbre (Tudela) et dans une abbaye plutôt retirée (Santo Domingo de Silos).

C'est dans la ligne de l'enseignement du Christ, en réponse aux nombreux pèlerins qui, dès le XIᵉ siècle, convergent sur la tombe de l'apôtre en ce finistère occidental que naît, issu de ces éléments, le personnage de saint Jacques pèlerin. Dans l'iconographie, la représentation la plus connue en dehors de Compostelle est celle de saint Jacques le Majeur, sous les traits d'un pèlerin et donc assimilé à ses fidèles. Bien que le *Codex Calixtinus* lui-même considère saint Jacques comme le *peregrinus notissimus*, il n'existe dans la ville aucune représentation du saint en pèlerin, avant le premier tiers du XIVᵉ siècle. Il faut attendre Bérenger de Landorre, un archevêque français, pour que soit introduit à Compostelle et en Galice le nouveau personnage de saint Jacques pèlerin. C'est le pèlerinage au lieu saint, à la *villa Beati Jacobi*, qui développe dorénavant, le long des routes, son iconographie, de manière autonome et non plus sous la houlette de l'Église et de ses dogmes, retournant avec une rare créativité les rapports habituels entre un saint et ses dévots. Si l'on part du principe que l'évolution normale de l'iconographie d'un saint s'opère à partir de sa *Vita*, de manière relativement indépendante de ses fidèles, alors l'évolution du saint Jacques pèlerin est atypique à deux points de vue. Premièrement, la *peregrinatio ad limina Beati Jacobi* devient un pôle d'attraction extraordinairement fréquenté. Ensuite, c'est uniquement « comme souvenir » que les premiers pèlerins ramènent les coquilles *(pecten maximus)* qu'on trouve en abondance sur les plages de Galice et dont la vente est aussitôt monopolisée par le chapitre de la cathédrale. Très connue, la coquille devient d'une part un accessoire de la scène des Pèlerins d'Emmaüs et le symbole de Jésus-Christ étranger/pèlerin dans les mystères. D'autre part, saint Jacques commence à ressembler à ses clients ; pour lui conférer leur *habitus*, leurs insignes, son image est radicalement transformée dans l'iconographie apostolique. On ne se rend plus seulement à Saint-Jacques, on chemine avec le saint. Saint Jacques pèlerin est une création iconographique du chemin, dans laquelle la voie principale, connue sous le nom de *Camino francés*, n'a étrangement joué aucun rôle.

Le plus ancien exemple de cette synthèse, de cette contamination iconographique, date de 1125 (?) environ et se trouve à Santa Marta de Tera, une abbaye située sur la voie secondaire appelée *via de la Plata*, au sud de la principale. Apparaissent ensuite les représentations de la Cámara Santa d'Oviedo (v. 1180), également sur un itinéraire secondaire ; la statue de saint Jacques, en compagnie d'autres apôtres et du Christ dans une mandorle, qui surmonte le portail occidental de l'église romane de Mimizan (fin du XIIIe siècle, en mauvais état de conservation), une sauvetat fondée sur une route côtière par les moines de Saint-Sever. Ces représentations sont suivies de bien d'autres, telle la pèlerine anglaise *(Syon cope)* de 1300 environ où le saint Jacques brodé porte un bourdon et une besace ornée d'une coquille.

63. Xylographie représentant un pèlerin s'orientant d'après les étoiles

La pierre tombale du *famulus* Jonas de l'abbaye danoise de Sorø nous offre une synthèse des insignes et enseignes de pèlerinage des trois grandes destinations. Jonas s'était rendu deux fois à Jérusalem, trois fois à Rome et une fois à Compostelle. Sa tombe, du XIVe siècle, que l'on ne connaît que par un dessin du XVIIIe, montre le défunt muni de la palme, de la croix, du bourdon et de la coquille.

In itinere stellarum

L'introduction du *Liber IV* du *Codex Calixtinus* relate un songe de Charlemagne, roi des Francs : l'apôtre lui serait apparu et lui aurait ordonné de délivrer son tombeau du joug des musulmans et de suivre pour ce faire le chemin des étoiles qui y conduit : « Le chemin des étoiles que tu as vu dans le ciel signifie que tu dois te rendre d'ici en Galice avec une grande armée pour combattre les païens et libérer mon chemin et mon royaume et visiter mon église et mon tombeau. » Comme jadis les trois rois mages avaient suivi une étoile pour rendre hommage au Christ nouveau-né dans sa crèche à Bethléem, Charlemagne suit la « route des étoiles », ouvre la voie du pèlerinage et se rend sur la tombe de saint Jacques. L'assimilation du chemin des étoiles à la voie conduisant au Ciel fait partie du répertoire symbolique de l'humanité ; on en retrouve des exemples dans bien des civilisations, dans nombre de religions. L'*iter stellarum*, la Voie lactée dans sa forme mythologique, projection céleste de la *via sacra*, occupe une grande place dans le monde des légendes.

Des lieux empreints de mysticisme, sacrés depuis la nuit des temps, parsèment cette route. Par exemple, la *Sierra del Perdón*, une zone montagneuse autour du col d'Undiano qui a pris le nom de *Puerto del Perdón*, sans doute parce que sa montée en est pénible. D'autres sites évoquent aussi la tradition du « perdón », tels le portail de la Grâce de l'abbaye Saint-Isidore de León et celui de l'église Saint-Jacques de Villafranca del Bierzo ; les pèlerins qui, pour quelque raison que ce soit, n'ont pu poursuivre leur route jusqu'au tombeau de l'apôtre, reçoivent ici la même grâce. A Saint-Jean-Pied-de-Port, du côté français des Pyrénées, les pèlerins recueillaient des branches vertes et les attachaient en croix pour les planter en terre au sommet du col de Roncevaux près de la croix de Charlemagne. D'après la légende, l'empereur aurait livré là un combat contre Marsile. La croix actuelle, qui date du XIVe siècle, n'y a été installée qu'en 1880, après que la précédente eut été détruite par des Français en 1794. Toutes ces hauteurs de Roncevaux et d'Ibañeta sont baignées par le légendaire combat de Roland et des douze comtes palatins qui sont censés y avoir trouvé la mort et y avoir été enterrés. L'ancienne « chapelle de Charlemagne ou de Roland » du XIIe siècle a été détruite à plusieurs reprises. Lors des fouilles de 1934, on y a trouvé deux squelettes que l'on a attribués, à cause de leur grande taille, à Roland et Olivier. Ce qui éveillait avant tout l'intérêt des pèlerins et des curieux, c'était la pierre que Roland était supposé avoir fendue par trois fois en tentant de briser sur elle Durandal, son épée. Vers 1140, on a construit autour de cette pierre la chapelle du Saint-Esprit où sont illustrés de manière pittoresque les combats livrés ici et la tombe du neveu de l'empereur. Dans la basilique dédiée à la Sainte Vierge qui remonte au début du XIIe siècle, on a également placé des souvenirs de Roland : deux cors de chasse, ses étriers, des haches de guerre et son épée. En 1801, Alexandre de Humboldt mentionne également une couronne dorée.

Selon le *Codex Calixtinus*, dès le XIIe siècle, les pèlerins ont coutume de ramasser des pierres à Triacastela pour faire la chaux qui servira à la construction de la cathédrale : « *[...] petram et secum deferunt usque ad Castaniollam ad faciendam calcem ad hopus basilice apostolice.* » Quelque 106 kilomètres plus loin, ils arrivent à Lavacolla, le *Lavamentula* du *Codex*, où ils doivent procéder à des ablutions rituelles, comme en d'autre lieux saints. Le *Monte Gaudii* (Monte del Gozo ou Montjoie) constitue une autre halte caractéristique avant Compostelle. On y trouve une croix, citée dès 1228 dans les textes, à proximité de l'église de la Sainte-Croix consacrée en 1104 par Diego Gelmírez. Le monument actuel n'a plus aucun lien avec l'emplacement historique. Devant Jérusalem, comme devant Oviedo et devant d'autres lieux saints, s'élevait une montagne de même apparence. Du Montjoie galicien, les pèlerins peuvent apercevoir enfin les tours de la cathédrale, cet immense reliquaire architectural surmontant le tombeau de l'apôtre, le but de tous leurs espoirs, de leur longue quête pieuse. Domenico Laffi rapporte cet instant chargé d'émotion dans le récit de son deuxième pèlerinage à Saint-Jacques-de-Compostelle en 1670, récit publié pour la première fois à Bologne en 1673 :

« Nous parvenons sur une colline du nom de Monte Gaudio d'où nous distinguons enfin ce que nous désirions depuis si longtemps, Santiago, distante d'à peine une demi-lieue, mais qui disparaît soudain derrière un nuage. Nous nous jetons à genoux, nous versons des larmes de joie et entonnons un *Te Deum* mais, au bout d'une ou deux strophes, les pleurs nous empêchent de prononcer le moindre mot, remplis d'émotion, nous versons de tels torrents de larmes que nos cœurs manquent se rompre, les sanglots continuels arrêtent notre chant. »

64. Saint Jacques apparaît en songe à Charlemagne pour lui expliquer la signification de la voie lactée, d'après le récit du *Livre IV* du *Codex Calixtinus*. Ici, un exemplaire de la seconde moitié du XIVe siècle. Bibliothèque Vaticane.

Certains pèlerins, à en croire les chroniques, effectuent pieds nus la dernière étape. Le pèlerin qui, le premier de son groupe, aperçoit les tours de la cathédrale reçoit le sobriquet de Rey. Il est d'ailleurs communément admis que les noms de famille français tels que Roy ou Leroi proviennent de cette coutume. Il en va ainsi, sans doute, pour le nom anglais de Palmer dont l'origine pourrait être un voyage en Terre sainte.

Signa in loca et itinere

Generis insigne

Les nobles qui se rendaient en Terre sainte ou à Compostelle avaient l'habitude de faire ériger leurs armoiries ou d'autres supports avec leur blason et leur nom, comme signe de leur passage, dans les auberges, dans des cours d'honneur aménagées à cet effet ou dans les églises. Aussi bien dans l'église du Saint-Sépulcre de Jérusalem, dans celle de la Nativité de Bethléem, au couvent Sainte-Catherine du Sinaï et même dans le monastère Saint-Antoine dans le désert égyptien comme à Saint-Jacques-de-Compostelle, durant le bas Moyen Age, les aristocrates en pèlerinage ont laissé partout, en guise de pieux souvenir, armoiries, nom ou autres signes commémoratifs. Un noble franconien, Karl von Hessberg, immortalise sa venue en 1414 par une inscription gravée en couleurs sur les murs de l'ancien réfectoire du couvent Sainte-Catherine, tout comme un aristocrate du Holstein, Detlev Schinkel, en 1436, dans le narthex de l'église conventuelle Saint-Antoine et dans le monastère Sainte-Catherine. En 1446, Sebastian Ilsung grave ses armoiries dans une petite chapelle de Galice (« da schluog ich ach mein wappen uff in der kappell ») et dans la cathédrale de Compostelle (« und schluog mein wappen uf in die kirchen »). Peter et Sebald Rieter (1428 et 1462), qui viennent de Nuremberg, racontent respectivement l'érection et l'agrandissement de leurs armoiries dans la cathédrale de Saint-Jacques. Nikolaus von Popplau suspend son blason (« waffen ») dans la cathédrale de Séville. En ce qui concerne la cathédrale (et ancienne mosquée) de Cordoue, ce dernier mentionne la présence de « mehr als dreyhundert Wapfen, als Schild und Helm der Teutschen, Böheimben, Pohlen » (plus de trois cents armoiries, avec écu et heaume, allemandes, bohémiennes et polonaises). En 1495, Hieronymus Münzer, originaire de Feldkirch, aperçoit dans une ancienne colonie de marchands génois à Grenade, qui vient d'être libérée, de nombreuses enseignes allemandes sur les murs : « *multa alamanorum insignia in parietibus vidi* ».

65. Xylographie commémorant la visite au monastère Sainte-Catherine, sur le Sinaï, du chevalier allemand Arnold von Harff lors de son pèlerinage à Rome, Saint-Jacques et Jérusalem (1496-1499).

66. Arnold von Harff représenté à l'occasion de sa visite au Mont-Saint-Michel.

Graffiti

Une autre possibilité d'« immortaliser » son séjour est d'inscrire son signe ou son nom à la craie, au charbon ou avec une pointe quelconque. Ces marques commémoratives personnelles, que beaucoup considèrent comme un fléau du tourisme moderne, étaient tout aussi courantes au Moyen Age, en particulier sur les bâtiments publics (hôpitaux, églises, palais, etc.). Elles ont été en grande partie effacées par le temps, ou par les nombreuses reconstructions et restaurations, car propriétaires ou artisans chargés des travaux considéraient la plupart du temps ces témoignages d'une volonté d'immortalisation comme du vandalisme.

Les auberges, églises et portails le long des chemins de pèlerinage étaient sans doute couverts d'inscriptions faites par les voyageurs. En haute Souabe et dans le canton alémanique de Schwyz, on a heureusement conservé quelques exemples d'inscriptions commémoratives personnelles, de graffiti de roumieux ou de jacquaires. La composition la plus riche mais aussi la plus énigmatique est celle de la paroi droite (angle sud-ouest)

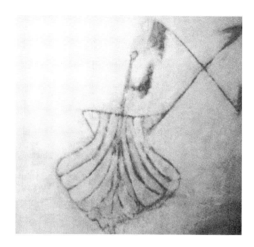

67. Meersburg, chapelle de Braitenbach. Graffiti laissés par des pèlerins de passage.

de l'ancienne chapelle de l'hôpital dédiée à saint Maurice *(Capella hospitalis extra muros ad S. Mauricium)* à Markdorf (cercle du lac de Constance) et dont la présence est attestée depuis 1360 au moins. Des paraphes, des blasons, deux coquilles de pèlerins à côté d'un bourdon, un visage, des trompettes, la vue d'un château, etc., le tout dessiné à la craie et à la peinture foncée. Deux dates impliquent pour le moins deux auteurs, 148(?) et 1504. Le village de Markdorf est situé sur la route de Weingarten, près de Meersburg ; à la sortie de la localité, près des fermes de Braitenbach, s'élève une chapelle qui appartenait vraisemblablement à l'hôpital du Saint-Esprit de Constance et dont l'existence est attestée depuis 1521. Les griffonnages à la craie qui y figurent, entre autres deux coquilles, pourraient dater de la première moitié du XVIᵉ siècle.

Mais la plupart des graffiti de cette culture pèlerine se trouvent dans des chapelles et des églises sur la route de Rome et de Saint-Jacques, très fréquentée, qui va du lac de Constance à l'abbaye d'Einsiedeln. L'ancienne chapelle ossuaire consacrée à saint Michel, près de l'église paroissiale Saint-Jacques de Lomnis, reçoit une nouvelle dédicace vers 1700, sainte Ide ; elle contient des graffiti, essentiellement du XVIIIᵉ siècle, que l'on tient pour des traces importantes du mouvement pèlerin. La chapelle Sainte-Marguerite, sur la même route, semble avoir été vouée entièrement aux pèlerins ; son porche, placé en travers du chemin et muni d'un grand avant-toit, offre un vaste abri pour les voyageurs. L'escalier extérieur sert effectivement aux seuls pèlerins ; il conduit directement à la tribune dont l'espace inférieur était séparé par une grille en bois du reste de la nef. On y a découvert des centaines de graffiti datant principalement du XVIIᵉ siècle, la plupart à la craie : des noms, des dates, des monogrammes, des dessins. A l'extérieur de cette clôture, on n'a découvert aucun griffonnage.

Loca sanctorum

– Locus sanctus : Jérusalem

Que se passait-il exactement sur les lieux saints ? Le chanoine Bernhard von Breydenbach, qui débarque le 7 juin 1483 à Jaffa avec ses compagnons, décrit en détail les lieux saints de Jérusalem. Le groupe se rend ensuite à cheval à Rama puis à Jérusalem :

« Le onzième jour de juillet vers minuit, nous partîmes de Rama en direction de Jérusalem. Nous chevauchâmes toute la nuit et le jour suivant. Au soir, nous arrivâmes devant l'église du Saint-Sépulcre pour obtenir l'indulgence et nous nous rendîmes ensuite à l'hospice de pèlerins où nous étions logés.

« Le douzième jour du mois de juillet était un dimanche et, tous les pèlerins, nous nous réunîmes pour gagner le mont Sion et visiter en cours de route tous les lieux saints. Nous sommes, tout d'abord, parvenus à l'endroit où les juifs, disciples du Christ, emportèrent pour la Vierge Marie, la digne Mère de Dieu, le corps saint dans la vallée de Josaphat. [C'est là que devait avoir lieu le Jugement dernier (Jl 4,2 et 4,12). En 1065, déjà, des milliers de pèlerins y avaient attendu la fin du monde.] De là, nous parvînmes bientôt à l'endroit où, sorti précipitamment de la maison de Caïphe après avoir pour la troisième fois renié Notre Seigneur, saint Pierre se rendit dans une grotte pour y pleurer amèrement. Ensuite nous arrivâmes à l'église dédiée aux saints anges où, à l'époque de sainte Anne, s'élevait la maison du grand prêtre dans laquelle Notre Seigneur Jésus-Christ, revenant du mont des Oliviers, fut grandement et amèrement humilié par la gifle d'un serviteur sur son divin visage.

« De là, nous nous rendîmes dans une autre église, appelée Salvator où, à l'époque de la maison de Caïphe, s'élevait une grande maison et où Notre Seigneur Jésus fut raillé, ses yeux bandés, son visage et sa nuque divines frappés et où il reçut toutes sortes d'injures et de tourments. On y a aussi montré aux pèlerins une petite pièce où les juifs enfer-

68. Jérusalem sur une xylographie du *Viaggio da Venetia al Santo Sepulchro*, Venise, 1519.

mèrent Notre Seigneur jusqu'à ce qu'ils eussent décidé de son sort. C'est pourquoi on a appelé cet endroit la prison de Notre Seigneur bien que les Évangiles n'en parlent pas. Mais comme on montre encore aujourd'hui cette geôle, on est tenté de le croire, comme d'autres choses qui ne sont pas écrites mais que l'on voit pourtant.

« Dans cette même église, se trouve la grande pierre que l'ange a apportée devant le tombeau du Christ et sur laquelle il s'est assis. Actuellement, cette pierre forme la table du maître-autel. Dans une cour, à gauche, un arbre est entouré de pierres, c'est là que les juifs et Pierre se sont assis, pour se réchauffer près du feu.

« Plus près du mont Sion, on nous montra l'emplacement où la Mère de Dieu disait sa prière quotidienne. Il y a là aussi une pierre sur laquelle Notre Seigneur Jésus s'est assis pour prêcher devant ses disciples. Sur le mont Sion, se trouvent les tombeaux des prophètes et des rois d'Israël. Les Sarrasins ne permettent à aucun chrétien d'approcher ces tombeaux, ils y ont construit une grande église, ou mosquée dans leur langue, à laquelle ils vouent une grande vénération. »

Breydenbach décrit ensuite l'église du Saint-Sépulcre, « le Temple sacré où se trouve le tombeau du Christ ».

« L'église est ronde et ceinte d'absides. En son centre, il y a une ouverture ronde pour que le Saint-Sépulcre soit réellement sous le ciel. Mais l'église du Calvaire est construite tout contre à la place du chœur de l'église du Saint-Sépulcre, à peine un peu plus bas, et les deux églises possèdent le même toit. La chapelle qui abrite le tombeau de Notre Seigneur est extérieurement recouverte de marbre mais intérieurement elle est en rocher, comme à l'époque où Notre Seigneur y gisait. On accède à la chapelle par une porte depuis l'orient, très basse et petite. »

Bernhard von Breydenbach mentionne encore comme particularité la pierre qui avait servi pour obturer le tombeau du Christ et qui aurait dû se trouver devant la porte de l'église. Il décrit ensuite la colline du Calvaire, « distante de sept cents pieds du Saint-Sépulcre ».

69. Bernardino Amico, *Trattato*, Rome, 1609. Vue extérieure du Saint-Sépulcre.

70. Vue partielle de la rotonde à l'intérieur du Saint-Sépulcre.

Milites sepulcri sancti

L'accession à la dignité de chevalier du Saint-Sépulcre constitue une autre marque de rang ; elle est mentionnée comme un souvenir très marquant dans de nombreuses chroniques émanant d'aristocrates ou de pèlerins éminents. Nompar II de Caumont fait partie de la communauté internationale des chevaliers du Saint-Sépulcre, tout comme le seigneur glaronnais Ludwig Tschudi ou le duc Henri de Saxe. A propos du voyage de ce dernier en 1498, nous disposons du récit de Stephan Paumgartner, originaire de la ville de Nuremberg : il rapporte que trente-sept pèlerins de la suite ducale se sont fait adouber le même jour. Ses notes contiennent en outre une liste de cinquante lieux saints dont chacun offre une indulgence de sept ans et sept « quarantaines ». Tout comme ses compagnons, Arnold von Harff est fait chevalier. Il raconte en détail la cérémonie. Après avoir donné son accord et avoir été questionné sur l'honorabilité de sa lignée, il se voit invité par le chevalier compétent, Hans de Prusse en l'occurrence, à « mettre un pied devant et l'autre sur le Saint-Sépulcre. Ensuite, il m'attacha les deux éperons et me ceignit l'épée sur le côté gauche en déclarant : "Tire ton épée et agenouille-toi devant le Saint-Sépulcre. Prends l'épée dans la main gauche et pose deux doigts de la main droite sur elle et répète après moi" [...]. » Et il poursuit par une longue formule de consécration et de bénédiction.

Hans Bernhard von Eptingen est adoubé en 1460 sur le Saint-Sépulcre moyennant la somme de quatre ducats et, à son tour, il conférera cette dignité à plusieurs chevaliers, ce qu'il raconte non sans fierté : « Voici une chose honorable, belle et louable que je tiens pour bonne. »

Le Suisse Heinrich Stulz, présent à Jérusalem en 1519, est un peu moins enthousiasmé par les devoirs inhérents au statut de chevalier. Il comprend ses deux compagnons roturiers d'avoir refusé cet honneur : « [...] car c'est là vraiment un serment très lourd ». Mais les statistiques font toutefois apparaître que plus de quarante pour cent des pèlerins allemands ont été adoubés, sans compter les serviteurs des nobles ; ce nombre élevé relativise quelque peu la valeur de cette cérémonie.

Circum Hierosolymorum

Un certain nombre d'autres lieux saints, cités dans la Bible, font l'objet de la visite des pèlerins. Le chanoine de Mayence, Bernhard von Breydenbach, nous en a laissé un compte rendu détaillé, dont nous ne citerons ici que quelques extraits :

« A deux lieues de Jérusalem vers le sud, se trouve la ville de Bethléem, un lieu vénérable non seulement à cause de la naissance de David et des prophètes mais aussi de celle de Jésus-Christ, Notre Seigneur. A cinq portées d'arbalète de Bethléem, se trouve l'endroit où les bergers, qui veillaient la nuit de la naissance du Christ, virent et entendirent les anges chanter : *Gloria in excelsis Deo*. Bethléem s'étend sur un mont élevé ; la ville est étroite et on y entre par l'occident ; c'est là que se trouve la citerne à laquelle David désirait boire. Notre Seigneur vint au monde à l'extrémité de la ville, à l'orient, sous un rocher près du mur d'enceinte. D'après la tradition de la ville, il s'agissait d'une étable dans une grotte creusée dans le rocher. L'Enfant Jésus y a été enveloppé dans une étoffe toute simple et déposé devant l'âne et le bœuf. Pour accéder à l'emplacement de la naissance de Notre Seigneur, on traverse l'église et on descend dans une chapelle [...]. »

Et à propos du mont Thabor :

« Thabor est une montagne au milieu des champs ; elle est circulaire et élevée, à dix lieues de la ville de Césarée. Cette montagne est la plus connue de toutes celles de ce pays béni. »

Suit une description des éléments naturels, qui se termine par une indication du plus grand intérêt pour les pèlerins :

« Mais avant tout, la présence de Notre Seigneur transfigure cette montagne. »

Une autre source, le récit du chapelain de sir Richard Guylforde qui s'est rendu à Jérusalem en 1506, mentionne également les « planchettes » des franciscains dans leur monastère de Sion et la remise d'attestations de pèlerinage et de reliques à la suite d'un festin.

71. Vue de Bethléem par David Roberts (1839).

Bertrandon de la Brocquière, un noble bourguignon qui s'est rendu en Terre sainte en 1422, indique les lieux à voir à Jérusalem et dans les environs :

« Une fois arrivés dans ladite ville de Jérusalem et après avoir accompli les visites habituelles des pèlerins, nous nous rendîmes à la montagne où Notre Seigneur jeûna durant quarante jours et, de là, au Jourdain où il fut baptisé. Sur le chemin du retour, nous entreprîmes les visites habituelles à l'église Saint-Jean, près de la rivière, à Sainte-Madeleine et à Notre-Dame, où Notre Seigneur ressuscita Lazare d'entre les morts. Après quoi, nous retournâmes à Jérusalem, puis repartîmes pour Bethléem voir le lieu de la Nativité de Notre Seigneur. »

Au total, notre aristocrate bourguignon passe deux mois en Terre sainte.

Paeninsula Sinai et monasterium Sanctae Catherinae

Le couvent Sainte-Catherine, dans le désert du Sinaï, constitue un autre site important de Terre sainte. Jusqu'en 1480, pratiquement tous les pèlerins, en tout cas ceux dont les récits nous sont parvenus, entreprennent ce voyage dans le désert. Plus tard, on se contente de plus en plus de Jérusalem, d'accès plus facile grâce aux religieux européens, alors que le Sinaï était aux mains des musulmans. Une autre raison profonde de l'abandon de cette destination a dû être également la possibilité d'obtenir dès lors la même indulgence à la chapelle Sainte-Catherine de Bethléem. Ce fait nous est communiqué en 1519 par un aristocrate de Westphalie, Dietrich von Kettler :

« [...] und wey nicht to sunte Kathrinen berch kan kommen, und doit syn gebet vor dem altar, dey vordeynt so vil afflates, als off hey up den berg Synay wer gewest, und dar

72. Les montagnes du Sinaï, dessinées par David Roberts lors de sa visite au monastère Sainte-Catherine.

73. La basilique Saint-Pierre sur une gravure de 1588 (G. Francino).

74. Saint-Jean-de-Latran sur une gravure de 1588 (G. Francino).

is afflait von allen sunden. » (« Et celui qui ne peut aller au couvent Sainte-Catherine et prier devant l'autel mérite autant d'indulgence que s'il avait gravi le Sinaï, il est alors pardonné de tous ses péchés. »)

L'« obtention d'une indulgence » incite, un soir de 1486, Konrad Grünemberg à revenir dans la vallée de Josaphat malgré la fatigue et la chaleur. A en croire ce chevalier du Vogtland, très direct pour son époque, « rien d'autre n'intéressait les pèlerins, car là où on n'obtenait aucune indulgence, il n'y en avait aucun ».

Au couvent Sainte-Catherine, avaient lieu différentes cérémonies rituelles pour les pèlerins qui, naturellement, se déroulaient autour des ossements de la sainte. Le dominicain Humbert Dijon les décrit ainsi en 1330 : *Item in eadem abbatia, in quadam capsa de marmore albo iuxta altare maius, est corpus beatissimae Catherinae, de quo quidem corpore emanat continue quoddam spissum oleum quasi album, quod propriis vidi oculis ac recepi et etiam mecum porto.* »

Miraculeusement, de l'huile s'écoule du corps de la sainte ; elle est recueillie par les pèlerins qui l'emportent chez eux comme relique représentative, sous forme de *brandea* (morceaux d'étoffe ayant été au contact avec une relique). On trouve dans le *Liber peregrinationis* de 1335 écrit par un père augustin, Jacopo da Verona, le dessin des deux montagnes qui dominent le couvent : l'Horeb ou montagne de Moïse et le djebel Catherine. On y voit le couvent avec son clocher, la chapelle dédiée à sainte Catherine, une autre consacrée au prophète Élie, la mosquée et la petite église sous le sommet où Moïse aurait reçu les tables de la Loi.

– *Locus sanctus : Rome*

La quête de l'indulgence plénière, du pardon de tous les péchés, a conduit les pèlerins à braver les difficultés et les dangers de la route. La configuration de Rome, l'*urbs sacra*, témoigne des exigences croissantes pour la « chasse » aux indulgences, pour s'assurer une assistance spirituelle complète. Les pèlerins devaient accomplir de nombreux rituels. Lors du premier jubilé de 1300, la seule visite de Saint-Pierre était exigée ; très vite, on ajoute Saint-Paul-hors-les-Murs, puis Saint-Jean-de-Latran en 1350 et Sainte-Marie-Majeure en 1373, complétant ainsi ce que l'on a appelé les quatre basiliques majeures. En 1575, Saint-Sébastien, Saint-Laurent et Sainte-Croix-de-Jérusalem viennent s'y adjoindre. Jusqu'au XVIe siècle, les pèlerins disposaient de quinze jours pour visiter les quatre églises qui présentaient des « Portes de grâce ou d'indulgence » ; du fait du manque de place dans les hospices et les hôpitaux, on réduit ultérieurement ce délai à huit, puis à cinq jours.

Un aristocrate du Bas-Rhin, Arnold von Harff, décrit en ces termes son séjour à Rome en 1497 :

« J'arrivai à Rome en période de carême et y trouvai un excellent ami, le Dr Johann Payl ; il me fit l'honneur de me recevoir dans son auberge et de me montrer tout ce qu'il fallait voir grâce à quelques cardinaux de ses amis.

« Rome compte sept églises principales où nous nous rendîmes quatre ou cinq fois car on y accorde de grandes indulgences.

« La première est Saint-Jean-de-Latran, c'est la plus importante église de la Chrétienté. Elle était autrefois un palais de l'empereur Constantin. La Porte Dorée s'y trouve, on ne l'ouvre que lors des années saintes. Il y a trois autres portes les unes à côté des autres. On passe par les trois. Celui qui le fait avec ferveur et contrition se voit pardonné de tous ses péchés. On peut également les passer pour racheter les âmes perdues.

« Une grille en fer surmonte le maître-autel ; derrière elle, se trouvent les chefs des deux apôtres, saint Pierre et saint Paul. Sous le maître-autel, le tombeau de saint Jean l'Évangéliste ; on y trouve la rémission de tous les péchés. A côté, s'élève un autel consacré à sainte Marie-Madeleine. Au-dessus, une robe rouge, celle que le Christ portait lorsque Pilate s'écria : *Ecce homo !*, ainsi que le voile dont sa tendre mère l'enveloppa lorsqu'il fut descendu de la Croix. On y trouve également une chemise du Christ, tout comme les serviettes avec lesquelles il a essuyé les pieds de ses disciples le jeudi saint sur le mont Sion, avec bien d'autres reliques de sainte Marie-Madeleine. Dans la sacristie, se trouve l'autel servant à dire la messe de saint Jean. Sur l'autel, l'arche [coffre ?] de l'Ancien Testament et, au-dessus, le bâton de Moïse, autrefois au Temple de Salomon à Jérusalem. Au-dessus de l'arche, un morceau de la table sur laquelle Notre Seigneur a mangé en compagnie de ses disciples le jeudi saint. A côté de la Porte Dorée, nous pénétrâmes dans une chapelle. On y trouve une pierre d'autel, sur laquelle on a joué aux dés les vêtements de Jésus-Christ. On prétend aussi que Notre Dame s'y est assise lorsque le corps saint lui fut apporté de la Croix. Cette chapelle est dotée de trois portes que le Christ a franchies à Jérusalem pour se rendre sur les lieux de son supplice. Celui qui la passe avec ferveur obtient rémission de tous ses péchés. Ensuite, nous parvînmes à une chapelle avec une table d'autel où l'on voit l'empreinte de cinq doigts. La mère de Dieu s'est évanouie sur cette pierre lorsqu'on lui a annoncé que son Enfant avait été fait prisonnier. Elle s'est agrippée si fort à la pierre que l'empreinte de sa main y est restée gravée. Dans cette chapelle, nous arrivâmes à un escalier de marbre haut de quarante-huit marches, en provenance de la maison de Pilate à Jérusalem. Nous gravîmes l'escalier à genoux en prononçant un *Pater Noster* à chaque marche. On prétend que celui qui monte l'escalier a droit à neuf années d'indulgence par marche et que celui qui le gravit à genoux délivre son âme du purgatoire. »

Mais les sites obligatoires et classiques ne sont pas les seuls à intéresser notre aristocrate rhénan :

« Près de là, nous pénétrâmes dans une chapelle, appelée *Sancta Sanctorum* [le pape Sixte V a fait déplacer au cours de la seconde moitié du XVIe siècle la *Scala Sancta* à l'entrée de ce qui était, durant le Moyen Age, la chapelle du palais des Papes au Latran]. Sur l'autel, se trouve une peinture de Notre Seigneur exécutée par saint Luc. Dans cette chapelle, il y a foule d'objets sacrés et de grâces. Seul le pape a le droit d'y dire la messe. Celui qui y pénètre avec dévotion et en se repentant de ses fautes se voit pardonné de ses péchés et dispensé des peines. Aucune femme n'a le droit d'y pénétrer sous peine d'anathème.

« Il est impossible de décrire la grâce qu'on peut obtenir dans cette première église. »

75. Le centre de Rome sur une gravure de 1550 de Sébastien Munster.

Arnold von Harff dépeint en détail la quête des « grâces et des indulgences », en particulier les exigences dans les différentes églises pour obtenir le pardon ; il mentionne par exemple les 48 000 ans d'indulgence pour la visite de Saint-Sébastien et de Saint-Fabien, 7 000 ans pour celle de la grotte du pape Étienne, 40 000 ans pour celle du couvent Saint-Anastase, etc. Il se plaît à énumérer tous les objets sacrés et reliques des sept principales églises de Rome.

Arnold von Harff s'occupe presque exclusivement des grâces, des indulgences et des légendes médiévales qui courent au sujet de la ville de Rome ; il tire ses renseignements des *Mirabilia urbis Romae*. Les monuments antiques et les découvertes archéologiques semblent l'intéresser nettement moins. Pour la description des églises de la Ville éternelle, il disposait du modèle des *Indulgentiae ecclesiarum urbis Romae* qui dépeignaient non seulement les sept églises principales mais aussi plus de quatre-vingts autres ; ce guide jouissait depuis le XIVᵉ siècle d'une faveur croissante. Contrairement aux autres chroniqueurs pèlerins, il émaillait ses indications de remarques personnelles.

– Locus sanctus : Compostelle

Le *Diarium des Erich Lassota von Stebelow* constitue une des sources les plus abondantes en ce qui concerne les faits et gestes autour de la cathédrale et à l'intérieur. La famille Lassota est originaire à la fois de Pologne et de Silésie. Erich Lassota avait fait partie en 1579 des troupes de Philippe II et avait participé à la conquête du Portugal. En 1581, venant de Padrón, il se rend à Compostelle où il arrive le 25 janvier :

« Qu'y a-t-il à voir à Saint-Jacques et que s'y passe-t-il ?

« Tout d'abord, l'église Saint-Jacques est un bâtiment magnifique et somptueux paré de merveilleuses colonnes, grilles, chapelles et autels ; il comporte deux voûtes ou deux églises superposées ; celle du haut possède un déambulatoire qui permet d'en faire le tour. Sous le maître-autel revêtu d'or ou d'argent doré, ceint d'une belle grille, gît le corps du saint apôtre Jacques le Majeur en compagnie de ses deux disciples, Théodore et Athanase.

« Sur l'autel, se dresse un tableau de saint Jacques surmonté d'une grande couronne dorée que les pèlerins ont coutume de ceindre ; aucun prêtre ou évêque commun ne peut célébrer la messe sur cet autel, seulement un cardinal ou un archevêque. Au-dessus de l'autel, pend un grand cor de chasse ou olifant ; on prétend qu'il a appartenu au héros Roland et on l'appelle "Corno de Roldán".

« Devant l'autel sont suspendus de nombreux candélabres d'argent, dons de puissants souverains et seigneurs ; on y brûle sans interruption de l'huile ; le plus beau parmi tous ceux-ci est celui du roi du Portugal.

« En face du maître-autel, se trouve le chœur, également entouré d'une grille magnifique, dont la dernière colonne du côté gauche est en métal creux ; elle contient le bâton de saint Jacques terminé à son extrémité inférieure par un long fer pointu ; les pèlerins ont coutume de le saisir.

« Les reliques ou les ossements saints sont conservés dans une sacristie, dans une grande et belle armoire ; on les montre deux fois par jour aux pèlerins.

« On peut y voir entre autres :

« le chef de l'apôtre saint Jacques le Mineur, qui a été évêque de Jérusalem mais dont le corps repose en France, à Toulouse ;

« le chef de la vierge Pauline, martyrisée à Cologne sur le Rhin ;

« une épine de la Couronne d'épines ;

« trois morceaux de la Sainte Croix ;

« une dent de saint Paul ;

« un bras de saint Christophe.

« Et bien d'autres reliques que je ne puis toutes mentionner. A droite, dans la sacristie peinte, sous un petit autel, gît le corps de saint Silvestre martyr. Après avoir vu les

76. Buste-reliquaire de saint Jacques le Mineur, fils d'Alphée. Cathédrale de Compostelle, trésor.

reliques, les pèlerins ont coutume d'aller se confesser. En ce qui concerne les étrangers, ils vont généralement se confesser auprès d'un Italien que l'on appelle le *linguarium* car il connaît bien plusieurs langues : le roman, l'espagnol, le français, l'allemand, le latin et le croate.

« Une fois confessés, les pèlerins vont généralement communier dans la chapelle des Français, juste derrière le maître-autel. Dès la communion reçue, on remet à chacun une lettre ou passeport, imprimée sur du parchemin et pourvue du sceau cardinalice contre paiement de deux réaux, ainsi qu'un billet de confession imprimé pour lequel on paie un quart. »

La coutume de faire se balancer un immense encensoir *(botafumeiro)* dans le transept de la cathédrale lors d'arrivées massives de pèlerins, dans le but de « parfumer » la foule puante, remonte sans doute au XIVᵉ siècle. Christoph Gunzinger, docteur en philosophie et chanoine de la cathédrale de Wiener Neustadt, en séjour à Compostelle en 1654, est effaré par la taille de ce récipient qui lui suggère la remarque suivante : « Il est réellement si affreux à regarder que l'on peut en perdre connaissance. » Côme III de Médicis, le grand duc de Florence, à ce point fasciné par l'appareil de suspension et par les balancements, écrit ces lignes lors de son passage à Saint-Jacques en 1669 :

« Dans la coupole au centre de l'église, à l'intersection des deux bras de la croix, une corde est suspendue à la voûte [croisée] pour y attacher, lors des processions ou des fêtes solennelles, un encensoir rond en argent ; il contient une crapaudine montée sur des supports ; la corde descend d'un pivot et est actionnée à la manière d'un treuil ; il faut quatre personnes pour le mettre en mouvement et il finit par monter si haut qu'il touche presque les arcs des voûtes et les murs qui ferment les bas-côtés ; ce mouvement est si violent que les charbons s'enflamment. »

Occursus sanctorum itineris in Loco Sancto

Le concept d'église de pèlerinage se réfère à un parti architectonique conçu pour remplir une certaine fonction. On y retrouve la solution qu'on a estimée la meilleure et

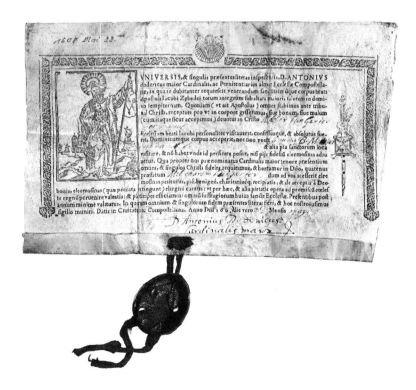

77. Document attestant l'accomplissement du pèlerinage à Compostelle par le pèlerin suisse Melchior Heingarter en 1608. Archives de la famille Stockalper.

78. Façade de l'église Saint-Sernin de Toulouse.

79. Sur la porte Miégeville de Saint-Sernin, saint Jacques accueille les pèlerins en route vers Compostelle, venus pour la plupart du centre et du sud de l'Europe.

qu'on a découverte entre 1050 et 1150 dans les sanctuaires les plus fréquentés de France et d'Espagne. Ce domaine a particulièrement inspiré l'architecture religieuse qui a connu ses plus belles réalisations au début du second âge féodal avec les nouveautés du style roman et de l'art du voûtement. Mouvement et formes nouvelles chargées de signification ont influencé l'architecture sacrée pour aboutir à l'espace, à la forme d'église, que nous appelons « églises de pèlerinage ». Cadre des processions, elles trouvent leur essor spirituel parce qu'elles représentent « une autre voie », un chemin liturgique « construit ». Un facteur supplémentaire, décisif pour l'avènement des nouvelles formes artistiques, est l'adoption obligatoire pour tous, à partir du XIe siècle, de la liturgie romaine.

Les nouveaux rites exigent de nouveaux espaces, une structure architecturale nouvelle que l'on voit apparaître au cours du dernier quart du XIe siècle dans les églises et les cathédrales.

Cependant, cette circumambulation sur le lieu saint, qui renferme des vertus de transfiguration, se retrouve déjà tout au long de l'espace sacral du chemin, dans cet aller pèlerin que l'*homo viator* médiéval vit concrètement. Une fois franchie au terme de son voyage la porte septentrionale de la cathédrale Saint-Jacques, la *Puerta francígena*, le pèlerin, comme à Cluny, se rend à la chapelle de saint Nicolas, le patron des voyageurs et des marchands, puis à celles de saint Pierre, saint Martin, sainte Foy et saint Sauveur ; il rappelle ainsi son attachement aux sanctuaires du chemin et aux autres lieux de culte en relation avec Compostelle.

Il nous faut encore mentionner une autre relation *ad limina* dans la conception spirituelle de l'architecture de la cathédrale de Compostelle. La première chapelle à côté du portail sud est consacrée à Jean-Baptiste, elle se trouve en face de la chapelle dédiée à saint Nicolas où les pèlerins viennent remercier leur saint patron d'être arrivés à bon port. C'est là que les habitants de la ville sont baptisés et obtiennent de ce fait le droit physique et spirituel d'accéder à l'église : c'est une église de pèlerinage destinée à l'*homo viator*, à la *societas viatoris* dans la complète acception chrétienne de l'expression !

Hyriae, nunc Petra Jacobi vocatur et Santiago de Compostela

Nous possédons une description détaillée de Padrón, laissée par Ambrosio de Morales (1513-1591) ; sur ordre de Philippe II, il a établi un inventaire des choses remarquables de Galice. Il donne un aperçu de la géographie sacrale de l'ancien siège épiscopal, Padrón, relégué entre le IXe et le XIe siècle dans l'ombre de Saint-Jacques-de-Compostelle et de son culte de l'apôtre. A côté de traditions propres, il y mentionne également la reprise du rite de la montée et descente des pèlerins derrière la statue du saint placée sur le maître-autel, ainsi que celle, devenue déjà exceptionnelle à Compostelle, du couronnement. Nous parlons à dessein de Padrón, car les sources montrent qu'une grande partie des rites concernant l'apôtre Jacques célébrés sur le sol espagnol s'y sont déroulés ; qu'il nous soit permis, à titre d'exemple, de citer un extrait qui en donne les principaux éléments.

« El Padrón, Titre 46.

« [...] Le siège épiscopal se trouvait dans la ville d'Iria jusqu'à ce qu'il soit déplacé là [à Saint-Jacques-de-Compostelle] à cause de la découverte du corps saint, cela a déjà été dit. [...] L'arrivée du corps saint de l'apôtre y a été très appréciée, car il y a séjourné plus longtemps que dans d'autres parties d'Espagne dès sa venue en provenance directe de Jérusalem. » Morales explique cela par l'activité missionnaire de l'apôtre en Espagne : « [...] Car de son vivant, il l'avait [la ville d'Iria/Padrón] déjà éclairée de son évangélisation. C'est la raison pour laquelle on y conserve la mémoire de la demeure et du séjour du saint apôtre, et ce, en particulier, sur une colline de l'autre côté de la rivière. Quand on en gravit la pente, on trouve à flanc de coteau une église dont on raconte que l'apôtre y a prié et y a dit la messe ; sous le maître-autel, jaillit une source abondante dont l'eau s'écoule à l'extérieur. C'est l'eau la plus fraîche et la plus savoureuse que j'aie trouvé en Galice. Les pèlerins s'y désaltèrent et s'y lavent avec le plus profond respect, car le saint apôtre y a bu et s'y est lavé. Si l'on grimpe jusqu'au sommet, on y voit de nombreux rochers rassemblés dont certains sont fendus ou troués. On raconte à ce sujet que l'apôtre, désirant se cacher des païens qui le poursuivaient pour le mettre à mal, aurait perforé les rocs avec son bâton et que ce miracle aurait fait reculer ses assaillants.

« Les fidèles visitant cet endroit le considèrent comme le but le plus important de leur pèlerinage. Ils se traînent à genoux pour monter les marches taillées dans le roc, prient sur chacune d'elles et rampent allongés à travers deux trous ainsi qu'à travers un troisième légèrement en contrebas : voilà les ouvertures à travers lesquelles le peuple, dans sa pieuse simplicité, prétend qu'il faut passer mort ou vivant. Un dicton régional affirme également : "Celui qui va à Saint-Jacques et ne va pas à Padrón, accomplit le pèlerinage ou ne l'accomplit pas." On montre aussi un autre rocher où, prétend-on, l'apôtre aurait dormi, et d'autres curiosités que les pèlerins vont voir sur cette colline, car le saint les aurait utilisées. [...] En bas, au village, s'élève l'église Saint-Marc. Sous le maître-autel, creux, se trouve une grande pierre plus haute qu'un homme. En granit, elle épousait la forme d'un socle, mais les pèlerins en ont depuis longtemps usé les moulures. Ils ont également dérobé une grande partie de l'inscription romaine qui l'ornait. [...] Cette pierre, prétend-on, aurait servi à amarrer la barque ayant amené le corps du saint, lorsqu'elle mouilla dans le Sar, non loin de cette église. Et l'on montre également son ancien emplacement sur la rive. Les pèlerins la vénèrent et tournent autour. Ils lui donnent des baisers de toutes parts ; et comme il s'agit visiblement d'une pierre romaine et comme les lettres ont une forme si parfaite, il y a lieu d'admettre que la venue du saint corps pourrait avoir eu lieu du temps de l'empereur Claude. [...] Sur le maître-autel de cette église, se trouve aussi une statue de saint Jacques avec un escalier de chaque côté pour pouvoir monter et descendre ; une couronne en laiton est suspendue au-dessus de la tête. Et, là aussi, les fidèles accomplissent leur pèlerinage comme dans l'église Saint-Jacques de Compostelle.

« A l'emplacement, ou sur le petit débarcadère, où le corps saint a accosté, se trouve une pierre sur laquelle on l'a déposé. On affirme que ce rocher s'est miraculeusement ouvert et a pris la forme d'un cercueil. »

80. Padrón, église Saint-Jacques. D'après la tradition, c'est à ce *Pedrón* (en réalité une borne romaine) qu'aurait été amarrée la barque qui amena en Galice le corps martyrisé de l'apôtre Jacques.

Finisterrae

Le Finisterre, partie importante du pèlerinage à Saint-Jacques-de-Compostelle, a développé ses propres sites sacrés à partir du XVᵉ siècle au plus tard. Ils ne sont toutefois pas uniquement axés sur saint Jacques. Sebastian Ilsung, un diplomate appartenant à une famille patricienne d'Augsbourg, note en 1446 ses impressions de voyage à la pointe extrême de l'Occident :

« Il y a là une haute montagne et la mer déchaînée frappe de tous les côtés car il n'y a pas de port. Elle est haute d'une demi-lieue. On y voit l'empreinte d'un pied de Notre Seigneur dans le dur rocher et une fontaine qu'il a faite. Et le rocher a épousé les formes d'un fauteuil. Notre Dame a également un fauteuil, tout comme saint Jean, saint Jacques et saint Pierre. »

Ex Voto

« Les chrétiens s'adressent aux martyrs pour leur demander d'être leurs intercesseurs. La satisfaction de leur prière confiante est attestée par les dons votifs ; ils rendent la guérison publique. Les uns apportent des images d'yeux, d'autres de pieds, d'autres encore de mains ; elles sont tantôt faites en or, tantôt en bois... Ces dons révèlent la guérison des souffrances – car ils ont été apportés par des gens délivrés de la maladie – et

81. Ex-voto avec personnages en relief, argent sur fond de velours noir (Vienne, 1817). Une procession de pèlerins se dirige vers une croix ; en haut, l'image de la Vierge de Mariazell à qui le donateur, menacé par un danger, s'était voué.

démontrent le pouvoir de ceux qui reposent ici, et ce pouvoir atteste que leur Dieu est le vrai Dieu. » Tels sont les propos de Théodoret de Cyr († v. 458) au sujet des lieux saints de Syrie. La mise en correspondance des souffrances du Christ et de celles de ses principaux apôtres avec ce rituel magico-religieux est d'autant plus grande. Face au danger ou dans des situations désespérées, dans une détresse extrême, les croyants se tournent vers Dieu ou vers ses saints ; ils implorent assistance, aide ou secours et se placent sous leur protection, à la merci de leur bon vouloir. Une fois le problème résolu, ils se mettent en chemin afin d'honorer leur promesse et d'exprimer leurs remerciements.

En signe de gratitude, le pèlerin a pris dans son paquetage certains de ces dons votifs, nommés plus tard ex-voto. Il en achète d'autres sur place. Ces offrandes, souvent en cire, ont joué un grand rôle dans tous les cultes. On privilégiait la cire du fait de sa valeur liturgique et on pouvait l'acquérir sous la forme de cierges ou d'objets anthropomorphes sur les lieux saints. Un recueil du XIIᵉ siècle, la *Historia Compostellana*, donne la signification de l'usage de la cire sur la tombe de l'apôtre dans la cathédrale, et mentionne qu'en hiver, quand les pèlerins étaient rares, les cierges ne suffisaient pas pour éclairer l'église et encore moins, évidemment, pour la réchauffer.

Nous allons poursuivre en donnant deux exemples des rapports qu'entretiennent les pèlerins des temps modernes avec les rituels sacrés d'autrefois. On peut voir dans l'église Saint-Martin de Lofer près de Zell (province de Salzbourg) un ex-voto représentant un groupe de quatre paysans en habits de pèlerins, agenouillés devant l'image de la Vierge de Kirchental. L'inscription votive explique qu'il a été offert en remerciement par des pèlerins revenus sains et saufs d'un pèlerinage à Rome le 19 avril 1758.

Une deuxième offrande est accrochée dans cette église ; elle provient sans doute d'un pèlerin salzbourgeois qui s'était rendu en Palestine en l'an 1742. Le registre de gauche montre le départ devant l'image de la Vierge de Kirchental et celui de droite, l'embarquement à destination de la Terre sainte sur la Piazzetta de Venise. Le pèlerin monte à bord du bateau, visiblement conduit par son propriétaire. L'image sacrée de la Vierge de Kirchental apparaît tout en haut, dans les nuages, flanquée de saint Jacques et de saint Antoine.

Oblatio

L'*oblatio* du pèlerin en accomplissement de son vœu se distingue de l'ex-voto. Ce présent peut se manifester sous forme d'obole ou de dons de couronnes de roses, d'objets précieux et de souvenirs de toutes sortes. Il indique le lien étroit entre le donateur et le lieu de pèlerinage. De nombreuses sources rapportent « l'offrande de beaucoup de pièces précieuses » au lieu saint. Nicola Albani est proprement ébloui par la multitude des présents exposés dans la « chapelle » Saint-Jacques : « L'autel est entièrement revêtu d'or et d'argent, devant et autour de cet autel, se trouvent 48 lampes en argent massif, 24 lustres, 12 appliques et 6 candélabres, 4 de 12 empans de haut et 2 de 18... Ce sont tous des cadeaux en l'honneur de ces différents saints ; les lampes et les 6 candélabres au-dessus de l'autel brûlent jour et nuit. »

La précieuse statuette-reliquaire est un des exemples d'offrande à la basilique de l'apôtre saint Jacques à Compostelle ; elle fut offerte au début du XIVᵉ siècle par Geoffroy Coquatrix, maître de la chambre des Comptes du roi de France Philippe IV le Bel.

Nous avons un aperçu de la mentalité de l'époque, de la pompe courtisane et de l'orgueil féodal avec le collier du chevalier Suero de Quiñones. Entre le 10 juillet et le 9 août 1434, à Puente de Orbigo (León), il avait provoqué en duel tous les chevaliers de passage qui désiraient passer le pont. On a prétendu que cent soixante-six lances avaient été rompues avant que Don Suero ne se retire, blessé. Pour rendre grâce de sa guérison, il accomplit un pèlerinage sur la tombe de l'apôtre à Compostelle et offre un anneau d'or ; celui-ci orne aujourd'hui le buste de saint Jacques le Mineur et porte l'inscription suivante en français : « Si a vous ne plait de avoir mesure, Certes ie dis que ie suis sans venture. »

Confraternitates

Des sources indirectes, telles que les inventaires des hospices, les listes d'effets des pèlerins recueillis par les hôpitaux, attestent des usages pieux d'antan. Un certain Jorxe Foril de Wurtzbourg, admis le 6 mars 1715 à l'Hospital de los Reyes Católicos de Saint-Jacques-de-Compostelle, détient parmi ses maigres possessions « dix-sept chapelets en bois noir ». Johann Nikolaus Rote de Bamberg avait avec lui, lors de ses deux séjours dans le même hôpital en 1717, « trois cents petites médailles en bronze » et « huit petits reliquaires en azabache ». Les deux colis représentaient sans doute des reliques de contact, des moyens d'obtenir la grâce par procuration pour ainsi dire, destinées aux membres de la confrérie de Saint-Jacques dont l'existence est attestée à Wurtzbourg et à Bamberg à cette époque.

Conclusio

L'Ancien et le Nouveau Testament constituent à la fois une source documentaire, un enseignement et une mise en scène : sur tout le territoire de Terre sainte et principalement à Jérusalem, chaque bâtiment, chaque pierre devient bientôt un objet de vénération et est bien sûr commercialisé. Alors que Jérusalem est le cadre même de l'Histoire sainte et de la Passion de Jésus-Christ Fils de Dieu, Rome est la ville choisie par les principaux apôtres, qui sont à l'origine du déplacement des intérêts de Jérusalem vers la Ville éternelle, à partir de laquelle ils vont poursuivre leur mission évangélisatrice dans l'*Imperium*. Leurs *missio et passio* se déroulent dans toute l'*urbs sacra* et elles y sont représentées. La découverte du tombeau d'un autre apôtre à Compostelle constitue l'étape suivante de l'histoire sacrée de la Chrétienté et de sa diffusion. La conquête du centre, du nord et de l'est de l'Europe par la Vraie Foi suscite des réactions, spontanées ou fruit d'une réflexion plus profonde. Ce voyage dans le temps nous montre un monde qui, à première vue, ne diffère guère des mondes virtuels de notre époque. Toutefois, ce passé, foisonnant de confrontations quotidiennes avec les impondérables de l'existence humaine, avec les vicissitudes et les injustices sans cesse croissantes de l'*obitus*, engendre une variété et une diversité d'us, de coutumes et de rites qui correspondent à la foi, à la quête spirituelle et à la sensibilité de l'époque. Les *peregrinationes maiores* en sont un excellent exemple : ils confrontent les individus aux usages et aux rites les plus divers dans un paysage la plupart du temps complètement étranger, ils mettent en présence des protagonistes extrêmement différents mais dont les mentalités émanent toujours du même vieux fonds culturel commun de l'Occident latin et chrétien. Dans cet univers en partie polarisé entre vie et comportement, la liturgie côtoie sans cesse le paraliturgique. C'est avec la même spontanéité qu'on admire les chefs-d'œuvre techniques et les événements surnaturels, considérés comme authentiques, alors même qu'en ce seuil des temps modernes les voix de quelques spectateurs critiques et de quelques humanistes s'élèvent et mettent en doute la tradition. Mais le culte voué aux *sacra*, qui se manifeste encore à l'heure actuelle, témoigne de l'espérance de la foi, immanente chez l'homme. Scepticisme et espoir de salut sont fondamentalement antinomiques. Et même un humaniste tel que Hieronymus Münzer, médecin et ami du géographe Martin Behaim, lorsqu'il se rend sur la tombe de saint Jacques et qu'il ne peut pas voir *in situ* le corps de l'apôtre, s'écrie : « *Sola fide credimus, que salvat nos homines.* » La liturgie et la paraliturgie autour du *numen*, du divin, de l'être insaisissable, aident à surmonter et à résoudre les conflits et les contradictions autour des *peregrinationes maiores*, à unir, chez l'homme destiné et disposé à croire, l'Église officielle et les formes populaires de la piété.

Traduit de l'allemand par Thomas de Kayser

82. Procession imaginaire de pèlerins à Compostelle dans *Les Délices de l'Espagne et du Portugal*, Leyde, 1707.

Roumieux, jacquaires et paumiers

par Klaus Herbers

Introduction : Peregrinationes maiores

Une tombe du XIIIᵉ ou du XIVᵉ siècle porte une inscription concernant un certain Jonas, un Danois qui, au cours de sa vie, se serait rendu deux fois à Jérusalem, trois fois à Rome et une fois à Saint-Jacques-de-Compostelle :

Abbati gratus famulus iacet hic tumulatus
Jonas ablatus nobis, sanctis sociatus
Jerusalem repetit bis ter Romamque revisit
Et semel ad sanctum transiit hic Iacobum.

83. Pierre tombale du pèlerin danois Jonas. Il tient la palme, symbole de son pèlerinage en Terre sainte, tandis que la coquille indique à la fois sa condition de pèlerin et le voyage à Compostelle.

Pourquoi cet homme a-t-il entrepris ces périples avec une telle fréquence et en quoi cela était-il exceptionnel ? Nous ne pouvons le savoir qu'indirectement, à travers l'importance de ces sites au Moyen Age. A l'heure actuelle encore, ces trois villes figurent parmi les trois principales destinations de pèlerinage pour les catholiques. Pour bien des chrétiens, se rendre dans l'un de ces trois lieux saints représente encore le but de toute une vie.

D'autres voyageurs, que nous allons évoquer plus bas, se sont rendus célèbres au Moyen Age pour avoir visité et vénéré deux ou trois de ces *loca sancta*.

Le pèlerinage est un phénomène commun à toutes les religions. Il n'est donc pas étonnant que, dès les premiers temps de la Chrétienté, on ait connaissance de visites à des lieux saints. Sont considérés comme tels, pour les chrétiens, les sites où a vécu le Rédempteur. Très tôt, les tombes des premiers martyrs sont vénérées, principalement dans la partie orientale de l'Empire romain. Le haut Moyen Age voit le nombre des pèlerinages augmenter parce que c'est un moyen de pénitence, comparable à la pénitence irlandaise. Parallèlement, le culte des dépouilles mortelles des saints – les reliques – croît, ce qui conduit inéluctablement à une multiplication des lieux de dévotion. Durant tout le Moyen Age, le nombre de pèlerins augmente constamment, en même temps que le nombre de saints et de reliques.

Quelle est la particularité de Jérusalem, Rome et Compostelle parmi tous les autres sites ? On considérait le premier comme l'endroit privilégié pour la rémission des péchés ; la Ville éternelle constituait, elle, l'un des plus anciens et des principaux centres de la Chrétienté. Mais pourquoi cette petite ville de Galice ? Elle est supposée abriter, comme Rome, le tombeau d'un apôtre. En effet, selon la tradition, saint Pierre et saint Paul ont été enterrés à Rome et saint Jacques le Majeur, à Compostelle.

Ces trois villes ont pour point commun de constituer le but d'une *peregrinatio maior*. Il faut attendre le haut Moyen Age, quand les règles liturgiques sont clairement établies, pour que ces trois centres prennent réellement leur essor. Tout pèlerinage pouvant se rattacher à un acte de contrition, les théologiens tentent de les classer en fonction de leur puissance d'attraction. C'est une habitude typique des XIIe et XIIIe siècles. Ils distinguent donc entre *peregrinationes maiores* et *peregrinationes minores* : Rome, Jérusalem et Saint-Jacques faisant partie de la première catégorie et tous les autres, de la seconde. Et ce, malgré la présence, dans cette dernière catégorie, de lieux de confluence interrégionale, tels que Bari, le mont Gargan, Aix-la-Chapelle ou Wilsnack. Cette situation n'est certes pas le seul fait des clercs, les trois principaux centres s'étant en effet d'ores et déjà ménagé une place à part au sein de la communauté chrétienne latine.

Nous allons maintenant présenter certains pèlerins en nous demandant ce qui les a motivés pour aller dans telle ou telle direction. Comment ont-ils eu connaissance de ces sites et des différences existant entre eux ? Quelle était la raison de leur choix ? Pour tenter de répondre à ces questions, comme aux autres susceptibles de se poser, il nous faut nous plonger dans les documents du haut Moyen Age et y lire « entre les lignes ». Ce n'est en effet qu'aux XIVe et XVe siècles qu'apparaissent des récits de voyage nous livrant les impressions personnelles de leurs auteurs.

84. Monte Sant'Angelo. Statuette en cuivre doré à l'effigie de saint Michel Archange.

La fin de l'Antiquité et le début du Moyen Age

Égérie (ou Éthérie), une des premières Européennes à accomplir le voyage à Jérusalem, fait prendre conscience des énormes distances que peuvent parcourir les pèlerins dès les débuts du christianisme. Originaire du nord-ouest de l'Espagne ou du sud de la Gaule, elle traverse, vers 415, pratiquement tout le Bassin méditerranéen pour se rendre en Palestine, au Sinaï et en Égypte. Les motifs de son périple ressortent déjà de son itinéraire : son chemin est tout tracé par les écrits du Nouveau et de l'Ancien Testament. Elle voue une attention particulière aux premiers établissements monastiques égyptiens, sans doute à cause de son statut de moniale. Au XIXe siècle, à Arezzo, la découverte d'une copie partielle du manuscrit de ses notes de voyage, *Peregrinatio ad loca sancta,* fait sensation. S'adressant à ses compagnes, Égérie le rédige vraisemblablement sur le chemin du retour vers Constantinople. Son nom ne nous est toutefois révélé que par une lettre bien postérieure de l'abbé Valère du Bierzo, mort en 695. En quoi cette trouvaille est-elle si importante ? Le récit se compose de deux parties : la première décrit l'état des principaux lieux bibliques de Terre sainte, la seconde rapporte les différentes modalités de la liturgie orientale et de la foi populaire.

Elle n'est pourtant pas la toute première femme occidentale à partir pour des raisons religieuses. Dès le IIIe siècle, des chrétiens se rendent sur les lieux saints mentionnés dans la Bible et où Jésus a œuvré. Jérusalem n'est jamais le but unique du voyage. Il s'agit pour les pèlerins de voir de leurs propres yeux les différents endroits où s'est manifesté le Rédempteur. Quelles que soient les sources, on retrouve tout au long du Moyen Age cette espèce de leitmotiv : porter ses pas *ubi steterunt pedes eius*.

Les mêmes termes apparaissent encore dans le récit d'un pèlerin anonyme de Bordeaux qui entreprend au milieu du IVe siècle la longue marche jusqu'à Jérusalem, sans oublier pour autant les autres sites où il convient également de se rendre. Toutefois, la Terre sainte occupe une place à part ; la description généralement sèche de l'itinéraire devient ici plus détaillée. Un guide anonyme succinct de la première moitié du VIe siècle énumère avec précision les endroits qu'il faut avoir vus : la basilique de Constantin, le Golgotha, le Tombeau du Christ, la maison de Caïphe, le temple de Salomon, etc.

85. Pèlerins devant la cathédrale d'Aix-la-Chapelle sur une peinture de 1620.

21. L'accueil des pèlerins comme œuvre de miséricorde.
Détail de la fresque du réfectoire de la Seu Vella
de Lérida (XIIIᵉ siècle).

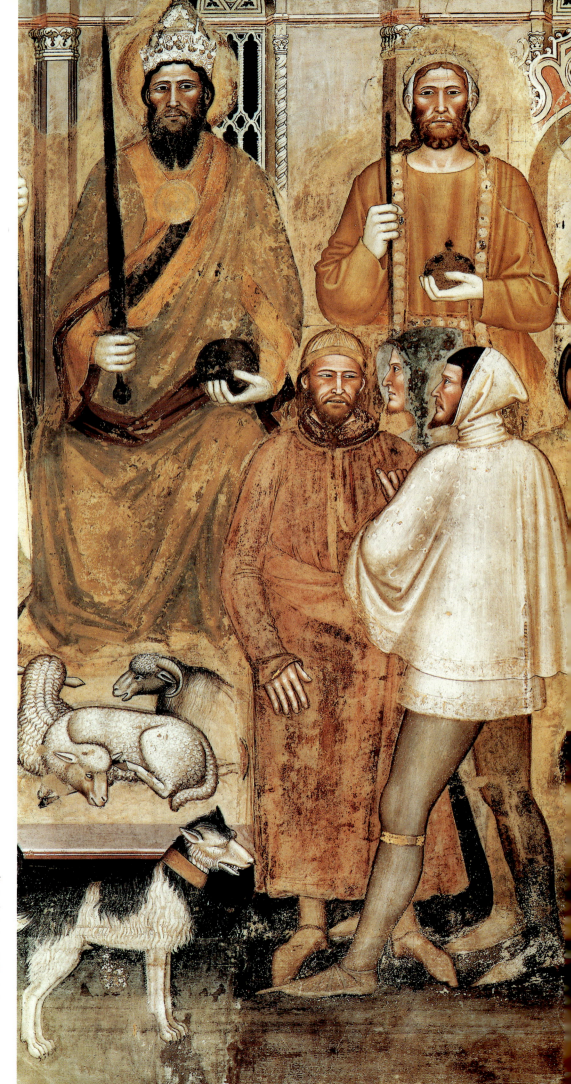

22. Le chapeau timbré de la coquille et de l'image de Véronique, signes distinctifs du pèlerin. Détail de la fresque d'Andrea Bonaiuti, le *Triomphe de l'Église militante* (1366-1367). Florence, Sainte-Marie-Nouvelle, chapelle des Espagnols.

Pages suivantes :
23. Saint Jacques apparaît en songe à Charlemagne pour lui demander de libérer son sépulcre et le chemin qui y mène. Toulouse, Bibliothèque municipale.

24. *Accueillir les pèlerins*, cycle des *Sept œuvres de miséricorde*. Cathédrale de Fribourg-en-Brisgau, vitrail de la rosace septentrionale (XIIIᵉ siècle).

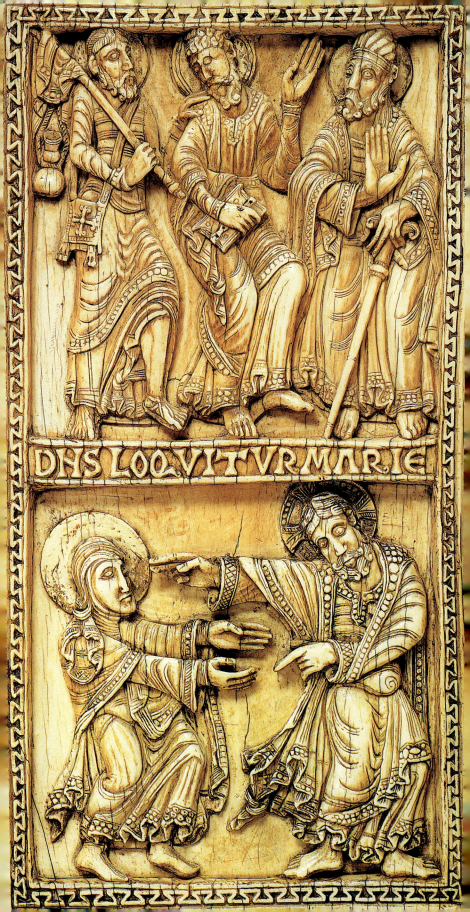

DHS LOQVITVR MARIE

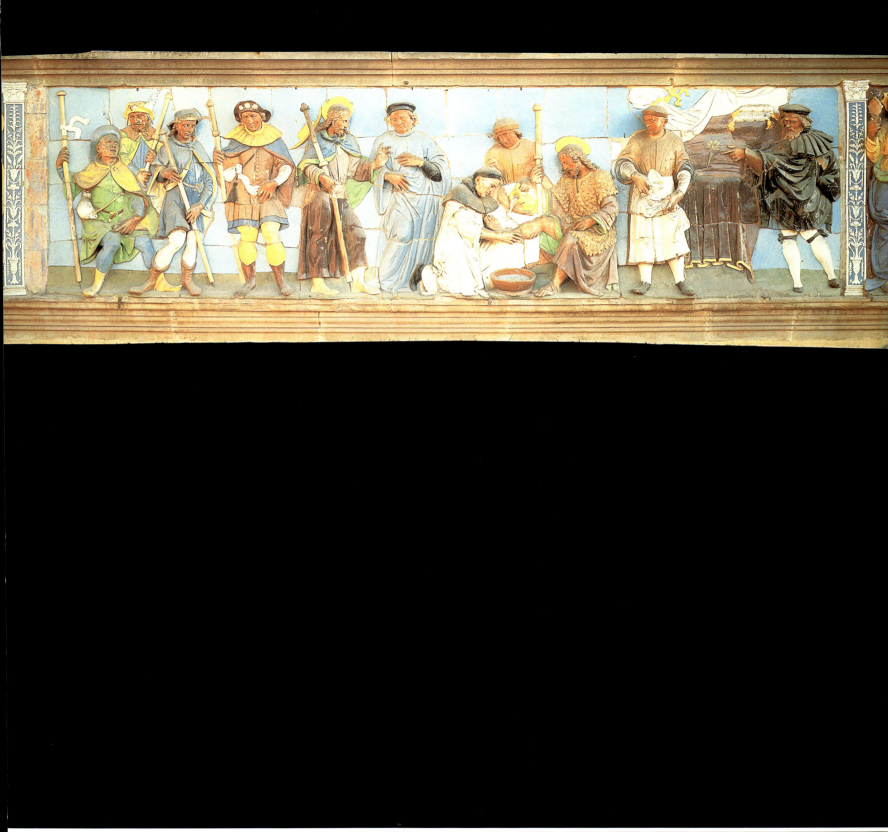

Memoria de sancto. Jacobo ait.

lux ↄ decus hyspanie sanctissime Jacobe qui inter apostolos primatum tenes primus eorum martyrio laureatus. O singulare presidium qui meruisti videre redemptorem nostrum adhuc mortalem in deitate transformatum exaudi preces servorum tuorum ↄ intercede pro nostra salute omniumque populorum. Versus. Ora pro nobis beate Jacobe ut digni efficiamur promissionibus christi. Oratio. Esto domine plebi tue sanctificator et custos ut apostoli tui Jacobi munita presidiis

SACERDOS

31. Avant de partir en pèlerinage, saint Heldrad
reçoit la bénédiction, le bâton et la besace.
Abbaye de Novalesa, fresque de la chapelle Sant'Eraldo
(fin du XIᵉ siècle).

Ci-contre :
32. De retour de pèlerinage, saint Heldrad prend l'habit
monastique. Élu abbé de Novalesa, il y érigera un hospice
destiné aux pèlerins qui traversent les Alpes pour se rendre en
Italie. Abbaye de Novalesa, fresque de la chapelle Sant'Eraldo
(fin du XIᵉ siècle).

Pages suivantes :
33. Pèlerins représentés dans le
Livre d'heures de Marguerite d'Orléans.
Paris, Bibliothèque nationale, ms. lat. 1156 B, fᵒ 25.

34. Saint Jacques en trône, avec des traits qui
rappellent Dieu le Père, couronne les pèlerins
dans la cérémonie de la *Coronatio peregrinorum.*
Vitrail d'un disciple de Peter d'Andlau (vers 1490),
autrefois à Neuweiler (Basse-Alsace).
Conservé au Badisches Landesmuseum de Karlsruhe.

Beato te domina
sancta maria ma
ter dei pietate ple
nissima summi regis filia ma

35. Caravage, *La Madone des pèlerins*.
Rome, église Sant'Agostino.

86. Lyon, cirque romain. Dans les premiers siècles du christianisme, les chrétiens, qui formaient déjà une communauté florissante participant à la vie de la cité, y ont subi de terribles persécutions. Le poteau au centre marque le souvenir de leur martyre.

87. *Le Christ entre Pierre et Paul.* Rome, catacombe des Saints-Pierre-et-Marcellin.

Si, du fait de la tradition biblique, Jérusalem et la Palestine représentaient, dès les débuts du christianisme, un but de pèlerinage, Rome et Saint-Jacques-de-Compostelle étaient vénérés pour abriter les tombeaux des apôtres. La Ville éternelle disposait non seulement de ceux de saint Pierre et de saint Paul, mais elle bénéficiait aussi du prestige de la cité antique, persistant depuis les débuts du christianisme. Les tombes des apôtres étaient l'objet de la plus grande vénération, essentiellement depuis que le culte des reliques, des tombes des saints, avait pris un grand essor aux IVe et Ve siècles et était devenu partie intégrante des manifestations de piété chrétienne. La transformation de la *Roma antica* en *Roma christiana* est liée à ce phénomène.

Le Lyonnais Sidoine Apollinaire, qui se rend à Rome en 456, ne débute pas sa visite par le palais de l'empereur sur le Palatin, mais par « la fameuse tombe du prince des apôtres » et y « sent de nouvelles forces pénétrer ses membres ».

On retrouve dès la fin de l'Antiquité, mais surtout depuis le VIIIe siècle, des témoignages de voyages à Rome où la vénération des tombes des apôtres occupe la première place. La quête de salut éternel a dû cependant être au centre des préoccupations des pèlerins. Bède le Vénérable rapporte la venue à Rome de ressortissants de toutes les catégories sociales en provenance des îles Britanniques. Une lettre de Boniface décrit le même phénomène pour le royaume franc au VIIIe siècle. Le formulaire de Marculf, composé vers 650, va désormais servir de lettre de recommandation pour le pèlerin romain. Il y est dit que le voyageur n'est pas sur les routes par goût de l'errance, mais dans le but de prier sur les tombeaux des apôtres Pierre et Paul. Cet écrit, comme d'autres recueils du Moyen Age, telles les critiques réitérées dont les pèlerins font l'objet de la part, entre autres, des évêques Claude de Turin et Agobard de Lyon, prouve à tout le moins que Rome est de plus en plus visitée. En outre, l'existence de *xenodochia* – premières institutions d'assistance sociale – est attestée, ce qui signifie que de plus en plus de *peregrini*, d'étrangers, séjournent à Rome et qu'il faut en prendre soin. Les « guides » de Rome, que l'on trouve dès le haut Moyen Age, nous renseignent utilement sur la topographie des lieux sacrés ; ils comportent des notes sur la situation, le nom des lieux saints susceptibles d'intéresser les étrangers et les aident à trouver leur chemin. En

effet, les tombeaux des apôtres ne sont pas les seuls pôles d'attraction, il y a aussi des reliques et des témoignages de la foi des premiers chrétiens en nombre plus élevé que dans aucune autre ville d'Occident.

Rome devient donc, un peu après Jérusalem, mais encore au haut Moyen Age, un des principaux lieux de dévotion. Qu'en est-il des pèlerinages dans ces deux villes au IXe siècle ? Nous avons un témoignage d'un moine italien, Bernard, qui, en 867, désire se rendre par mer en Terre sainte avec deux compagnons. Il commence par aller à Rome, où il obtient bénédiction et licence du pape Nicolas Ier. A son retour, trois ans plus tard, il repasse par la Ville éternelle. Son récit, généralement considéré sous un autre angle, contient une description de la cité vaticane et du pouvoir pontifical. Il est d'avis que le vrai siège des papes est le Latran. C'est là – signe évident de la souveraineté de l'évêque de Rome – que sont apportées chaque soir les clés de la ville au souverain pontife. Bernard oppose donc le Latran, centre du pouvoir temporel, à l'église Saint-Pierre – le tombeau du portier des Cieux –, centre du pouvoir spirituel.

Ultérieurement, des récits de miracles au royaume de Neustrie rapportent que des pèlerins, désireux de se rendre à Jérusalem, se sont d'abord arrêtés à Rome. Les *Gesta Convoionis*, sans doute rédigées en Bretagne, nous renseignent sur un noble franc du nom de Frotmund, originaire de Lotharingie, et sur sa famille ; l'ayant jugé coupable d'avoir assassiné ses proches, un synode rassemblé par Lothaire II envoie le meurtrier enchaîné en pèlerinage d'expiation. Frotmund se rend à Rome en compagnie de ses frères et, muni d'une lettre papale, part alors pour Jérusalem. Ils reviennent ensuite sur les rives du Tibre en passant par l'Égypte et Carthage. Là, le pape les renvoie en Terre sainte. La pénitence n'a pas l'air si terrible que cela : en effet, à Cana, ils boivent tous de ce vin que Jésus avait tiré de l'eau, c'est du moins ce que l'hagiographe affirme. Ils poursuivent ensuite leur route vers l'Arménie et le Sinaï, puis retournent à Rome. Là, ils invoquent saint Pierre, qui a le pouvoir de relever quelqu'un de ses vœux, et rentrent en Bretagne en passant par la Bourgogne et l'Aquitaine. Frotmund parvient au monastère de Redon et, après une prière de sept jours, manifeste l'intention de retourner à Rome. Toutefois, une vision le fait revenir sur la tombe de saint Marcellin à Redon, où il est miraculeusement libéré de ses chaînes en signe d'achèvement de sa pénitence. Nous pouvons conclure de ce récit que, pour le pèlerin de Jérusalem, Rome n'était pas un but en soi. Le pape n'apparaît que

88. *Deux saints en prière.* Musée du Caire, art copte paléochrétien.

89. Tétraconque de la basilique paléochrétienne vue de l'est. Rusafa (Syrie), près de la côte méditerranéenne.

comme le personnage qui autorise, inflige, dirige et organise pèlerinage et pénitence. Cette chronique dépeint donc une Rome organisatrice de la Chrétienté occidentale.

Dès les débuts de l'ère chrétienne, la tradition veut que les apôtres Pierre et Paul aient été enterrés à Rome. Puis, vers le IXᵉ siècle, on fait une découverte importante dans le nord-ouest de la péninsule Ibérique, à Compostelle. Guidé par une étoile, un ermite aurait trouvé la tombe de saint Jacques le Majeur ; des documents du VIIᵉ siècle affirmaient que l'apôtre y était parti en mission. On a raconté peu après, principalement dans le royaume des Asturies, qu'après sa mort en Terre sainte (en 44 ap. J.-C.), il aurait accosté en Galice. Le fait est qu'il y a été vénéré très tôt. Nous n'épiloguerons pas ici sur le contexte politique de la Reconquista ni sur les conflits entre musulmans et chrétiens. Une chose est sûre : la nouvelle de la mise au jour de son tombeau s'est répandue comme une traînée de poudre jusqu'en Europe centrale.

Son sépulcre devient aussitôt un but fréquenté de pèlerinage où les fidèles peuvent également espérer des miracles. C'est ce dont témoigne une hagiographie du monastère de Reichenau à propos d'un miracle de saint Marc : « En cette semaine, un clerc aveugle et estropié parvient au couvent. Il a déjà visité maints lieux saints, dont le tombeau de saint Jacques en Galice. C'est là qu'il a recouvré la vue [...]. » Au sein de ce texte rédigé vers 930, ce passage possède une fonction particulière. La relation de ce miracle est essentiellement destinée à attester l'authenticité et l'efficacité des reliques de saint Marc et à affirmer l'importance du monastère de Reichenau. Comment expliquer, sans cela, la visite d'un religieux aussi exceptionnel, qui revient de *diversa loca sancta*, Jérusalem, la Hongrie et Compostelle ? Les textes hagiographiques fourmillent généralement de mentions de ce genre ; l'auteur cherche sans doute ainsi à étendre à son monastère le prestige dont jouissent ces lieux saints. Et il est également intéressant de constater que les prestigieuses reliques de saint Marc conservées à Reichenau sont ici mentionnées en compagnie d'autres restes sacrés.

Les documents du haut Moyen Age mentionnant les futures *peregrinationes maiores* n'autorisent pas de conclusions univoques. Ils permettent toutefois de prendre conscience des différences de motivations présidant au choix d'un de ces trois pèlerinages. Si, en ce qui concerne Jérusalem, les traditions bibliques jouent un rôle essentiel, Rome semble de plus en plus marquée, en dépit du nombre de tombeaux qui s'y trouvent, par la présence du pape et par son autorité ; la ville au bord du Tibre n'est qu'accessoirement un but de pèlerinage. Quant à Saint-Jacques-de-Compostelle, on n'y trouve rien de plus qu'en bien d'autres lieux de culte en ces temps reculés : la tombe d'un saint sur laquelle des miracles se sont accomplis. Elle bénéficie d'un seul élément distinctif, il s'agit du tombeau d'un apôtre.

90. *Saint Pierre et saint Jacques.* Colmar, musée d'Unterlinden.

Le « tournant » du haut Moyen Age

Les XIᵉ, XIIᵉ et XIIIᵉ siècles sont les témoins d'une évolution et d'une transformation en bien des domaines, y compris les pèlerinages. Cette époque de « réforme ecclésiale » voit les mentions de pèlerins individuels croître sensiblement. Mais l'immense majorité des gens cités pour avoir pris le bâton et la cape sont évidemment des évêques et des aristocrates. L'augmentation générale du nombre de voyageurs, la participation accrue de représentants des couches sociales plus modestes ne transparaît qu'à travers d'autres documents : les prêches, les récits de miracles ou les actes relatant la construction d'infrastructures sur les chemins ou les sites eux-mêmes.

Au début du XIᵉ siècle, le pèlerinage de Saint-Jacques commence à devenir aussi important que celui de Rome. Adhémar de Chabannes rapporte ainsi que, depuis son plus jeune âge, Guillaume V d'Aquitaine s'est rendu tous les ans à Rome et que, quand il n'est pas allé à Rome, il a porté ses pas en Galice.

inspecte donc les côtes égyptiennes et syriennes en revêtant comme son compagnon la « pèlerine », le camouflage idéal pour une « mission secrète ».

Les notes de voyage de Georg von Ehingen (1428-1508), un gentilhomme souabe, sont imprégnées de l'esprit courtois. Ses *Raysen nach der Ritterschaft* (« Quêtes de la chevalerie ») présentent le caractère à la fois d'une chanson de geste, d'un roman d'aventures, de notes de voyage et d'une chronique de pèlerinage. Il y raconte ses pérégrinations en Terre sainte, en Asie Mineure, en Espagne, au Portugal, en Angleterre et en Écosse entre 1454 et 1458. En réalité, il est un mercenaire au service des monarques désireux de se lancer dans une expédition militaire. Malgré le titre, d'ailleurs donné ultérieurement par Georg Enkel à cet ouvrage, il en ressort clairement que le héros saisit littéralement toutes les occasions qui s'offrent à lui de combattre, de voyager et de se révéler un chevalier sans peur et sans reproche. Il est intéressant de noter que Georg von Ehingen est adoubé sur le Tombeau du Christ à Jérusalem. Les divers hauts faits d'armes dont il se fait l'écho, sans omettre les siens, prennent une place prépondérante, reléguant au second plan les visites aux lieux saints.

97. Miracles et scènes de pèlerinage dans un manuscrit du XIVe siècle sur la Vie de saint Jacques.

Les chroniques de voyage et de pèlerinage marquent de plus en plus l'esprit de l'aristocratie urbaine. On le constate à Nuremberg, par exemple. Un marchand patricien du nom de Peter Rieter, originaire de Bruges mais vivant en Bavière, est l'initiateur non seulement d'une tradition familiale de pèlerinage à Jérusalem et à Compostelle, mais aussi de la passion pour les voyages que va manifester la noblesse de la ville. L'ouverture de la péninsule Ibérique, à partir du XIVe siècle, aux nouveaux courants économiques explique le nombre croissant des visiteurs. Nuremberg fait déjà partie des principales puissances commerciales d'Europe centrale et est l'une des villes d'où partent le plus de pèlerins ; ses liens économiques avec l'Italie, les côtes françaises, Barcelone et la Catalogne tout entière procurent de nombreux avantages à ses ressortissants. Nicolas Rummel est l'un des premiers pèlerins nurembergeois à être cités dans les textes ; il entreprend une visite des lieux saints de la péninsule Ibérique à l'occasion d'un voyage d'affaires en 1408 ou 1409.

En 1428, un autre citoyen de cette ville, Peter Rieter, prend le chemin de « Saint-Jacques en Galice et Finisterre » à cheval et accompagné d'un valet. Son récit, presque un rapport commercial, a le mérite de la brièveté et de la précision. Nous n'apprenons que par les notes de voyage de son fils Sebald qu'il a fait suspendre ses armoiries dans le chœur de la cathédrale, comme c'est la coutume en ce temps-là pour les pèlerins de haute lignée. Pour rentrer, il passe par Barcelone et traverse la France pour se diriger vers Rome où il est reçu par le pape Martin V. On lui montre le « voile de Véronique ». Mais nous ignorons tout de la raison pour laquelle ce voyageur infatigable est resté vingt-quatre jours durant dans la Ville éternelle.

Sebald Rieter, son fils, part à son tour pour Rome en 1450, pour Compostelle en 1462 et pour Jérusalem en 1464. Les nobles nurembergeois ont coutume de laisser leur blason dans le chœur de la cathédrale, nous venons de le mentionner ; ils se figurent ainsi respecter la tradition du « pauvre pèlerin » et, comme cela découle du récit de Peter Rieter, « laisser à nos descendants le témoignage de nos actions pieuses ». Sebald fait restaurer la peinture offerte par son père et y ajoute un grand crucifix et des représentations de saint Jacques, de son père, de sa mère, de son épouse et de lui-même ainsi qu'un tableau d'Andre(a)s Rieter et les armoiries familiales reproduites sur parchemin.

Cette chronique est réunie par Hans Rieter († 1626) et fondue avec d'autres textes pour en faire un résumé en prose très clair. Bien qu'il n'y ait pratiquement aucun commentaire personnel, on y découvre le profond respect de la tradition que manifeste cette famille patricienne en se rendant à Jérusalem, Rome et Compostelle à une génération, ou plus, d'écart. En effet, outre Peter et Sebald, Andre(a)s Rieter visite également

Saint-Jacques. On ne connaît de lui qu'un voyage à Jérusalem. On note avec intérêt les services mutuels que se rendent en cette fin de Moyen Age les membres de la noblesse et leurs créanciers. Rieter mentionne à plusieurs reprises les honneurs et les attentions manifestés à l'égard de son groupe de représentants de la grande noblesse, lettres de change et sauf-conduits allant de soi pour ces marchands nurembergeois habitués à sillonner les routes.

Les voyages à Jérusalem en 1496 et à Compostelle en 1506 de Peter Rindfleisch, un commerçant de Silésie, révèlent qu'entre-temps cette nouvelle catégorie sociale s'est jointe aux pèlerinages et aux visites aux cours étrangères ; ils montrent également dans quelle mesure les populations de l'est et du centre de l'Europe participent au système religieux de la Chrétienté latine en cette fin de XVe siècle.

98-99. Piero della Francesca, *Polyptyque de la Miséricorde*, pinacothèque communale de Sansepolcro.
Ci-contre : Le saint pèlerin Arcane, fondateur de la ville, tenant la châsse contenant les reliques qu'il a rapportées de Terre sainte.
Ci-dessous : Le saint pèlerin Gilles, cofondateur de Sansepolcro.

Outre Rindfleisch et les Rieter qui partagent les mêmes intérêts commerciaux, la même superbe patricienne et le même mode de vie, Hieronymus Münzer, un médecin et humaniste né à Feldkirch, qui a étudié puis s'est établi à Nuremberg, se rattache aussi à la tradition cosmopolite de cette ville. Le courant humaniste des savants s'intéressant à l'astronomie, et donc à l'Espagne et aux grandes découvertes, se renforce progressivement. Ce ne sont peut-être pas uniquement des motivations religieuses qui, en 1484 et 1494, le poussent à quitter la cité où sévit la peste. Sa piété le conduit tout d'abord à Rome puis en France et en Espagne, à Compostelle et sur d'autres lieux saints ; mais la vraie raison de ses périples est sans doute ailleurs.

C'est l'intérêt culturel, l'attrait de l'étranger et la curiosité mais aussi les traditions aristocratiques qui incitent Arnold von Harff à entreprendre un pèlerinage de près de trois ans et à tenir un carnet de route. Il part le 7 novembre 1496 de Cologne, où la présence de sa famille est attestée dès le XIIIe siècle, pour n'y revenir que le 9 ou le 10 novembre 1498. Entre-temps, il visite Rome, Le Caire, prie sur les tombeaux de saint Thomas et de sainte Catherine au Sinaï et séjourne quelque temps à Jérusalem. De là, il part pour la Turquie, revient dans la Ville sainte puis, de Venise, se rend à Saint-Jacques-de-Compostelle en passant par Padoue, Vérone, Milan, Turin, Toulouse. Puis, après avoir franchi les Pyrénées au col de Roncevaux, il emprunte le classique *Camino de Santiago* dans le nord de la péninsule Ibérique. Harff et ses compagnons de route vont à cheval jusqu'à Burgos. Là, ils échangent leurs montures contre des mulets. Ils sont, en outre, accompagnés d'une bête de somme pour transporter tout l'attirail de cuisine. Les notes de voyage de cet aristocrate rhénan sont très détaillées. Ses commentaires relèvent autant les particularités géographiques des régions qu'il traverse que les caractéristiques de leurs habitants. Par exemple, Pampelune est décrite comme « eyn groisse fijn stat » (une grande ville distinguée), Puente la Reina, comme « eyn steetgen » (une petite ville), Castrojeriz, « eyn vryheyt » (une ville libre) et Ligonde, « eyn dorff » (un village).

Son premier séjour à Rome a pour but d'obtenir auprès du Saint-Père une indulgence pour ses péchés et l'autorisation de poursuivre son voyage vers la Terre sainte par mer. Nous retrouvons donc une fois encore les spécificités de la Ville éternelle qui la caractérisaient déjà au début du Moyen Age.

Il traverse alors la Méditerranée jusqu'à Alexandrie ; de là, il gagne Le Caire et le couvent fortifié de Sainte-Catherine dans la presqu'île du Sinaï. Le récit devient alors plus fantaisiste. S'est-il vraiment rendu à La Mecque, déguisé en musulman, puis dans le royaume africain de Moabar ? En revanche, il semble qu'il ait réellement été à Gaza, Hébron, Bethléem et Jérusalem. Après Damas, il se joint sans doute à une caravane pour regagner l'Italie en franchissant les Balkans. Arrivé là, il décide de poursuivre son périple par Saint-Jacques-de-Compostelle.

Il rentre finalement par Louvain, Maastricht et Aix-la-Chapelle et arrive à Cologne le soir de la Saint-Martin de l'an de grâce 1498. Il se retire alors quelque temps dans le domaine familial pour y rédiger son récit de voyage. Il entre ensuite au service des ducs de Jülich, épouse Maria von Bongard et mène une paisible vie de courtisan. Il meurt toutefois subitement sept ans après son retour, âgé de trente-quatre ans seulement. Sa dépouille est ensevelie dans la crypte de l'église de Lövenich près de Erkelenz. Sa plaque funéraire porte la prière suivante : « Bidt got vur den pylgrym, weechwijser ind dichter » (Priez Dieu pour le pèlerin, le guide et le poète), la dernière phrase de son carnet de route.

Bien que, de prime abord, le motif religieux, la visite des principaux lieux saints de la Chrétienté, soit toujours mis en avant par l'auteur, une lecture entre les lignes laisse deviner l'allant, la joie de vivre et le plaisir de raconter de ce jeune homme de vingt-cinq ans. Le récit de ses pérégrinations peu communes est « un document unique du point de vue de l'histoire des civilisations, car il retrace la mentalité des gens en cette période de césure entre le Moyen Age finissant et le début des temps modernes ». Il est également exceptionnel de trouver une liste de plus de deux douzaines de mots et de phrases en diverses langues ainsi que des alphabets (dont l'albanais, l'arabe, le basque, le turc et le hongrois). Il présente le tout sous la forme d'un vade-mecum à l'usage des voyageurs, c'est-à-dire d'un guide pratique utilisable dans toutes sortes de situations à l'étranger. Nous trouvons là – de manière purement fortuite – les documents les plus anciens concernant les langues basque et albanaise. Mais la présence parmi les phrases usuelles de celle-ci : « Belle dame, à l'étranger, je me sens partout solitaire ; permettez-moi de passer la nuit chez vous », n'est certainement pas gratuite et démontre l'épicurisme du jeune chevalier ainsi que les us et coutumes de ses compagnons, essentiellement des négociants.

100. Un groupe de pèlerins faisant une pause durant leur voyage. Gravure sur bois de Hans Burgkmair, Augsbourg, 1508.

Les chroniques des aristocrates et riches bourgeois narrant leur voyage à Rome, Jérusalem ou Compostelle révèlent souvent des buts politiques ou commerciaux en rapport avec leur situation sociale. Cela ne signifie pas pour autant un manque de dévotion. D'autres documents émanant souvent, mais pas toujours, d'ecclésiastiques font une part plus grande à la piété.

On connaît universellement les expériences de la fameuse mystique Brigitte de Suède : elle se rend, entre 1341 et 1343, à Compostelle, séjourne un certain temps à Rome à partir de 1349 et visite, de 1371 à 1373, la Terre sainte.

Quelque peu excentrique et sans cesse tourmentée par ses visions, Margery Kempe, la fameuse visionnaire anglaise, gagne également Jérusalem en 1413-1414, et Saint-Jacques en 1417. Mais ces deux villes ne sont que des étapes de son vaste programme

101. Représentation de Corfou, dans le *Viaggio da Venetia al Santo Sepulchro* (1538).

102. Le pèlerin allemand Arnold von Harff, protagoniste d'un long pèlerinage à Rome, Jérusalem et Compostelle, représenté dans son journal avec son bâton de pèlerin et les armoiries de sa famille.

103. Sainte Brigitte de Suède sur une xylographie bohémienne (1470). Elle est représentée avec le chapeau et le bourdon de pèlerin, en souvenir de ses nombreux pèlerinages.

touristico-sacré. N'étant plus en mesure de tenir la plume elle-même, elle dicte, peu avant sa mort, le récit de sa vie.

Les notes de trois chanoines chartrains, Pierre Plumé, Gilles Mureau et Jehan Piedefer, réservent une plus large part à l'aspect spirituel de leurs visites en Terre sainte et en Galice.

La chronique d'un pèlerinage à Rome et à Compostelle de la main d'un évêque arménien donne un point de vue non européen et constitue un document unique. Le périple de Martir (ou Martiros) d'Arzendjan, parti le 29 octobre 1489 du monastère de Norkiegh, est l'accomplissement de son vœu le plus cher, à savoir prier sur la tombe du prince des apôtres, saint Pierre, à Rome. Dans ce but, il gagne Constantinople à pied en quelques brèves étapes ; là, il s'embarque le 11 juillet 1490 sur un bateau français en partance pour Venise, cité qui, à l'en croire, compte déjà à cette époque 74 000 feux. Rempli d'admiration, il constate que la cathédrale Saint-Marc peut abriter 10 000 fidèles. Il séjourne vingt-neuf jours dans la cité des doges avant de parvenir en trente-trois jours à Rome, via Ancône. Il a sans doute voyagé en compagnie de plusieurs personnes, du moins à partir de Constantinople car le « nous » domine à partir de là dans ses notes. Cinq mois passés dans la Ville éternelle lui permettent de voir tous les lieux saints ; c'est la prison des saints Pierre et Paul qui le frappe le plus. Il se rend sur les sites, importants pour les chrétiens d'Occident, qui ont vu la crucifixion de saint Pierre et la décapitation de saint Paul. A l'en croire, Rome intra-muros compte alors 2 774 églises et 8 000 tombes de saints. Il proclame fièrement avoir visité entre dix et vingt sanctuaires par jour et avoir été reçu à trois reprises avec grande bienveillance par le Saint-Père, Innocent VIII ; ce dernier lui a, par ailleurs, délivré plusieurs lettres de recommandation qui se révéleront fort utiles au cours de toutes ses pérégrinations. Il prie tous les jours saint Pierre pour le pardon de ses fautes.

Le 9 juillet 1491, Martir et ses compagnons prennent le chemin de l'Allemagne où ils parviennent en quarante-trois jours. De là, il poursuit sa route vers la France et l'Espagne pour se rendre sur le tombeau de saint Jacques. Faute de moyens, il doit en repartir assez vite et il souffre mille maux et mésaventures en Galice. Bien que son texte ne permette pas d'en tirer des conclusions certaines, il poursuit sans doute sa route vers la côte nord, s'embarque pour l'Andalousie et le Maroc, traverse le Sud et le Levant espagnols pour finalement regagner son Arménie natale par la France et l'Italie. Et il termine son récit par ces mots : « Je me rendis aussitôt à Santa Maria [un port près de Rome], où je m'embarquai et subis à nouveau tant de malheurs que j'aurais préféré la mort plutôt que d'affronter autant de dangers. »

Il existe des ouvrages répondant aux besoins spirituels et pratiques des pèlerins et leur donnant toutes informations utiles. William Wey, un frère de l'abbaye royale d'Eton, entreprend, après un premier voyage à Compostelle en 1456, deux visites à Jérusalem en 1458, puis en 1462. Il rédige sa chronique dans l'intention manifeste de fournir des indications utiles à ses lecteurs.

Renseignements pratiques, exhortations spirituelles et divertissements peuvent aller de pair, comme le montre le livre de Félix Fabri, un dominicain d'Ulm. Ce dernier, né à Zurich, est admis en 1452 dans un monastère bâlois ; après un passage à Pforzheim, il se fixe, à partir de 1468 et jusqu'à sa mort en 1502, au couvent d'Ulm. Mais sa retraite est interrompue par de nombreux voyages à Colmar, Aix-la-Chapelle, Constance, Nuremberg et Venise, entre autres ; citons en particulier un pèlerinage en Terre sainte, vers 1480, qui marque à la fois sa vie et son œuvre. Il rédige à cette occasion son *Evagatorium*, qui lui assure la célébrité. Ses descriptions, parsemées de détails amusants, fournissent au lecteur une multitude d'informations historiques et culturelles passionnantes.

Moins connu et encore inédit, mais également de la main de Fabri à l'exception de quelques passages, *Sionspilgerin* (« Pèlerine à Sion ») date sans doute de 1492 et donne des informations sur les voyages à Jérusalem, Rome, Saint-Jacques-de-Compostelle, etc. Il y adjoint des indications théologiques et des méditations.

Il explique la genèse de son œuvre dans une sorte de prologue. Considérant son pèlerinage comme une préparation au voyage intérieur, les dominicaines d'Ulm le prient de leur raconter son parcours. D'autres moniales manifestent ensuite le désir de l'écouter à leur tour, si bien qu'il couche toutes ses impressions de route par écrit et y ajoute ses autres pérégrinations. Bien qu'il recommande à ses auditrices la lecture du fameux *Itinerarium mentis in Deum* de saint Bonaventure, celles-ci persistent à considérer son récit comme une quête spirituelle. Donc, si l'on en croit le prologue, c'est le public qui demande un chemin de l'âme basé sur une odyssée concrète ; l'auteur rédige en conséquence son livre en mêlant les deux cheminements. Le point de départ reste toutefois le compte rendu de ses expériences personnelles. Le périple matériel peut certes préfigurer l'accession à la Jérusalem céleste, mais le chemin spirituel y conduit également, et même encore plus directement, car il est débarrassé de tous « les errements corporels ». Il énonce vingt manières de distinguer le pèlerinage matériel du pèlerinage spirituel et il appelle ce dernier le « pèlerinage à Sion », car c'est la quête de la grâce de Dieu. En fait, pour lui, cette seconde voie a plus de valeur que la première – le titre, *Pèlerine à Sion*, le laisse d'ailleurs déjà présager –, car il la considère plus rapide, plus directe et plus sûre.

Félix Fabri dépeint donc essentiellement son itinéraire spirituel à Jérusalem, Rome et Compostelle. De nombreux détails étant décrits avec exactitude, on pourrait penser que l'auteur s'est rendu personnellement à Rome et à Saint-Jacques, mais cela n'est pas certain. Il indique avec précision les itinéraires, ainsi que les détours à faire vers certains lieux de dévotion (« mit vil ummwegs zu den hailligen », avec foule de détours vers les lieux saints). Il ne se contente pas de la description des différentes étapes, il fait également celle des rites ; il cite les antiennes, énumère les divers types d'indulgences et donne la biographie des martyrs et des saints. A propos de Saint-Jacques-de-Compostelle, il raconte que, chaque fois que les uns entonnent l'antienne *O beate Jacobe*, suit immanqua-

104. Le chevalier Jean Mandeville à Constantinople.

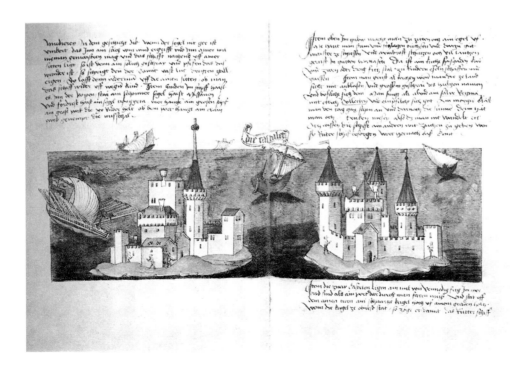

105. Les deux châteaux à la sortie du port de Venise. Konrad Grünemberg, *Pilgerreise von Constanz nach Jerusalem*, 1486.

132

blement le répons des autres, *Ecce ego mitto*. Les pèlerins attendent ainsi leur indulgence, ils vont ensuite se confesser et reçoivent la communion le lendemain.

Conclusion

Qu'il nous soit permis, en guise de conclusion, de constater qu'à la fin du Moyen Age subsistaient encore quelques différences sensibles entre Jérusalem, Rome et Compostelle. Il était certes intéressant pour de nombreux pèlerins d'entreprendre les trois voyages ou au moins deux d'entre eux. Une caractéristique fondamentale n'en subsiste pas moins : le chemin de Saint-Jacques, plus « populaire », s'opposait au pèlerinage en Terre sainte, réservé plutôt, tant par idéal que pour des raisons financières, aux nobles et aux bourgeois aisés. En définitive, Rome reste le principal centre d'attraction, essentiellement lors des années saintes, pour toute la Chrétienté ; la Ville éternelle abrite de surcroît la hiérarchie de l'Église. A cause du coût moindre, des indulgences et des conditions particulièrement avantageuses en certaines périodes, les destinations romaine et compostellane rencontrent un plus grand succès auprès des masses qui ne se sentent pas disposées à affronter les infidèles.

Le problème de la distance est avant tout un problème financier.

C'est Rome qui connaîtra le plus grand succès. Cela principalement en raison de l'évolution des manifestations de piété à l'époque de la Contre-Réforme. A partir du XVIᵉ siècle, les flux pèlerins se dirigent de plus en plus vers les rives du Tibre, sans toutefois tarir ceux vers la Terre sainte et la Galice. Est-ce par nostalgie ou par retour à une ancienne tradition que nombre de jacquaires se décident, au début du XXᵉ siècle, à prendre le chemin de Rome et de Jérusalem et à en faire un récit aujourd'hui encore digne d'intérêt ?

Traduit de l'allemand par Thomas de Kayser

ITINERA

La *via francigena* et les voies romaines

par Paolo Caucci von Saucken

On connaît les critères choisis par l'historiographie pour la définition d'une route de pèlerinage : pour être considérée telle, elle doit avant tout mener vers un objectif bien précis – sanctuaire ou lieu de culte important – et par conséquent, elle doit offrir une structure d'accueil pour les pèlerins de passage. Elle doit en outre proposer des éléments de référence cohérents et permanents : culte particulier, iconographie et toponymes spécifiques, consécration des églises liée à la civilisation et à la culture des pèlerins. Enfin, elle doit être attestée par les témoignages directs des pèlerins dans leurs rapports, journaux, guides et récits de voyage.

Le passage continu des pèlerins laisse sur les territoires traversés une trace parfaitement identifiable, qui ne se limite pas aux structures matérielles mais marque également les costumes, la mentalité, le folklore, les traditions et les cultes locaux ; une sédimentation culturelle et religieuse, en quelque sorte, parfaitement reconnaissable et déterminante. La *via francigena*, tout comme le *Camino de Santiago*, sont certainement aussi des routes commerciales et publiques, mais elles prennent le statut de routes de pèlerinage soit parce qu'elles assurent également cette fonction, soit par le caractère sacré établi directement ou indirectement par le passage des pèlerins. Il est ainsi possible de reconnaître les itinéraires empruntés par les pèlerins qui acquièrent donc le statut de véritables *itinera peregrinationis* qui se superposent et s'intègrent au réseau routier existant.

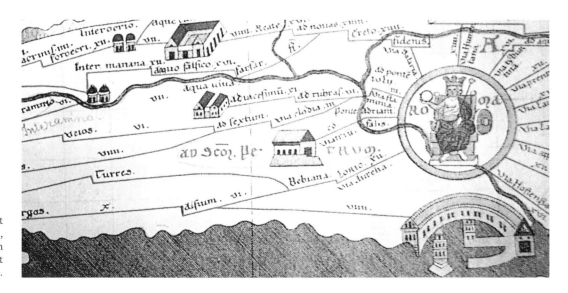

106. *Tabula Peutingeriana*, rayonnement des routes partant de Rome. Au premier plan, la via Aurelia, principal axe de communication à l'époque romaine vers la Gaule et la péninsule Ibérique.

Les études les plus récentes ont fait une grande place aux récits de voyage, qui permettent effectivement de reconstituer avec une précision remarquable les itinéraires qui ont façonné l'espace sacré de la Chrétienté médiévale. Les références concernent principalement deux grands parcours, l'un vers Saint-Jacques, dont les coordonnées sont fournies par le *Livre V* du *Codex Calixtinus*, l'autre vers Rome, à partir de sources diverses dont la plus complète est certainement représentée par les *Annales Stadenses, auctore Alberto*, écrites dans la ville de Stade au milieu du XIIIᵉ siècle.

La décadence des voies consulaires romaines

Le système routier vers Rome, peut-être plus que celui de Compostelle établi dès les origines par le *Liber Sancti Jacobi* de façon claire et précise, apparaît comme un système en transformation constante, très sensible aux changements politiques, sociaux et économiques qui agitent la péninsule italienne. Ainsi, on assiste à une évolution permanente des routes menant à Rome qui, tout en restant liées à la structure du réseau des voies consulaires romaines, tendent à s'en différencier, à intégrer une réalité nouvelle, économique ou culturelle – Bologne et Florence – ou religieuse et spirituelle – Assise et Lorette –, un processus qui tend à déplacer toujours davantage le flux des pèlerins de la *via francigena* vers l'Adriatique.

Parler des routes romaines suppose d'avoir bien clairement à l'esprit le caractère dynamique des itinéraires qui, depuis les vallées alpines ou le long des côtes de la péninsule, mènent les pèlerins *ad limina Sancti Petri*. Il faudra en outre tenir compte des changements déterminés par le développement des jubilés qui viendront modifier en partie les modalités du pèlerinage.

Dans cette optique, les *Annales stadenses* offrent une représentation claire et lumineuse des routes pour Rome en faisant le point sur la situation au milieu du XIIIᵉ siècle et constituent, à nos yeux, le guide le plus complet et une liste définitive tant des routes romaines que de celles menant en Terre sainte, sachant que dans la péninsule italienne nombre d'entre elles coïncident.

Pour commencer à cerner le problème, nous disposons d'informations et d'éléments nous permettant de reconstituer le développement du système de communication entre l'Europe et Rome, fondé, à l'origine, sur le système encore fiable des voies consulaires romaines. Ainsi, par exemple, l'*Itinerarium Burdigalense,* œuvre d'un pèlerin anonyme de Bordeaux en 333, fait état d'un itinéraire vers la Terre sainte qui empruntait la via Domitia de Toulouse en Arles, entrait en Italie par le Mont-Cenis, traversait toute la Padanie, de Turin à Aquilée, pour continuer, par une route qu'auraient parcourue les croisés en 1096-1097, jusqu'à Constantinople. Notre pèlerin suit là bien sûr les voies consulaires, tout comme il le fera au retour lorsque, débarquant à Otrante, il prend la voie Appia-Trajane, s'arrête à Rome et poursuit par les voies Flaminia et Emilia pour rejoindre dans la plaine padane l'itinéraire de l'aller.

Si après Rome notre pèlerin choisit les voies Flaminia et Emilia plutôt que l'Aurelia, solution habituelle pour rejoindre la Gaule, c'est sans doute en raison du mauvais état de cette dernière. En effet, la via Aurelia représentait déjà le maillon faible du réseau routier romain, le premier qui avait commencé à se détériorer, comme nous le rappelle d'ailleurs le célèbre passage de Rutilius Namatianus. Ce poète narbonnais, pour retourner dans sa bonne ville de Narbonne en 416, emprunte la via Aurelia mais se voit rapidement contraint à lui préférer la mer, cabotant le long de la côte tyrrhénienne, un passage plus sûr que les routes dangereuses et paludéennes de la Maremme. Le texte de Rutilius Namatianus est exemplaire en ce qu'il permet de reconstituer l'état de l'Aurelia, gravement endommagée par les guerres des Goths, détériorée par l'action désormais incontrôlée des eaux, privée d'un entretien digne de ce nom et qui entame donc un long déclin :

107. Narbonne. *La rue droite,* qui suit le tracé urbain de la via Domitia.

Electum pelagus, quoniam terrena viarum
plana madent fluviis, cautibus alta rigent :
postquam Tuscus ager, postquam Aurelius agger
perpessus Geticas ense vel igne manus
non silvas domibus, non flumina ponte coercet,
incerto satius credere vela mari.
(On choisit la mer car les voies terrestres
sont inondées en plaine et trop escarpées en montagne.
Les champs de Toscane et la via Aurelia
ont été mis à feu et à sang par les Goths,
il n'y a plus d'auberges en forêt ni de pont sur les fleuves.
Mieux vaut donc prendre la mer, qui est pourtant périlleuse.)

Le poète décrit ici une situation qui va s'aggraver au cours des siècles suivants et qui sera l'une des raisons expliquant l'ouverture d'une nouvelle voie de liaison entre Rome et le monde franco-germanique.

Les origines de la via francigena

108. Cividale. Petit temple lombard, figure de sainte sur la façade primitive.

Parmi les facteurs à l'origine de cette création, la division de la péninsule entre Byzantins et Lombards n'est pas le moindre. Les premiers se trouvaient principalement le long des côtes, les seconds dans des centres urbains – Cividale, Vérone, Pavie, Parme, Lucques, Sienne, Spolète, Bénévent... – de préférence retranchés vers l'intérieur. Le besoin d'une liaison entre les duchés du nord et ceux de Toscane par un itinéraire à l'abri des attaques et des taxations byzantines, tout comme la nécessité d'une liaison avec Rome, imposèrent aux Lombards de trouver une alternative à la via Flaminia et à l'impraticable via Aurelia.

De Pavie, les obstacles majeurs étaient la traversée du Pô et, surtout, des Apennins. Pour les surmonter, les Lombards ont certainement essayé plusieurs voies. Le Pô pouvait être traversé en différents points, mais le lieu le plus fiable était Plaisance et c'est vers cette ville que se dirige le tracé lombard. Toutefois, la fondation de diverses abbayes, comme celle de Bobbio, nous laisse envisager d'autres possibilités, notamment celle de radicaliser la présence lombarde sur les passages possibles dans les Apennins. Paul Diacre, dans son *Historia longobardorum*, indique à plusieurs reprises le passage par le col du mont Bardone (probablement de *Mons longobardorum*) pour relier la Padanie à la Toscane. Le roi Grimaud franchit un col *per Alpem Bardonis*, qui lui permet de contourner le contrôle byzantin. D'autre part, l'intérêt stratégique des Lombards pour ce col reliant les vallées du Taro et de la Magra, et donc la Padanie et la Toscane, est confirmé par la fondation d'un monastère, dont nous parle également Paul Diacre, près du col à Berceto, « *quod est situm in cacumine montis cui nomen est Bardo* ». Un choix qui, certes, manifeste le désir d'utiliser l'institution religieuse pour soutenir les pèlerins et marcheurs, mais également celui de contrôler un passage dont l'importance ne peut que croître.

On a peut-être surestimé le rôle des Lombards dans la mise en place de ce que l'on appellera la *via francigena* et qui, durant le haut Moyen Age, devait n'être en maints endroits qu'un simple sentier qui, cependant, reliait entre eux des tronçons d'anciennes voies romaines et donnait l'impression d'un réseau reliant de grandes villes, des cols, des rivières, des monastères et des agglomérations où trouver refuge et hospitalité. Le parcours s'améliore près des centres urbains et fait l'objet d'un minimum d'entretien aux abords des monastères, mais, en bien des endroits, il devait apparaître comme un faisceau de chemins qui, selon les saisons, la politique de surveillance des routes et les nombreux circuits annexes, devenaient souvent incertains. Si bien que, lorsque nous parlons d'itiné-raires du Moyen Age, et surtout du haut Moyen Age, le problème est de définir un parcours unique et de le baptiser authentique, même si cela ne nous empêche pas de déterminer, à l'intérieur de ce que Sergi appelle « zone de routes », un parcours principal, notamment par rapport à une époque précise, avec pour indices les hospices, les signes marquant le chemin comme les croix, tabernacles, restes de pavage, sources, ponts et enfin indications relevées dans les récits de voyage qui deviennent, avec le temps, de plus en plus précis.

La voie recevra une impulsion considérable des Francs qui, après avoir battu les Lombards et s'être assuré le contrôle des cols alpins, la prolongeront au-delà des Alpes avec les mêmes critères que les Lombards, c'est-à-dire la militarisation de certains tron-çons et le développement d'une politique d'édification d'établissements religieux aux points stratégiques. Ainsi de l'abbaye de Novalesa, adossée au col du Mont-Cenis qui, quoique à l'écart du parcours principal, lui imprimait sa marque.

Au IXᵉ siècle, cette route devient donc le principal axe de communication entre le monde franc et Rome. A l'origine, les documents parlent de *via francesca* (876) puis, de plus en plus fréquemment, ils la qualifient de *francigena*; mais également de *romea*, pour indiquer sa destination, car les documents précisent qu'elle est la « *publica strata que de ultramontanis partibus Roman tendit* » (Diplôme d'Henri V, 1111). Certains chercheurs, comme Sergi, pensent qu'elle tient son nom de ceux qui la parcouraient plutôt que de son origine ou de son terme. C'est ainsi que nous la voyons tantôt nommée *via francorum* (*Chronicon Novaciliense*, milieu du XIᵉ siècle), *strata publica peregrinorum et mercatorum*, *strata pellerina* ou *pellegrina*. Dans sa *Vita Mathildis* (1114), Donizone, lorsqu'il décrit la marche d'Henri IV sur l'Italie, fait explicitement référence au passage par le mont Bardone sur la *francigenam stratam*, une formulation peut-être plus courante en Italie centrale que près des cols alpins. Il n'empêche que cette appellation est toujours concur-rencée par celle de *via romeria* (1193) et, surtout, *romea*, sans parler des noms qu'elle prend ici ou là sous l'influence de la toponymie locale, comme par exemple *strata vetus Taurini*, *strata lombarda* ou *via Montis Bardonis*...

Le Mont-Cenis devient le passage le plus utilisé, et le mariage d'Odon, fils d'Hum-bert Iᵉʳ, chef de la maison de Savoie, avec Adélaïde de Suse, dans la seconde moitié du XIᵉ siècle, démontre assez combien le col devient un facteur de stabilisation, sa fonction de lien entre les États prenant largement le pas sur celle de frontière les séparant. Le Grand-Saint-Bernard, lui, était résolument tourné vers la vallée du Rhin, attirant les marchands, les pèlerins et les voyageurs en provenance du monde germanique.

La *via francigena* ou *romea* est donc la route qui, du Mont-Cenis ou du fameux Grand-Saint-Bernard, par la vallée de Suse ou le Val d'Aoste, respectivement, rejoint Verceil, passe à Pavie, traverse le Pô à Plaisance, suit la via Emilia jusqu'à Fidenza (et parfois Parme), prend la vallée du Reno et franchit les Apennins au col de la Cisa ; elle entre ensuite dans la Magra, rejoint Pontremoli et Aulla, arrive à Lucques après un parcours à travers les collines qui offre une alternative à l'antique via Aurelia, traverse l'Arno aux alentours d'Altopascio, suit plusieurs tracés, tant dans les collines qu'en fond de vallée le long de l'Elsa, puis passe par Sienne, entre dans le Latium en suivant les eaux de la Paglia et récupère à Bolsena le tracé de l'ancienne Cassia qui la mène à Monte Mario d'où elle descend vers Saint-Pierre.

Naturellement, des voies *francigene*, *romee* ou françaises on en trouvera plusieurs, mais l'itinéraire indiqué est celui qui correspond, pour l'historiographie actuelle et dans la conscience collective, à la dénomination *francigena*. Comme on l'a vu, les routes médié-vales connaissaient des tracés variables, et il convient donc de ne pas oublier les multiples variantes. Certaines étapes clés, toutefois, ne changent pas ; c'est le cas de Pavie – mais n'oublions pas qu'il existait une autre route, également très fréquentée par les pèlerins et

109. Venise. Tétrarques provenant de Constantinople.

110. Suse. La porte romaine de la ville.

les voyageurs, qui suivait l'autre rive du Pô, avec ses nombreux hospices et ses multiples traces de pèlerinages, et qui, en passant par Tortona, Alexandrie et Asti, aboutissait également à Turin et à la vallée de Suse –, ainsi que de Plaisance, Fidenza, Lucques, Sienne et Viterbe.

Lucques devient un nœud important. Dans l'*Itinerarium Sancti Willibaldi* (723-726), elle est citée comme point de repère pour ceux qui vont à Rome : « *Inde Romam tendentes, Lucam, Tuscie urbem, devenere.* » La ville se remplit d'hospices et de corps saints à vénérer, dont celui de Richard, roi légendaire des Anglais, mort alors qu'il menait un pèlerinage *ad Petri sedem* et enterré dans la ville.

Les itinéraires de Sigéric et de Nicolas de Munkathvera

La présence des Anglais n'a pas dû passer inaperçue, au point qu'elle est signalée par Paul Diacre dans son *Historia longobardorum*: « *His temporibus multi anglorum gentis nobiles et ignobiles, viri et feminae, duces et privati, divini amoris instinctu de Britania Romam venire consuerunt.* » C'est sans doute le premier flux important de pèlerins vers Rome, conséquence, certainement, de l'intense activité missionnaire voulue par le pape Vitalien (657-672), qui avait amorcé la descente vers le sud des ermites, des pèlerins, de communautés religieuses entières, dont beaucoup se sont installées le long de la route menant à Rome. Parallèlement, les chroniques parlent de rois anglo-saxons, plus ou moins légendaires, qui entreprennent le voyage pieux vers Rome, parfois tout simplement pour y mourir, comme le fera en 689 Ceadwalla, roi du Wessex ; ou d'évêques qui vont *ad sedem Petri* par dévotion, comme Benoît Biscop, qui se rend à Rome six fois entre 653 et 684, ou pour recevoir la bénédiction pontificale comme le feront notamment Wighard, archevêque de Cantorbéry (667), Egbert, archevêque d'York (735), Nothelm, archevêque de Cantorbéry (736), Cinebryht de Winchester (779), Eanbald d'York (780), jusqu'à saint Dunstan, qui *Romam pervenit* en 960, et Sigéric qui avait été élu archevêque de Cantorbéry en 989 et qui, l'année suivante, se rend *ad limitem beati Petri* pour recevoir le si convoité *pallium* des mains du pape.

En réalité, nous savons peu de choses de ce dernier évêque, devenu récemment célèbre à cause du manuscrit – inséré notamment dans la *Vita Sancti Dunstani,* ce qui a

111. Val d'Aoste, route romaine. Pour traverser les Alpes, les Romains ont suivi les tracés naturels qui seront réutilisés au Moyen Âge.

112. *Présentation de Jésus au Temple*. Miniature de la seconde moitié du Xᵉ siècle, période où sont attestés à Rome de nombreux pèlerins venus d'Angleterre. Pontifical de saint Ethelwold, évêque de Winchester, conservé au British Museum.

113. *La descente du Saint-Esprit*. Pontifical de l'archevêque Robert (vers 980), conservé à la bibliothèque municipale de Rouen.

entraîné nombre d'erreurs – dans lequel il décrit son voyage à Rome et surtout son retour à Cantorbéry. Disciple de saint Dunstan, il s'était formé auprès de l'abbaye de Glaston-bury et avait succédé à Ethelgar dans la direction du diocèse de Cantorbéry en 989. William Stubbs, à qui nous devons la publication du texte *Rerum Britannicarum Medii Aevii scriptores*, nous apprend qu'à sa mort, en 994, il léguera sa bibliothèque à la cathé-drale de son diocèse, révélant une personnalité et une curiosité intellectuelle en adéqua-tion avec la charge qu'il occupait, le diocèse qu'il dirigeait et les courants culturels de l'Angleterre de son temps.

114. Corvey. Façade de l'abbatiale (IXe siècle).

Le texte qui nous intéresse, après avoir donné une liste des papes mise à jour à la fin de l'an 989, énumère les 80 *submansiones* (en fait 79, car si la numérotation va bien jusqu'à LXXX, il manque l'avant-dernier) qui rythmaient l'itinéraire *de Roma usque ad mare,* c'est-à-dire de Rome jusqu'au Pas-de-Calais. Et puis nous passons au voyage de retour vers son siège épiscopal. Le prélat a visité les principales églises de Rome, a rencontré le pape et probablement déjeuné avec lui. Puis, après avoir reçu le *pallium*, il retourne dans son diocèse.

Le manuscrit fournit une description très précise de l'itinéraire suivi par le prélat, indiquant les *submansiones* qui balisent son parcours. Les premiers noms cités – Baccano, Sutri, Forcassi, San Valentino, Montefiascone, Bolsena – suivent le tracé de l'ancienne via Cassia. On remarque que Viterbe n'est pas encore une ville et que Sigéric passe par San Valentino, où des restes de pavage et un solide pont romain montrent encore le tracé originel de la voie consulaire. Remontant la berge du lac de Bolsena, la route entrait dans la vallée de la Paglia jusqu'à atteindre, sous la surveillance vigilante de la forteresse de Radicofani, celle du torrent Formone, affluent de l'Orcia, et menait alors facilement jusqu'à Sienne.

Sigéric suit alors un parcours privilégiant une ligne de crête qui lui fait longer les pentes du Monte Maggio, par Strove et San Gimignano, jusqu'à pénétrer dans la vallée de l'Arno, près du confluent de la rivière Elsa, dans une zone de marais et de forêts qui constituaient certainement un sérieux obstacle. Un tracé incertain donc, entre les marais de Fucecchio et les bois des Cerbaie, qui seront plus tard entretenus et protégés par l'Ordre de Saint-Jacques-du-Haut-Pas, qui naîtra précisément en relation avec la traver-sée de cette zone.

C'est par l'imposante porte romaine de Saint-Gervais que la route faisait son entrée dans Lucques, avec ses nombreux hospices, lieux de dévotion et de culte liés à la civilisa-tion du pèlerinage. La route sortait ensuite de la ville à l'autre extrémité pour se diriger vers Camaiore et Luni, ancien port romain aujourd'hui ensablé, mais alors étape impor-tante sur le parcours nord-sud. La vallée de la Magra, avec les *submansiones* tranquilles d'Aulla et de Pontremoli, menait au col de la Cisa et immédiatement après à Berceto et au col du mont Bardone. Au-delà des Apennins, suivant l'axe de la vallée du Taro, le tracé rejoignait la via Emilia à Borgo San Donnino (actuelle Fidenza) et menait directement vers le port fluvial de Plaisance qui permettait la traversée du Pô.

L'itinéraire de Sigéric se dirige alors directement vers les Alpes suivant le tracé rapide (l'espacement des *submansiones* témoigne de l'allongement des étapes, parcourues plus facilement dans la plaine padane), déterminé par la route romaine qui menait de Plai-sance à Pavie, Verceil et Ivrée. Après le Val d'Aoste, Sigéric franchit les Alpes au col du Grand-Saint-Bernard, descend vers le lac Léman, véritable point de convergence des différentes vallées et donc d'autant de réseaux routiers. C'est en effet dans la région du Léman, point de départ de l'ample et riche vallée du Rhône, voie de passage essentielle pour les pèlerins se rendant à Rome, que peut s'opérer aisément la jonction tant avec le Danube, qui ouvre la voie vers l'est et la péninsule balkanique, qu'avec le Rhône, que suivront nombre de pèlerins allemands en route pour Compostelle. Sigéric suit une route intermédiaire qui le mène à Besançon, Reims, Arras et enfin, ultime étape et *submansio* numéro LXXX, Calais, d'où il aurait embarqué pour la proche Angleterre.

Certes, l'appellation *francigena* ne se justifie plus pour ce dernier tronçon de l'itinéraire de Sigéric. En fait, comme le remarque justement Stopani, la *via francigena* se sépare en deux après Pavie, l'une des branches se dirigeant vers l'ouest et l'autre vers le nord-ouest, c'est-à-dire vers ce territoire des Francs auquel elle doit son nom. Les deux itinéraires possibles à partir de Pavie seront largement utilisés et ces usages attestés. Le premier, choisi par Sigéric, passe par le Val d'Aoste, franchit les Alpes au col du Grand-Saint-Bernard pour rejoindre, généralement, la vallée du Rhin ; le second se dirige vers Turin, entre dans la vallée de Suse et franchit les Alpes par le col du Mont-Genèvre ou du Mont-Cenis. Ces deux cols seront principalement utilisés par les pèlerins italiens en route vers Saint-Jacques-de-Compostelle, par les marchands lombards pour rejoindre les riches cités de Provence et de Bourgogne, et dans l'autre sens, pour les relations entre le sud de la France, l'Italie et la Palestine. C'est d'ailleurs par le col du Mont-Genèvre qu'est passée l'une des principales armées de pèlerins et de cavaliers qui participeront à la Première Croisade (1097), avec à leur tête Raymond IV, comte de Toulouse, et Adhémar de Monteil, évêque du Puy. Ils étaient accompagnés de nombreux nobles dont les titres indiquent clairement leur lieu d'origine – Rambaud, comte d'Orange, Gaston de Béarn, Gérard de Roussillon, Guillaume de Montpellier, Raymond du Florez, Isoard de Gap – et de beaucoup de gens liés à l'évêque du Puy. Le col du Mont-Cenis voyait également passer des pèlerins comme Matthew Paris, qui l'a préféré au Grand-Saint-Bernard.

Le parcours mentionné par Sigéric, indépendamment de l'exagération puis du retour à de plus justes proportions dont il a fait l'objet, demeure un témoignage extraordinaire sur le tracé de la *via francigena* en Italie, dans l'un de ses passages à travers les Alpes.

Nous avons insisté assez longuement sur la description de l'itinéraire de Sigéric jusqu'au Grand-Saint-Bernard parce qu'il est le premier à indiquer avec une telle précision le parcours de la *via francigena* selon un tracé qui traversera les siècles et qui ne sera jamais tout à fait abandonné, même lorsque l'axe économico-culturel Bologne-Florence ou le parcours pieux Lorette-Assise déplaceront inexorablement vers l'est le flux des pèlerins en Italie.

115. Spire, cathédrale (1031-1106). Le long de la vallée du Rhin, principal axe de communication reliant l'Europe centrale et Rome, fleurissaient des villes importantes, fort bien représentées par leurs cathédrales.

Ce chemin parcouru par Sigéric le sera, cent soixante années plus tard, par le moine islandais Nicolas de Munkathvera, abbé du monastère de Thingor. Il passe par le Grand-Saint-Bernard après avoir suivi la vallée du Rhin qui, comme nous l'avons dit, était le principal bassin de confluence vers ce col. L'abbé était d'abord passé par la Norvège, sans doute par le port de Bergen, puis Ålborg au Danemark ; il s'était ensuite arrêté à Stade, d'où il disposait d'au moins quatre itinéraires pour rejoindre Mayence ou Cologne, avant de poursuivre par la vallée du Rhin, s'arrêtant dans des villes comme Worms, Spire, Strasbourg et Bâle. Outre les deux itinéraires les plus à l'est, qui passaient par Hanovre d'une part et Minden de l'autre, Nicolas indique que les Scandinaves peuvent aussi rallier Cologne par Deventer et Utrecht. A propos de cette dernière ville, il ajoute : « [...] ici, les gens reçoivent le bourdon et la besace avec la bénédiction pour le pèlerinage à Rome. » L'abbé fait clairement référence à la cérémonie de la *benedictio perarum et baculorum* qui constitue le rite essentiel du départ en pèlerinage. Il s'agit d'un cérémonial répandu dans tout le monde chrétien, présent dans bien des missels de l'époque et décrit dans ses moindres détails par le sermon *Veneranda dies* du *Liber Sancti Jacobi,* rédigé précisément à la même époque à Saint-Jacques-de-Compostelle. Le rituel consiste principalement à remettre au pèlerin le bâton et la besace, c'est-à-dire les objets qui lui seront le plus utiles sur le chemin, qui permettront de l'identifier comme pèlerin partout et qui de ce fait deviendront partie intégrante de son image. Le rituel leur attribue une valeur symbolique explicite. Le *Liber* nous précise que la besace devait être de petites dimensions et sans attaches pour être toujours prête « à donner et à recevoir », rappelant ainsi au pèlerin qu'il ne devait transporter que peu de provisions et, surtout, qu'il devait partager tout ce qu'il avait avec les pauvres, les nécessiteux et les autres pèlerins. Il est également indiqué que le bourdon (de *burdus*, mulet) ne fournit pas seulement un soutien le long du chemin et un outil pour se défendre des loups et des chiens sauvages, il symbolise la foi sur laquelle s'appuyer tout le long d'un chemin dangereux et difficile.

L'*Itinerarium* de Munkathvera précise, notamment, le rôle joué par la ville de Stade, située à l'embouchure de l'Elbe, une position stratégique en tant que port maritime pour ceux qui arrivaient des pays scandinaves, mais également en tant que point de départ d'un réseau routier qui se verra confirmé et décrit de plus en plus précisément au siècle suivant dans les *Annales stadenses*.

116. Worms. Abside de la cathédrale commencée en l'an mil.

Le Rhin mène l'abbé jusqu'au cœur de la Suisse, véritable nœud des divers systèmes routiers reliant les grandes vallées du Danube, du Rhône et les cols alpins. L'abbé en est tout à fait conscient qui remarque à Vevey, au bord du lac de Genève : « [...] ici convergent les routes de ceux qui se dirigent vers le sud du col du Grand-Saint-Bernard [...]. » Ainsi sur les rives du lac, outre la route de Rome, se trouvait une route majeure du pèlerinage vers Compostelle – celle que Künig von Vach appellera *Oberstrasse* –, empruntée principalement par les Allemands du Sud. D'autre part, le Rhin permettait aussi de rejoindre le Danube par le Neckar pour se diriger vers Constantinople et Jérusalem, comme l'ont fait les foules qui suivaient Pierre l'Ermite dans la première, et terrible, croisade. Nicolas de Munkathvera, qui avait pourtant prévu de se rendre en Terre sainte, franchit néanmoins le col du Grand-Saint-Bernard, entre en Padanie par le Val d'Aoste et, en six étapes rapides, rejoint Plaisance, non sans avoir d'abord rappelé qu'à une journée de Verceil se trouve Milan.

L'abbé est particulièrement attentif aux connexions et aux parcours alternatifs. Il sait très bien, comme tout homme médiéval, que les routes peuvent être interrompues pour maintes raisons et qu'il est donc bon de connaître tous les itinéraires possibles pour rejoindre sa destination. Il en a indiqué quatre pour pénétrer dans la vallée du Rhin et nous indique maintenant que de Verceil, il est aussi possible de passer par Milan ; et il n'omet pas de rappeler qu'à Plaisance, où passe un grand fleuve nommé *Padus*, on rejoint la route de ceux qui suivent la voie de Saint-Gilles. Rappelons que nous sommes en 1150-1154, c'est-à-dire à l'époque où le *Liber Sancti Jacobi* définit très précisément les quatre itinéraires français vers Saint-Jacques. Parmi ceux-ci, le plus au sud, appelée *via tolosana* ou *aegidiana*, commence justement à Saint-Gilles. L'abbé islandais veut probablement indiquer une connexion avec les itinéraires de Compostelle, ce qu'il fera explicitement une fois atteint Luni, où il déclare que là « convergent les routes venant d'Espagne et de la terre de Saint-Jacques », cette *Jacobsland* si chère aux Scandinaves et si présente dans leurs écrits et leurs prières.

Suivant ainsi, à de légères variantes près, le parcours de Sigéric, il atteint Lucques, signale l'existence d'un hôpital actif à Altopascio et dont la fondation est attribuée à la comtesse Mathilde, passe par Sienne et Viterbe, qui a attiré entre ses murs le tracé que Sigéric faisait passer par le bourg de San Valentino, et entre à Rome par un Montjoie, ces lieux les plus émouvants de la Chrétienté, ce Monte Mario, qu'il appelle *Feginsbrecka*, littéralement la « colline de la joie », d'où il voit, pour la première fois, la Ville éternelle.

Munkathvera, après une longue description des *mirabilia* de Rome, remplie de reliques, de corps saints, d'églises splendides et de monuments de l'Antiquité classique, poursuit son voyage vers Jérusalem, jusqu'à l'embarquement à Brindisi, non sans avoir signalé d'abord Bénévent, carrefour essentiel de communication avec le sud, et le sanctuaire de saint Michel à Monte Sant'Angelo, l'un des principaux lieux de pèlerinage au Moyen Age, le plus souvent rejoint en empruntant la *via francigena*.

Le récit de l'abbé islandais constitue sans aucun doute un document extraordinaire

36. A Cantorbéry, un des points de départ de la route vers Rome,
la Trinity Chapel de la cathédrale abritait jusqu'en 1538
la châsse de saint Thomas Becket.

37. Les différents itinéraires vers Rome partant de la périphérie septentrionale de l'Empire germanique, sur une carte préparée par Erhard Etzlaub de Nuremberg pour l'année jubilaire de 1500 ; les principales étapes de pèlerinage sont signalées par une petite église. Munich, Bayerische Staatsbibliothek, Rar. 287.

38. Vue de la vieille ville de Stade, aujourd'hui dans la banlieue d'Hambourg. Point de départ, au Moyen Age, de l'itinéraire décrit dans les *Annales Stadenses*.

39. Les tours de la cathédrale de Cologne indiquent au pèlerin la ville toute proche.

40. Intérieur roman de la cathédrale de Spire, sur le Rhin moyen.

41. Portails de la cathédrale de Strasbourg.

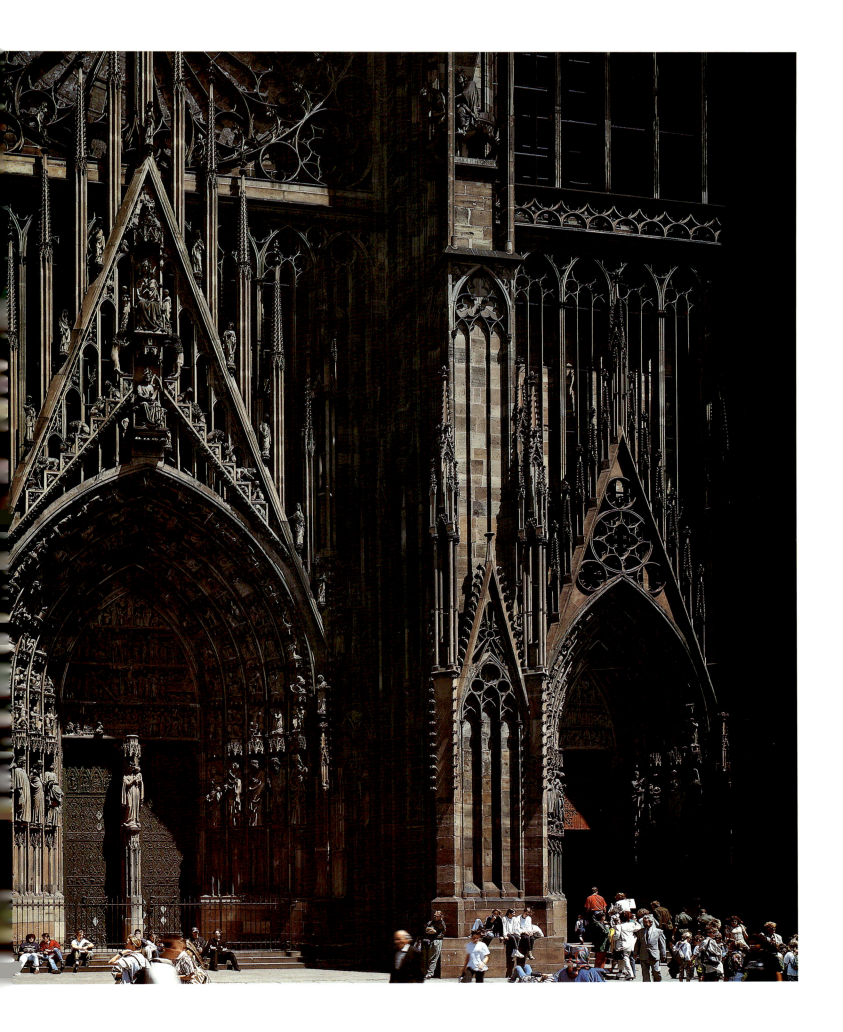

47. La porte romaine de Suse, ville piémontaise
qui ouvre la voie de la plaine du Pô, une fois franchi
le col du Mont-Cenis ou du Mont-Genèvre.

Ci-contre :
46. Tronçon d'une ancienne route romaine dans le Val d'Aoste.

Pages suivantes :
48. Détail de l'abside de la cathédrale de Milan, dédiée
à la Nativité de la Vierge. Située dans la plaine padane,
Milan est le point de jonction des itinéraires en provenance
des cols du Simplon et du Saint-Gothard.

49. La façade, au décor foisonnant, de l'église romane
Saint-Michel de Pavie.

50. Le pont médiéval sur la Trebbia à Bobbio. La ville s'est développée autour du monastère fondé par saint Colomban sur la route reliant la plaine du Pô aux vallées apennines.

51. La cathédrale de Fidenza, dédiée à saint Domnin, sur la voie menant au col du mont Bardone, aujourd'hui col de la Cisa. Sur ce détail de la façade, un ange guide les pèlerins.

53. L'agglomération de Bardone, autrefois siège d'une église
paroissiale, sur le tracé apennin de la *via francigena*,
derrière le col homonyme.

Ci-contre :
52. Abside de la cathédrale romane San Geminiano de
Modène (XIIᵉ siècle).

54. Reproduction de la Santa Casa de Lorette dans le quartier
du château de Hradčany, à Prague. Consacrée en 1631,
elle devient très vite un point d'attraction pour les pèlerins.

55. La place et l'église San Giacomo dell'Orio, à Venise.
Fondée au Moyen Age, cette église témoigne de la vocation
de pèlerinage de la ville, vers Rome, mais aussi vers
Compostelle et Jérusalem.

Ci-contre :

56. Le labyrinthe, symbole universel du chemin que doit
parcourir l'être humain, représenté sur le pilier droit
du porche de la cathédrale San Martino de Lucques.

57. La salle du *Pellegrinaio* de l'hôpital Santa Maria della
Scala, à Sienne.

58. Au sud de Sienne, l'abbaye romane de Sant'Antimo,
d'inspiration clunisienne. Une illustration du rôle que
la *via francigena*, tout comme les autres routes de pèlerinage,
a joué dans la diffusion des nouveaux courants artistiques
et architecturaux.

59. La crypte de l'église Santo Sepolcro d'Acquapendente,
près de Viterbe, sur la *via francigena* à son passage
dans le Latium.

61. Façade de l'église San Flaviano de Montefiascone.

Ci-contre :
60. Les pèlerins médiévaux empruntaient les voies romaines,
sur les tracés encore existants ; comme ce tronçon de la via
Cassia/*via francigena*, qui a été conservé jusqu'à nos jours
entre Montefiascone et Viterbe, dans le haut Latium.

62. La place et la cathédrale de Viterbe, l'une des dernières étapes avant Rome. La ville offrait aux pèlerins différentes possibilités d'hébergement.

63. Le palais des Papes de Viterbe.

64-65. Vue intérieure de l'église de la Madonna del Parto
à Sutri, pratiquement aux portes de Rome.
Détail des pèlerins représentés sur la fresque de l'entrée.
Première moitié du XIVe siècle.

66. Figure de pèlerin, sculptée sur un modillon de l'abside de l'église paroissiale Santi Giovanni e Felicita de Valdicastello, Pietrasanta (Toscane).

117. Constance, Mauritius-Rotunde. Représentation de la *benedictio perarum et baculorum*, rite de départ que Munkathvera mentionne à Utrecht.

118. Altopascio. Façade de l'église Saint-Jacques.

sur le pèlerinage médiéval, beaucoup plus riche que le bref itinéraire de retour de Sigéric. Nous y trouvons pour la première fois l'expression d'une culture et d'une spiritualité du pèlerinage qu'il est impossible de déceler dans la liste sommaire des *submansiones* de l'archevêque de Cantorbéry. Munkathvera ne se limite pas à l'itinéraire mais souligne les principales dévotions qu'il rencontre, les corps saints et les reliques qui consacrent la voie et en font une véritable route de pèlerinage. Ce sont précisément les éléments de référence comme la *benedictio perarum et baculorum* à Utrecht, ou les miracles du *Volto Santo* à Lucques, ou encore les empreintes gravées dans la pierre par sainte Christine à Bolsena, qui la font telle. Enfin, Rome, gigantesque reliquaire et lieu de dévotions dont il parle ainsi : « On y trouve cinq sièges épiscopaux. L'un auprès de l'église Saint-Jean-Baptiste [...] où se trouve le siège papal, où l'on conserve le Sang du Christ et la robe de Marie et une grande partie des ossements de saint Jean Baptiste ; c'est là aussi que se trouvent le prépuce de Jésus et le lait du sein de Marie, des fragments de la couronne d'épines du Christ et de sa tunique et bien d'autres reliques sacrées rassemblées dans un grand vase d'or » (Stopani, *Le vie di pellegrinaggio del Medioevo*, p. 70). Il introduit en outre un élément supplémentaire pour définir une *via peregrinalis*, c'est la présence d'hospices où les pèlerins peuvent être accueillis, comme celui de Saint-Pierre sur le col du Grand-Saint-Bernard, l'hospice d'Eric entre Plaisance et Borgo San Donnino, ou le *Mathildarspítali* d'Altopascio.

C'est pourquoi l'*Itinerarium* de Nicolas de Munkathvera constitue, selon nous, le premier véritable récit de pèlerinage à Rome. Un récit riche d'informations culturelles et d'impressions de voyage typiques de cette littérature et des *curiositates* du pèlerin, comme les références aux sagas scandinaves et allemandes relevées le long du chemin. On y trouve aussi des considérations géographiques et économiques, des remarques sur les villes sièges impériaux, sur les évêchés majeurs, sur la grâce des femmes de Sienne, sur les risques et les difficultés rencontrés.

La multiplication des parcours au Moyen Age

A la fin du XIIe siècle, la *via francigena*, qui apparaît de plus en plus dans les documents sous ce nom, correspond désormais à un itinéraire précis qui traverse l'Italie, communique avec la France principalement par le col du Mont-Cenis, et est souvent utilisé non seulement pour aller à Rome mais également pour aller ou revenir de Terre sainte depuis les ports des Pouilles, comme le fera par exemple Philippe Auguste en 1191 de retour de la Troisième Croisade. Philippe II Auguste débarque à Otrante, prend l'itinéraire qui suit la via Appia-Trajane, atteint Bari (« *ubi requescit Sanctissimum et incorroptum corpus Sancti Nicholai Miree* »), Bénévent et Capoue, passe aux pieds du Mont-Cassin (« *in cuius summitate est nobilis abbatia, in qua requiescit corpus Sancti Benedicti* ») et, par la Casilina, parvient à Rome où il est accueilli avec tous les honneurs par Célestin III. Le souverain pontife, « *quamvis votum non perfecissent* », le relève, avec ceux qui l'accompagnent, du vœu de pèlerinage à Jérusalem et leur remet les « *palmas et cruces* ». Il leur montre également les reliques les plus importantes : « *Capita Apostolorum Petri et Pauli et veronicam.* » Benoît de Peterborough, qui relate ce voyage, explique que le voile de Véronique « *[...] est pannum quendam linteum, quem Iesus Christus vultui suo impressit* ». Le voyage vers la France suit alors l'itinéraire de Sigéric sur la *via francigena*, à quelques variantes près comme dans le Val d'Elsa, où il passe par Castel San Fiorentino, préférant donc le tracé au fond de la vallée à celui des collines choisi par Sigéric. Ce qui confirme là encore le fait qu'un même itinéraire comportait plusieurs possibilités et que la tendance, dans les périodes plus prospères, favorisait les parcours de plaine qui avaient été les premiers abandonnés durant le haut Moyen Age. Le chroniqueur nous apprend que Philippe Auguste franchit les Apennins par le col de la Cisa où, précise-t-il, « *deficit Toscana et incipit Italia* », et qu'il entre en France par le Mont-Cenis.

Ce col, avec celui du Mont-Genèvre, devient à partir du XIIᵉ siècle le passage le plus utilisé pour entrer en France par ceux qui empruntaient la *via francigena*. Mais il l'est aussi par ceux qui, de France, voire d'Espagne et souvent d'Angleterre, partaient pour Rome. L'*Historia Compostellana* fournit un témoignage précis, correspondant à la visite de l'évêque Porto venu solliciter auprès du pape le rang d'archevêché pour Compostelle. L'opération devait être préparée par une action diplomatique bien menée et l'évêque, après avoir suivi le *Camino de Santiago*, s'arrête à l'abbaye de Cluny, alliée traditionnelle de la curie compostellane, pour y chercher les appuis nécessaires. Le voyage est assez détaillé. Le prélat a donc suivi le *Camino de Santiago* jusqu'à Burgos, en passant par Auch et Toulouse, donc par les routes intérieures, la *via podensis* en partie (il cite Cahors et Moissac), la *lemovicensis* (il dit être allé voir le corps de saint Martial à Limoges), jusqu'à Cluny, « un monastère supérieur à tous – selon l'auteur – par sa sainte religiosité, sa charité et sa dignité ». Il s'agit d'un témoignage très révélateur puisqu'il souligne encore une fois les liens étroits entre les pèlerins et l'ordre clunisien, entre la curie de Compostelle et les moines de Cluny, des liens intellectuels, spirituels et certainement aussi politiques. Et de fait, l'évêque fera bon usage des conseils reçus et obtiendra à Rome le *pallium* d'archevêque pour Saint-Jacques. Aujourd'hui, nous cherchons à reconstituer le parcours qu'il a suivi pour se rendre à Rome. « Puis – poursuit l'*Historia Compostellana* – fort des bénédictions de la sainte congrégation, il parvient, avec l'aide de Dieu, en passant par les monastères et les possessions de l'ordre de Cluny, jusqu'à la vallée de la Maurienne. Là, le vénérable comte Humbert le reçoit avec les honneurs et l'accompagne jusqu'à la ville de Suse. » Nous ignorons le reste du trajet car, pour échapper à la poursuite des soldats impériaux, l'évêque se déguise en soldat et s'en va à Rome par un chemin non précisé mais qui, étant donné l'époque, était très probablement la *via francigena*.

Matthew Paris, lui aussi, recommande le col du Mont-Cenis. Cet éminent géographe est l'auteur de l'*Iter de Londinio ad Terram Sanctam*, une carte magnifique de l'itinéraire pour ceux qui voulaient se rendre de Londres à Jérusalem en passant par l'Italie. Après la traversée de la Manche, Matthew Paris indique deux trajets principaux, l'un

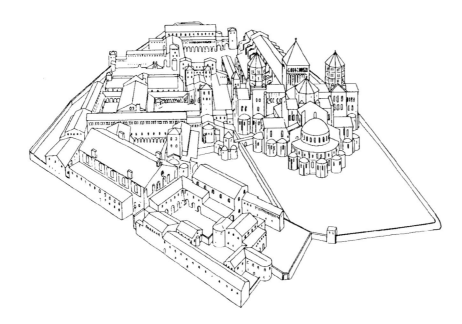

119. Reconstitution de l'abbatiale de Cluny III, consacrée en 1130.

178

120. Le moine de l'abbaye Saint-Alban, Matthew Paris, auteur de l'*Iter de Londinio,* représenté aux pieds de la Vierge (milieu du XIIIᵉ siècle). Londres, British Library.

vers Paris l'autre vers Reims, qui se rejoignent ensuite à Lyon. De là « le chemin daler en Provence » suit la vallée du Rhône jusqu'à Saint-Gilles, tandis que « le chemin versus Rome » emprunte la vallée de l'Arc pour entrer *en Lumbardie* par le col toujours plus passant du Mont-Cenis. Il propose ensuite plusieurs itinéraires à travers la vallée padane, l'un suivant principalement la *via francigena* jusqu'à Plaisance, sans oublier la liaison avec Milan et Gênes, deux villes alors en plein essor. Une fois passé le Pô, il indique la via Emilia jusqu'à Fidenza où il donne le choix entre, d'une part, la *via francigena* par le col du mont Bardone et le tracé désormais classique passant par Lucques, Sienne, Viterbe, jusqu'à « *Roma terminus itineris multorum et laborum initium* », et d'autre part, un itinéraire jusqu'alors inédit dans cette littérature de voyage. Ce second itinéraire atteste les changements importants survenus dans la péninsule suite à l'amélioration des routes et la naissance de grands centres économiques et commerciaux et de nouveaux lieux de culte. L'*Iter de Londinio* indique en fait un parcours qui passe par quelques-unes des villes les plus importantes de l'Italie centrale : de Fidenza, il continue vers Parme, Reggio, Modène, Bologne (« Boloinne la grosse »), Imola, Faenza, Forli, Bagno di Romagna, Alpe di Serra (« Alpes Bolon », col des Apennins qui prend de l'importance à cette époque), Florence (Matthew veut signaler ici une connexion possible, comme il le fait en d'autres occasions), Arezzo, Pérouse, Assise, Foligno, Spolète et Rieti. La relation de cet itinéraire, qui sera confirmé par les *Annales stadenses,* est particulièrement intéressante en ce qu'elle révèle l'émergence de villes et de cultes (Assise et la figure de saint François sont des indices très clairs) qui déplacent l'axe des pèlerinages vers l'est, le long des deux côtés de la dorsale des Apennins, créant ainsi des parcours de dévotions adriatiques qui se verront confirmés au siècle suivant avec le développement du culte marial à Lorette.

Les Annales Stadenses, summa *des voies médiévales pour Rome*

Nous trouvons confirmation de cette évolution dans les *Annales stadenses auctore Alberto* qui ne constituent ni un journal de voyage ni un guide proposant un itinéraire précis, mais bien la description la plus complète des liaisons entre Rome et l'Europe centrale et septentrionale au Moyen Age.

Le texte se présente sous la forme d'un dialogue entre deux jeunes « *litterati curiales et curiosi* », Tirri et Firri, qui discutent des itinéraires pour Rome et la Terre sainte. L'œuvre a été rédigée entre 1240 et 1256 par l'abbé Albert, probablement à partir de son propre voyage à Rome en 1236, et commence dans un latin lumineux dont le texte est repris en annexe de *Vie di pellegrinaggio del Medioevo* de Stopani (pp. 104-108), que nous allons suivre :

> *Firri item dixit : Bene Tirri, Romam ire volo, expedias me de itinere.*
> *Cui Tirri : Qua via vis procedere ?*
> *Et ille : Versus vallem Maurianam ; sed prius ibo in Daciam pro equo, et sic*
> *procedam de Stadio.*
> *Ad quem Tirri : Loca tibi nominabo et miliaria interponam.*

Tirri indique donc à son ami, qui souhaite entrer en Italie par *vallem Maurianam* (la vallée de l'Arc dans la Maurienne) et donc par le col du Mont-Cenis, la route partant de Stade et passant par Brême, Münster, Duisbourg (mais il recommande de traverser le Rhin à Cologne si les eaux sont hautes) jusqu'à Reims, Lyon et Chambéry. Après les Alpes, c'est la branche occidentale de la *via francigena* pour poursuivre sur Bologne où deux possibilités se présentent (« *Ibi habe optionem duarum viarum trans montes* ») : franchir les Apennins à Bagno di Romagna, comme l'indiquait à la même époque Matthew

Paris, parcours considéré *melior via*, puis reprendre la *via francigena* à Montefiascone pour rejoindre Rome par la Cassia, ou passer *ad Aquam pendentem*, par Florence, Sienne et de nouveau la *via francigena*.

Comme Matthew Paris, il indique, après Arezzo, l'alternative de l'ancienne voie médiévale qui reliait la Toscane et l'Ombrie et longeait la rive septentrionale du lac Trasimène (« *et habebis* – dit Tirri – *lacum Perusinum ad manum dextram* »). Un parcours qui permettait d'atteindre Rome après avoir visité Pérouse et surtout Assise, devenue, par le prestige de saint François, un centre de culte de premier plan. Cette route, qui reprend les antiques tracés étrusques et qui relie la Toscane et l'Ombrie, a pour points cardinaux Cortone, où elle rejoint la route de l'Alpe di Serra et, de l'autre côté Foligno qui, située sur la Flaminia, permettait de rentrer facilement à Rome, comme au siècle suivant elle mènera les pèlerins par Colfiorito à Lorette.

Tirri complète le tableau par la description des itinéraires de retour, avec les principales routes reliant l'Italie à l'Europe centrale et septentrionale.

Une fois établi l'itinéraire aller, Firri demande aussi celui du retour. « *Qua via michi redire consulis ?* » demande-t-il à Tirri qui, dans son latin limpide, indique quatre routes : « *Et Tirri : poteris redire per vallem tarentinam* [Trente et donc Brenner], *per Elvelinum* [col du Saint-Gothard], *per montem Iovis* [col du Grand-Saint Bernard] ; *poteris etiam per Pusterdal* [Pustertal] », ce qui démontre combien les routes pour l'Allemagne se sont diversifiées jusqu'à offrir un vaste réseau de possibilités, identifiées dans la pratique par les principaux points de passage des Alpes.

Le premier parcours suit l'itinéraire de l'aller (« *A Roma redeas per Viterbium [...]* »), franchit les Alpes à l'Alpe di Serra, se dirige sur Ravenne, puis sur Padoue, Bassano (« *Ibi est introitus ad montana* »), puis suit le cours de la Brenta, entre dans la vallée de l'Adige, rejoint Trente, Bolzano et Bressanone, franchissant les Alpes au col du Brenner pour redescendre vers Innsbruck et poursuivre sur Augsbourg, Meiningen, Gotha et enfin Stade.

Comme pour l'aller, Tirri précise les variantes possibles du parcours. Il conseille ainsi comme alternative au col du Brenner celui du Pustertal, avec un passage par la mer pour relier Ravenne à Venise avant de poursuivre sur Trévise. Les deux routes se rejoignaient à Innsbruck.

Le second itinéraire suit la *via francigena* jusqu'à Sienne, puis emprunte la *strada regia romana*, devenue un axe essentiel pour les communications entre le nord et Rome, passe par Florence, franchit les Apennins au col de l'Osteria Bruciata, rejoint Bologne, Parme, Plaisance, Milan et franchit les Alpes au col du Saint-Gothard. Même dans ce cas, Tirri indique *aliam viam*, signalant la possibilité de suivre la *via francigena* classique, par Lucques, Pontremoli et Plaisance. Ensuite il relie cet itinéraire à Milan, au col du Saint-Gothard jusqu'à Lucerne et à la vallée du Rhin dont il explique qu'à partir de Bâle, elle peut être parcourue en bateau, au grand soulagement des pieds du pèlerin : « *Cum veneris Basileam, bene fac pedibus tuis, et intrando navem descende usque Coloniam.* »

Le troisième itinéraire, quatrième si l'on compte la variante par le col du Pustertal, est celui du Grand-Saint-Bernard. Au départ de Plaisance, il faut suivre le tracé de la *via francigena* jusqu'à Verceil et passer les Alpes par le célèbre col pour rejoindre Bâle et la vallée du Rhin.

Satisfait, Tirri conclut : « *Ecce habes omnes fere Wias itineris versus Romam* », mais Firri insiste : à quelle époque de l'année est-il recommandé de prendre la route pour Rome ? (« *Quo tempore convenentius iter versus Romam accipitur ?* ») et Tirri lui répond en donnant l'indication la plus claire qui soit quant à la meilleure période pour entreprendre le pèlerinage vers Rome :

121. Arnago, église San Romedio. Le saint, à califourchon sur l'ours qu'il a dompté, arbore sur son chapeau la coquille, symbole du pèlerinage.

122. Sur le clocher de l'église de San Giorgio di Peio, dans le Trentin, l'image monumentale de saint Christophe protège les voyageurs.

Circa medium Augustum,
quia tunc aer temperatus est,
viae siccae sunt,
aquae non abundant,
dies longi satis
ad ambulandum,
noctes etiam ad corpus recreandum,
et invenies horrea
novis frugibus adimpleta.
(Vers la mi-août,
lorsque l'air est doux,
les routes sèches,
les pluies rares,
les jours assez longs
pour marcher,
les nuits propices au repos,
et que les greniers sont pleins
de la moisson nouvelle.)

Après ces indications, l'abbé Albert complète son panorama en donnant le trajet pour Jérusalem. Il conseille un itinéraire entièrement par voie de mer, à partir du port de Stade, qui contourne la péninsule Ibérique, passe par Marseille, Messine et rejoint Saint-Jean-d'Acre. A travers le dialogue des deux jeunes gens, Albert a dessiné une carte très précise des principaux itinéraires menant à Rome. Ainsi, entre les variantes qu'il propose et celles qui sont évidentes, le pèlerin disposait d'un large éventail de possibilités parmi lesquelles émerge pour nous le trajet Bologne-Florence, qui permet une connexion facile entre l'Emilia et la *via francigena*. On voit aussi très clairement comment le réseau de routes menant à Rome s'est déplacé vers l'est. Il suffit de se référer à la liste des villes traversées pour connaître tous les grands centres culturels et marchands de l'époque. Et que dire de l'itinéraire qui se sépare de la route de l'Alpe di Serra pour passer par Assise, qu'avait déjà emprunté Matthew Paris en le présentant comme la route directe recommandée pour rejoindre Rome depuis Londres. C'est que la réputation de sainteté de François s'est répandue dans tout le monde occidental et exerce une influence prépondérante sur le choix des itinéraires de pèlerinage et de culte. Le fait est attesté, toujours à la même époque, par l'itinéraire que choisit Eudes Rigaud, archevêque de Rouen, pour se rendre à Rome en 1254. Le prélat traverse les Alpes au col du Simplon, montrant combien le réseau routier s'étend désormais aux principales vallées alpines et offre toujours plus de choix. Il passe par Milan, Bergame, Ferrare et Bologne, emprunte la via Emilia jusqu'à Fano, d'où il se dirige directement sur Assise par Cagli, le col de Scheggia, puis rejoint Rome en passant par Pérouse, Todi, Narni et Civita Castellana.

Nouveaux itinéraires de dévotion et nouvelles formes de pèlerinage
à la fin du Moyen Age

A partir de la fin du XIVᵉ siècle, le flux des roumieux trouve de nouveaux arguments pour déplacer encore plus à l'est l'axe de l'itinéraire sacré de la péninsule. C'est à partir du milieu de ce siècle que commence à s'affirmer avec toujours plus de vigueur le culte de la Vierge de Lorette, que les pèlerins ne négligeront ni à l'aller ni au retour. Ainsi, l'utilisation de la via Flaminia, cette voie romaine qui n'a jamais cessé de servir, va croissant, attirant de nombreux pèlerins qui apprécient la possibilité de rejoindre facilement Assise comme Lorette.

181

Cette voie s'unit à l'Emilia à Rimini, où l'on avait érigé en 27 av. J.-C. un arc en l'honneur d'Octave Auguste pour commémorer son action en faveur du développement des voies consulaires en Italie ; elle en constitue le prolongement au nord vers Plaisance et les Alpes, et au sud vers Rome, Lorette et Assise. La route suivait la côte adriatique jusqu'à Fano puis entrait dans la plaine de la vallée du Métaure, se dirigeant vers les Apennins en suivant un parcours naturel qui en a assuré la pérennité au cours des siècles. L'étranglement des gorges du Furlo est franchi par un tunnel réalisé en 76 ap. J.-C. sous l'empereur Vespasien. Ce tunnel deviendra l'un des lieux emblématiques de ce parcours, tant pour son rôle stratégique pendant la guerre entre Goths et Byzantins que pour l'aide reçue par les pèlerins auprès du vieux *monasterium Sancti Vincentii de Petrapertusa*, adossé au tunnel, où ils trouvaient hébergement et protection. Par le col de Scheggia (632 m), qui ne présentait aucune difficulté particulière, la route entrait en Ombrie, passant par Sigillo, Gualdo Tadino, Nocera et Foligno où elle croisait la route d'Assise et celle de Lorette. On trouve dans cette région de l'Ombrie de nombreuses traces témoignant des pèlerinages pour Compostelle, Rome ou Lorette. On y vénérait les corps saints de nombreux pèlerins – celui du bienheureux Ange de Gualdo, du bienheureux pèlerin hongrois Antoine de Foligno, du bienheureux Henri, roi du Danemark, à Pérouse, de saint Pérégrin à San Pellegrino... ; on y a fondé de nombreuses communautés consacrées explicitement à l'accueil des pèlerins, dont trois (à Pérouse, Assise et Spello) étaient formées exclusivement d'anciens jacquaires. Dans les églises, une abondante iconographie rappelle la culture et à la spiritualité pèlerines, et plus particulièrement le pèlerinage compostellan représenté sur de grands vitraux et par des cycles picturaux.

123. Lucques. Façade de l'église Saint-Michel.

Foligno a pris une importance particulière, car de là on pouvait rejoindre en une seule journée de marche la Portioncule de Sainte-Marie-des-Anges, qui permettait de gagner de nombreuses indulgences, et la basilique d'Assise où les fresques de Giotto illustraient la vie du saint. Dans l'autre sens, en suivant la via Pletina, on pouvait de Foligno, en passant par Colfiorito, rejoindre facilement la Santa Casa de Lorette. A Foligno se réunissaient notamment les pèlerins des Marches, des Abruzzes et d'Ombrie pour entreprendre le voyage vers Saint-Jacques, en remontant la Flaminia ou en traversant l'Ombrie en direction de la Toscane par le chemin indiqué par Matthew Paris et les *Annales stadenses*. La ville était remplie d'hospices pour les pèlerins, indice certain de leur passage.

Les roumieux qui la descendaient en direction de Rome et les jacquaires qui la remontaient vers Compostelle pouvaient se rencontrer à San Giacomo, peu avant Spolète, où ils trouvaient l'une des représentations les plus célèbres du miracle du pendu dépendu, sans parler du bon hospice pour les accueillir. Le miracle, diffusé en Italie principalement le long des routes de pèlerinage, constitue, ici comme dans les autres lieux où il est représenté, l'un des indices les plus fiables pour reconstituer un itinéraire, puisqu'il est la marque d'un culte particulièrement fort, caractéristique du pèlerinage. A cet endroit, les pèlerins pouvaient, en suivant le torrent Spina, faire la jonction avec Lorette. La route se poursuit par Spolète, Terni, Narni, Otricoli, Civita Castellana jusqu'à Rome, où elle entre par le pont Milvius et la place Flaminius. De la place du Peuple, désormais le cœur de la cité, Sixte V ouvrira une voie de plus de trois kilomètres qui traverse Rome jusqu'à Sainte-Croix-de-Jérusalem et dont le point central est l'église Sainte-Marie-Majeure. En réalité, il s'agit d'un prolongement de la via Flaminia qui entre dans Rome et devient elle-même partie intégrante de la ville. Le plan d'urbanisme prévu, et en partie réalisé, par le pontife repose en fait sur un système d'axes rectilignes reliant les basiliques et convergeant vers Saint-Pierre.

Sur la place du Peuple, les pèlerins étaient accueillis, à partir de la seconde moitié du XVIᵉ siècle, par les membres de la confrérie de la Très Sainte-Trinité des Pèlerins qui, avec leurs « sacs » rouges, étaient facilement reconnaissables. Au cours de l'Année sainte de 1575, la confrérie aurait accueilli et aidé au moins 172 000 pèlerins.

124. Assise, oratoire des pèlerins. Fresque représentant saint Antoine, qui partage avec saint Jacques le patronage de la chapelle.

La Flaminia a vu son prestige s'accroître avec l'institution du jubilé et des années saintes romaines. Si en 1300 la *via francigena* et surtout sa principale variante, la *strada regia romana,* qui permettait de canaliser un flot imposant entre Bologne et Sienne via Florence, conduisaient toujours à Rome la grande masse des pèlerins, telle que la décrit Villani et que Sercambi la fait apparaître dans ses chroniques, les siècles suivants verront un nombre toujours plus important de pèlerins choisir la Flaminia, attirés sans doute par le culte de Marie et de saint François qu'elle offrait.

Avec les jubilés, c'est la forme même du pèlerinage qui change : face aux *viatores* isolés ou voyageant en petits groupes, la tendance s'affirme des déplacements en très grand nombre ; ce sont ainsi des confréries, des paroisses et des communautés civiles ou religieuses entières qui se déplacent. Un véritable fleuve humain se déverse sur Rome dès 1300. Comme le précise le *Chronicon parmense* cette année-là, les routes étaient noires de monde de jour comme de nuit ; on aurait dit, réellement, une armée en marche.

Le pèlerinage connaîtra d'autres évolutions, comme celle de chercher à voir le plus de lieux saints possible. Nombre de pèlerins, à la grande époque des pèlerinages, essaient de combiner en un seul voyage Rome, Compostelle et Jérusalem. D'autres empruntent un itinéraire différent à l'aller et au retour pour tenter d'inclure un maximum de lieux de culte, principalement ceux consacrés à la Vierge. Cette multiplication des parcours va créer des connexions nouvelles, facilitées par l'amélioration des chaussées.

A la différence des routes de pèlerinage médiévales, qui menaient directement au but par le chemin le plus rapide et sans doute, le plus souvent, par le seul possible, à partir du jubilé le réseau routier connaît une expansion considérable avec de nombreuses variantes.

Le système présenté dans les *Annales stadenses* demeure toutefois essentiel, avec indication des vallées alpines et apennines, qu'on retrouve d'ailleurs sur les cartes d'itinéraires du XVIᵉ siècle qui les mentionnent clairement.

Il ne faut pas oublier la liaison avec le monde slave, le long de la côte adriatique, par cette voie appelée encore aujourd'hui *via romea* et qui se fondait dans la via Emilia et donc dans la Flaminia, véritable collecteur dirigeant sur Rome toutes les routes prove-

125. Gravure du XVIIIᵉ siècle avec la basilique de Lorette et, au premier plan, un long cortège de pèlerins.

nant de l'Europe orientale et septentrionale, à l'instar de la *via francigena* qui faisait le lien avec le monde franco-germanique et avec les régions du nord-ouest de l'Europe. N'oublions pas non plus la voie de communication avec les ports des Pouilles pour les pèlerins se rendant en Terre sainte : la via Appia-Trajane qui, comme la via Flaminia, avait plutôt bien résisté au temps et constituait l'axe routier le plus usité pour rejoindre les Pouilles et notamment le sanctuaire de Monte Sant'Angelo qui attirait un grand nombre de pèlerins.

Sédimentations sur le territoire

Nous avons reconstitué jusqu'ici les routes de pèlerinage pour Rome à travers les récits de voyage et à partir d'informations historiques ou documentaires présentes sur les lieux. Mais s'agissant des routes de pèlerinage, il convient de prendre en compte au moins deux autres critères qui, comme nous l'avons dit plus haut, permettent de les reconnaître comme telles, à savoir la présence des ordres hospitaliers et la trace identifiable, directement ou indirectement, de ces pèlerins dans les traditions religieuses et les cultes des pays traversés.

Et de fait, sur toutes les routes indiquées, on trouve de nombreuses structures hospitalières de type *in loco*, gérées par les villes, les confréries, corporations, institutions religieuses, ou bien encore celles des ordres hospitaliers généralement situées le long des grandes voies de communication et notamment près des principaux carrefours. Nous avons vu qu'à l'origine, la politique des Lombards comme des Francs consistait à fonder leurs propres abbayes, auxquelles étaient rattachés les établissements déjà existants, puis ceux qui seront fondés par la suite. C'est le premier système d'hébergement organisé pour le passage des pèlerins. On connaît ainsi le cas de l'abbaye de Novalesa, fondée par des nobles et qui, entrée dans l'orbite des Carolingiens, a vu son influence s'étendre jusqu'à inclure, au début du XIIIe siècle, l'hospice fondé sur le col du Mont-Cenis par l'empereur Louis le Pieux ; ces vastes propriétés atteindront même la vallée de la Dora et la vallée de l'Arc, toutes régions constamment parcourues par les pèlerins.

Ce système d'accueil ne forme pas un réseau unitaire, il tend à s'additionner, à s'intégrer et même souvent à créer des conflits entres les personnes qui s'en occupent pour des questions de compétences ou de pouvoir local. Sur le Mont-Cenis, outre l'abbaye de Novalesa, on trouve aussi celle de San Giusto fondée en 1029 par Olderico Manfredi, marquis de Turin, et, surtout, l'ordre de Saint-Antoine-en-Viennois, un ordre purement hospitalier présent, non seulement sur les deux versants des Alpes, mais aussi le long de la *via francigena* et du *Camino de Santiago*. Le complexe de Saint-Antoine de Ranverso constitue l'un des jalons de la route pour Rome, avec une imposante hôtellerie pour accueillir les pèlerins qui, par la vallée de Suse, se préparaient à franchir les Alpes aux cols du Mont-Cenis et du Mont-Genèvre, suivant un parcours balisé, des deux côtés des Alpes, par des maisons, des propriétés et des hospices appartenant aux Antonins, facilement identifiables par la lettre *tau* qui les désignait.

Cependant, parmi les ordres hospitaliers, celui dont la présence est la plus marquée sur les routes de pèlerinage, et pas seulement en Italie, c'est sans aucun doute l'ordre des Hospitaliers de Saint-Jean-de-Jérusalem, dit ensuite de Rhodes et aujourd'hui de Malte. Leurs hospices, en propre ou acquis au fur et à mesure de la disparition des autres ordres – les chevaliers du Temple, les Antonins ou l'ordre de Saint-Lazare –, sont présents sur tous les trajets recensés et notamment, à la fin du Moyen Age, sur la *via francigena* et l'Emilia-Flaminia. L'ordre du Temple aussi affiche une présence constante aux carrefours des routes italiennes de la dévotion, même si son orientation plutôt militaire lui fait préférer une structure de commende et d'auberge à la forme d'hospice proprement dit pour accueillir les pèlerins. On trouve aussi l'ordre du Saint-

126. Monte Sant'Angelo. Restes de l'édifice de l'époque lombarde. La *via francigena*, route des roumieux, paumiers et jacquaires, était aussi empruntée par les pèlerins qui se rendaient au fameux sanctuaire de saint Michel sur le mont Gargan.

127. Flèche de Saint-Antoine de Ranverso. La lettre *tau* de l'ordre hospitalier des Antonins indiquait le chemin vers les vallées alpines et les lieux d'accueil.

Sépulcre, mais avec un rôle plus occasionnel, son centre d'intérêt majeur étant la Terre sainte.

L'ordre de Saint-Jacques-du-Haut-Pas, né sur et pour la *via francigena*, entre Fucecchio et Lucques, mérite une mention à part. La route, sur ce tronçon, devenait dangereuse en raison des marais et des bois difficilement franchissables. L'Arno « blanc » et « noir », selon les termes déjà utilisés par Sigéric pour désigner le cours principal du fleuve et ses bras, toujours dépendants de lui mais aux eaux stagnantes, représentaient le principal obstacle dans cette région. Une douzaine de nobles de Lucques se seraient regroupés, selon la tradition, pour porter assistance aux pèlerins dans un hôpital déjà en fonction vers le milieu du XIe siècle. Au cours du siècle suivant, l'hôpital se trouve à la tête d'un patrimoine foncier considérable, confirmé et certifié par les bulles d'Anastase (1154), d'Alexandre (1169) et d'Innocent (1198), prélude à la transformation en un véritable ordre hospitalier. Et en effet, en 1239, le pape Grégoire IX lui octroie la règle de l'ordre de Saint-Jean-de-Jérusalem, considérée comme la plus appropriée pour la mise en œuvre de l'assistance et de l'hébergement des pèlerins. La concession de la règle hiérosolymitaine, prise en compte de façon très précise par le Grand Maître Gallico, représente véritablement un saut qualitatif qui détache l'institution de son diocèse pour l'ouvrir vers l'extérieur. C'est l'ère de Gallico, qui dirigera l'institution pendant vingt-deux ans. C'est à sa volonté et à ses capacités que l'on doit l'agrandissement de l'hôpital et de ses fortifications, l'octroi de la règle de Grégoire IX et le diplôme de Frédéric II qui, en 1244, confirme toutes les propriétés que possède alors l'ordre dans maintes régions d'Italie et dans le reste de l'Europe. Cette tendance se continuera au siècle suivant, comme l'atteste un document de 1360 par lequel le Grand Maître Jacopo Chelli nomme Benedetto di Ser, Piero di Lucca et Giacomo Micheli di Pescia « *comendatores, preceptores, administratores, rectores et gubernatores* » des églises, maisons et hôpitaux que possède l'ordre, les chargeant notamment de s'occuper de l'« *ecclesiam hospitale et domos S. Jacobi de Ponte Pinsionis, diocesis Dartusen ac domum et hospitale Asturga, seu in civitatem Discoricem ac etiam domos quas dictum hospitale de Altopassu habet in Pamplona cum omnibus suis iuribus [...]* ». L'ordre de Saint-Jacques-du-Haut-Pas, dit aussi du Tau en raison de la forme de la croix blanche qui le symbolise, étend donc ses activités sur le *Camino de Santiago*,

128. Altopascio. L'ensemble hospitalier de l'ordre de Saint-Jacques-du-Haut-Pas.

comme il le fera en France et enfin en Angleterre, confirmant ainsi sa vocation hospitalière.

Pour conclure, nous pouvons remarquer sur tous les parcours indiqués la présence de cultes et de dévotions liés à la spiritualité du pèlerinage, indice irréfutable du passage des pèlerins et du caractère particulier de ces routes. Tout d'abord saint Jacques, non seulement protecteur de ceux qui se rendaient sur son tombeau en Galice, mais également protecteur de quiconque emprunte une *via peregrinalis*. Des vallées alpines, où l'on trouve de nombreuses chapelles qui lui sont dédiées, jusqu'à Rome, son iconographie reconnaissable entre toutes, avec le bourdon et la coquille, indique clairement le chemin. A ses côtés apparaissent fréquemment, sur la *via francigena* et les autres voies romaines, les saints protecteurs de ceux qui voyagent : saint Christophe près de la traversée des fleuves ; saint Gilles en souvenir de son sanctuaire en Provence, sis à un carrefour important des routes de pèlerinage (les protecteurs de l'hôpital d'Altopascio sont justement Jacques, Christophe et Gilles) ; saint Nicolas de Bari, patron des marchands mais également des voyageurs ; saint Michel qui, sur la *via francigena* (à Pavie, Lucques, Sutri...), indique la route à qui se rend à son sanctuaire sur le mont Gargan ; saint Martin et saint Léonard dont les corps reposent sur les chemins très fréquentés de Saint-Jacques. Et bien sûr saint Pierre et Véronique, que nous retrouvons souvent sur la route de Rome pour rappeler aux pèlerins le but de leur voyage et ce qu'ils y trouveront.

Tout cela, les corps saints, les dévotions locales, les traditions religieuses souvent créées par d'anonymes « saint Pérégrin », avec les signes et les symboles du chemin, accompagnent le roumieu vers la Ville éternelle, formant un viatique peut-être plus sûr que les incertaines routes médiévales et forgeant plus que tout autre chose l'espace et le caractère sacrés des routes de pèlerinage vers Rome, à partir de cette *via francigena* qui a longtemps constitué l'axe du parcours de dévotion en Italie.

Traduit de l'italien par Hélène Ladjadj

129. *Tau* de l'ordre de Saint-Jacques-du-Haut-Pas, gravé à la base de la tour d'Altopascio.

Les chemins européens du pèlerinage vers Compostelle

par Juan Ignacio Ruiz de la Peña
Professeur d'histoire médiévale à l'Université d'Oviedo

L'internationalisation du chemin sous patronage royal et épiscopal

Très tôt déjà, nous avons connaissance de pèlerins se rendant à Saint-Jacques-de-Compostelle en provenance des confins de la péninsule Ibérique et même d'outre-Pyrénées, tels Godescalc, évêque du Puy, en 950, l'abbé Césaire de Montserrat en 956, Raymond II, comte de Rouergue, et l'évêque Hugues de Vermandois en 961, ou encore l'ermite arménien Siméon de Padolirone en 983 ou 984. Il s'agit toutefois de mentions sporadiques. En fait, il faudra attendre les dernières décennies du XIe siècle pour que se manifeste pleinement l'attraction qu'exerce le *Locus Sancti Jacobi*, capable de susciter un véritable mouvement de masse de gens qui quittent les divers pays d'Europe, et même des contrées plus reculées, pour venir visiter la ville de l'apôtre.

C'est au tournant des XIe et XIIe siècles que se situe l'étape initiale de l'internationalisation du pèlerinage compostellan, la grande diffusion européenne du culte de saint Jacques qui est étroitement liée au patronage et au programme politique de repeuplement de deux monarques hispaniques contemporains : Alphonse VI de Castille et de León (1072-1109) et Sanche Ramírez de Navarre et d'Aragon (1063-1094), tous deux mariés à des princesses étrangères. Les deux rois sont ouvertement européanistes et pleinement conscients des répercussions favorables que pourrait avoir, sur le développement général de leurs royaumes respectifs, l'accroissement des relations avec l'Europe par l'intermédiaire de la route vers Compostelle.

De son côté l'évêque Diego Gelmírez, défenseur zélé de la gloire du siège compostellan, déploiera une politique propagandiste habile et extrêmement bien orchestrée. Associées aux donations et privilèges généreusement dispensés par l'action royale au *Locus Sancti Jacobi* et à son titulaire, les manœuvres de Gelmírez donneront une impulsion décisive à l'internationalisation du pèlerinage compostellan.

Notre propos n'est pas de minimiser le rôle de la politique de repeuplement urbain du *Camino* et de protection du pèlerinage mise en œuvre par Alphonse et Sanche Ramírez, et poursuivie par leurs successeurs, ni l'influence indéniable qu'elle a exercée sur l'essor et la canalisation du flux migratoire qui d'outre-Pyrénées se répand sur le chemin de Saint-Jacques. Il convient toutefois de souligner, comme déjà M. Defourneaux et J.M. Lacarra l'ont fait en leur temps, que ce même flux reflète, à l'instar d'autres mouvements similaires qui se produisent simultanément dans diverses directions de l'espace européen, l'effervescence d'une société qui voit sa population augmenter de plus en plus depuis le XIe siècle. Pour cette société européenne en pleine expansion, la mobilité géographique, quelles que soient les motivations de tout genre qui en sont à l'origine, apparaît en dernier ressort comme la promesse, l'espoir d'une élévation de sa condition

130. Oviedo, chapelle Saint-Michel. Les apôtres, deux par deux sur les piliers soutenant la voûte, accueillent les pèlerins qui viennent voir les nombreuses reliques de la *Cámara santa*. Parmi eux, saint Jean et saint Jacques, reconnaissables aux insignes de pèlerin.

au *Guide*, comme le laissent penser des coïncidences frappantes entre certains passages des deux textes.

Toutefois, l'existence de cette voie et sa perception en tant que « véritable épine dorsale des royaumes chrétiens, lien avec l'extérieur, voie à la fois commerciale et militaire » (J.M. Lacarra) sont bien antérieures. Et il en va de même du nom qu'on lui attribue et qui la caractérise comme la route que suivaient pèlerins, immigrés et marchands qui se rendaient à Saint-Jacques.

Déjà en 1076, à l'occasion de la donation de Santa María de Nájera à l'ordre de Cluny faite par Alphonse VI, on nous dit que le monastère est situé « *latus de illa via que discurrit pro ad Sancto Iacobo* » ; on rencontre cette même année l'appellation *strata de francos*, qui renvoie très clairement à sa fonction de principale voie de communication entre les contrées transpyrénéennes et la Castille. Quelques années plus tard, en 1106, l'hospice de Foncebadón est localisé « *in strata Sancti Jacobi* », dans les cols arides qui ouvrent sur les terres du Bierzo. A la même époque, et dans les années qui suivent, les mentions se multiplient *(strata francorum, via francigena, iter Sancti Jacobi...)* qui font référence à ce *Camino francés* ou chemin des Français, dont les étapes, depuis les points de passage des ports pyrénéens jusqu'au *Locus Sancti Jacobi*, sont minutieusement énumérées dans le *Guide* du *Codex Calixtinus*.

Si l'on peut reconstituer avec précision le parcours du chemin de Saint-Jacques en terres d'Espagne dans cette période initiale de l'internationalisation des pèlerinages compostellans, et ce grâce aux informations détaillées fournies par le *Guide*, on rencontre en revanche beaucoup plus de difficultés lorsque l'on tente de dessiner le tracé des chemins européens au-delà des Pyrénées. Le *Guide* permet encore de déterminer l'itinéraire et les points de passage des principales voies empruntées par les pèlerins en France, jusqu'à leur réunion sur le versant nord des Pyrénées en deux routes qui à Puente la Reina, déjà à l'intérieur de la Navarre hispanique, fusionnent dans une seule et même voie, le *Camino de Santiago*. Au-delà des confins de la France limitrophe, la reconstitution des itinéraires, que ce soit en Europe septentrionale, centrale ou méridionale, pose des problèmes qui vont en augmentant avec la distance, la multiplication des chemins et de leurs variantes. Les chemins européens de pèlerinage forment alors un réseau routier dense et complexe, sur lequel viennent se surimposer les informations, parfois contradictoires et manquant de précision, des itinéraires et des récits de voyage qui sont de plus en plus nombreux à voir le jour au bas Moyen Age.

135. Le pont sur la rivière Pisuerga marquait le passage du *Camino de Santiago* entre le royaume de Castille et celui de León.

Indices toponymiques, vocables pieux, confréries, lieux et établissements hospitaliers rattachés au culte de saint Jacques peuvent aider à dessiner un tracé de ces routes européennes, mais qui n'offrira jamais la netteté de l'image des chemins accueillant la marche des pèlerins en France et dans les royaumes hispaniques.

Enfin, en marge des chemins du *Guide* du *Codex Calixtinus*, se profilent bien sûr les itinéraires maritimes, qui ont joué un rôle essentiel pour les pèlerins en provenance des îles Britanniques et des pays nordiques dès le XIIe siècle ; mais aussi d'autres voies terrestres et des variantes du chemin de Saint-Jacques en Espagne même. C'est le cas de la route du nord ou côtière, qui courait le long du littoral cantabrique, des chemins empruntés par les pèlerins qui venaient du Portugal, du sud de la Castille ou de la Catalogne. Et, surtout, de l'importante bretelle qui apparaît très vite et qui, déviant du *Camino francés*, menait de León, en passant par le col de Pajares, au Saint-Sauveur d'Oviedo, sanctuaire que de nombreux jacquaires, espagnols et étrangers, visitaient depuis la fin du XIe siècle.

Les quatre routes de France

Le *Guide* énumère les quatre routes qui, de France, menaient les pèlerins jusqu'à Compostelle. La première, la plus méridionale, commençait à Arles ; c'est la *via tolosana*, connue aussi sous la dénomination de chemin de Saint-Gilles, route provençale ou languedocienne. Peut-être s'agit-il du plus ancien et du plus important des chemins de Saint-Jacques outre-Pyrénées, car c'est lui qui assurait la communication entre les deux grands sanctuaires de la Chrétienté occidentale qui abritaient les tombeaux des apôtres : Rome et Compostelle. Un lien qui s'est d'ailleurs forgé très tôt dans des sources du XIe siècle qui font référence au « *camino Sancti Petri qui vadit ad Sanctum Iacobum* ».

C'est cette route méridionale que suivaient dans leur grande majorité les pèlerins en provenance d'Italie, de Grèce et d'autres pays du sud et de l'est de l'Europe pour se rendre à Saint-Jacques, ainsi que les Espagnols qui allaient en pèlerinage à Rome et Jérusalem.

Le *Guide* nous donne les principales étapes du parcours, en indiquant les lieux que

136. Détail du retable en bois et albâtre polychrome (Nottingham, avant 1456), offert par le pèlerin John Goodyear. Compostelle, musée de la cathédrale.

137. Tronçon de l'ancien chemin de Saint-Jacques dans les Asturies.

les pèlerins se devaient de visiter : Saint-Gilles, Montpellier, puis de là continuer jusqu'à Toulouse par le chemin côtier, en passant par Béziers, Narbonne et Carcassonne, ou bien par la route intérieure qui traversait Saint-Pons-de-Thomières et Castres. On recommande à ceux qui choisissent le second itinéraire de visiter le tombeau de saint Guillaume, et à ceux qui passent par le premier, d'aller voir le très beau sépulcre des saints martyrs Tibère, Modeste et Florence, sur les rives de l'Hérault.

A Toulouse, le pèlerin devait impérativement aller se recueillir en l'église Saint-Sernin ; puis la *via tolosana* se poursuivait par ce qu'on appellera le *camin romiou*, traversant Auch pour arriver aux vallées qui s'ouvrent sur le versant nord des Pyrénées et entamer à Oloron la montée au col du Somport *(Summus Portus)*. Au sommet se dressait l'un des trois grands hospices que l'auteur du *Guide* qualifie de « lieux sacrés, maisons de Dieu pour le réconfort des saints pèlerins ». Ces derniers s'enfonçaient alors en terres aragonaises et arrivaient à Jaca, capitale du royaume fondée par Sanche Ramírez. Après avoir traversé le bourg de Sangüesa, ils retrouvaient à Puente la Reina, déjà en Navarre, les pèlerins arrivant par le chemin qui coupait la ligne de partage pyrénéenne au col de Roncevaux et d'Ibañeta.

138. Toulouse, église Saint-Sernin (fin XIᵉ-milieu XIVᵉ siècle). Importante étape sur le chemin de Saint-Jacques.

Arles, nous l'avons dit, était aussi le point de convergence des principaux itinéraires de pèlerinage venant d'Italie et des pays du sud-est de l'Europe. Avant de se réunir avec la plus méridionale des voies françaises, le chemin italien vers Compostelle – que P.G. Caucci von Saucken a reconstitué à partir des informations fournies par de précieux itinéraires et récits de voyage tardifs (postérieurs au XIVᵉ siècle pour l'essentiel) – traversait les Alpes par les cols du Mont-Cenis et du Mont-Genèvre. On l'appelait *via francigena*, car c'était, au Moyen Age, le principal axe de communication entre la France et l'Italie, et la route classique de pèlerinage entre les villes apostoliques de Rome et de Compostelle, ce qui lui vaudra aussi le nom de *via romana*.

Cette route se superposait en partie à d'anciennes voies romaines – tronçons de la via Cassia, Aurelia et Emilia, principalement – et adoptait une disposition axiale suivant la configuration de la péninsule italienne. Vers le nord, en partant de Rome, les principales étapes étaient Sutri, Viterbe, Radicofani, Sienne, Altopascio, Lucques, Fidenza, Plaisance, Alexandrie, Turin ; la *via francigena* franchissait ensuite les Alpes au col du Mont-Genèvre, puis s'enfonçait dans les terres de Provence et rejoignait, comme nous l'avons dit, la *via tolosana* en Arles.

Il va sans dire que, de même qu'en France, Allemagne et Espagne, des déviations et des variantes de la route principale s'offraient aux jacquaires. Ainsi ils pouvaient longer la côte ligure ou, après avoir traversé les Alpes, remonter jusqu'à Lyon pour retrouver la *via tedesca* empruntée par nombre de pèlerins venant du sud de l'Allemagne. C'est ce dernier itinéraire que décrit Bartolomeo Fontana lors de son voyage à Compostelle en 1538, en précisant qu'il choisit « il vero camino dritto di S. Giacopo usitato anticamente ».

139. Pistoia. Frise ornée des symboles de la ville et du *tau* de l'ordre hospitalier des Antonins, auquel appartenait le bâtiment.

Le tracé axial du chemin principal ou *via romana* permettait en tout cas aux nombreuses routes qui sillonnaient la péninsule italienne ou qui venaient de l'est de faire la jonction avec la première. Et c'est par celle-ci que sont passés, comme l'affirme Caucci von Saucken, la plupart des pèlerins italiens se rendant à Compostelle.

C'est également à la *via tolosana* qu'aboutissait l'un des chemins de prédilection des pèlerins en provenance d'Europe centrale, qui suivaient les recommandations consignées dans l'itinéraire rédigé par Hermann Künig von Vach, probablement en 1495. Ce moine servite commence le récit de son pèlerinage à Einsiedeln, il se rend ensuite à Lucerne, Berne, Lausanne et Genève. De l'autre côté des Alpes, en terres françaises, sa route descend par les vallées du Rhône et de l'Isère jusqu'à rencontrer la *via tolosana* déjà décrite dans le *Guide* compostellan. L'itinéraire tracé par Künig correspond à l'un des chemins de pèlerinage européens les plus fréquentés par les Allemands : la *Ober strasse* ou « haute route », par opposition à la *Nieder strasse* ou « basse route » que Künig choisira d'ailleurs à son retour de Compostelle. Il passe alors par Bayonne, Bordeaux, Poitiers,

67. Le Christ en majesté au tympan du portail de Vézelay.
C'est sur cette colline que se rassemblaient les pèlerins de
Compostelle, en provenance d'outre-Rhin, du nord de la
France et de Bourgogne.

68. Le cloître et la tour-clocher de Saint-Trophime d'Arles,
ville d'étape en terre provençale pour les pèlerins
qui venaient d'Italie.

69. Les pèlerins en chemin sur la *via podensis*
s'arrêtaient à l'abbaye de Conques pour y vénérer
la statue de sainte Foy.

70. L'église du Saint-Sépulcre d'Estella (Espagne), ville
où les fidèles venaient adorer une statue de la Vierge du Puy.
Ici, la Dernière Cène, la Crucifixion et la Résurrection du
Christ, représentées au-dessus du portail.

71. Puente la Reina, où les routes de pèlerinage traversant
les Pyrénées fusionnent en une voie unique
avant de franchir la rivière Arga.

72. D'après la tradition, c'est à Santo Domingo
de la Calzada que s'est produit
le miracle du pendu dépendu.

73. Non loin de Burgos, au monastère San Juan de Ortega,
on vénère un disciple de Dominique de la Calzada.
Jean d'Ortéga s'est consacré à l'accueil des pèlerins.

74-75. Burgos, *caput castellae*. Point de jonction des chemins conduisant aux ports du Nord et en France, elle occupait la première place parmi toutes les villes de Castille. En témoigne sa splendide architecture gothique. Elle abritait aussi trente hospices pour l'accueil des jacquaires.

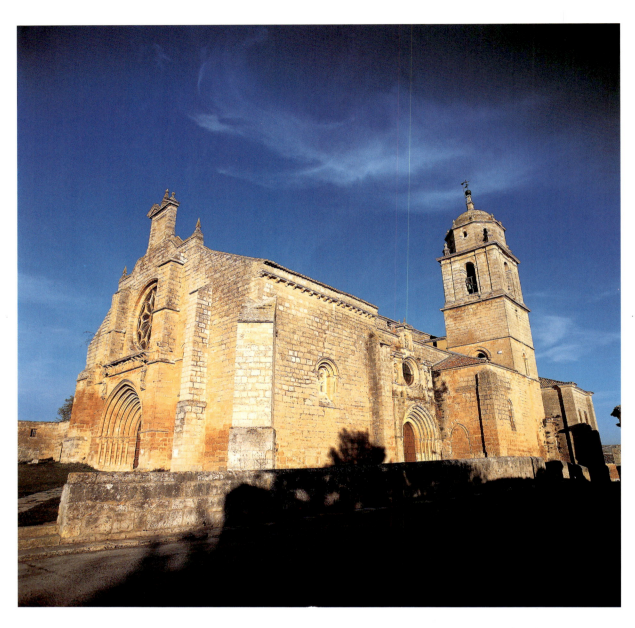

76. Castrojeriz, collégiale Nuestra Señora
del Manzano.

77. Itero del Castillo, l'hospice San Nicolás de Puente Fitero.
Édifié près du point de passage d'un cours d'eau, il compte
parmi les nombreux lieux d'hébergement qui attendent
les pèlerins tout au long du chemin.

78. L'église du monastère San Martín de Frómista.
La localité comptait quatre hospices pour les pèlerins.

79. León, basilique Saint-Isidore, panthéon des rois du Léon et
des Asturies. León était celle qui comptait le plus grand
nombre d'églises et de monastères de toutes les villes situées
le long du *Camino*.

80. Le château des Templiers de Ponferrada,
capitale du Bierzo.

81. Au Cebrero, près de Lugo, on commémorait le miracle
eucharistique qui s'était produit au XIIIe siècle.

82. Des pèlerins franchissent un pont
au terme du *Camino*.

140. Kalkar, Nicolaikirche. Statue en bois représentant saint Jacques en trône avec ses dévots.

141. Page de garde de l'édition de Leipzig du journal de voyage et guide de pèlerinage de Künig von Vach (*Walfart und Strass zu Sankt Jacob*, 1521).

Tours, Orléans et Paris, c'est-à-dire par la *via turonensis* du *Guide*, puis continue par Arras, Valenciennes, les Pays-Bas et, en passant par Bruxelles, arrive enfin à Aix-la-Chapelle où s'achève son périple.

L'itinéraire qui prend sa source à Notre-Dame du Puy est le deuxième chemin de Saint-Jacques décrit par le *Guide* : la *via podensis*.

Les principales étapes qu'égrenaient sa route étaient Sainte-Foy de Conques, avec sa belle basilique dans laquelle est enseveli le corps de cette vierge et martyre et où « beaucoup de grâces sont accordées aux gens bien portants et aux malades » ; Cahors, à proximité du sanctuaire de Rocamadour qui était promis à un bel avenir : les pèlerins français répandront son nom jusqu'aux points les plus reculés du chemin de Saint-Jacques, comme dans la ville d'Oviedo où au début du XIIIᵉ siècle existait un hospice placé sous ce vocable. Moissac était une autre étape importante, puis, une fois sur l'autre rive de la Garonne, la *via podensis* pénétrait dans le Béarn et arrivait enfin à Ostabat, où elle se réunissait avec les deux autres grandes routes : la *via lemovicensis* et la *via turonensis*.

A l'autre extrémité, la *via podensis* continuait vers l'Allemagne, se divisant en plusieurs routes empruntées par les pèlerins d'Europe centrale. On trouve d'ailleurs une référence très précise à ce sujet dans le *Guide* : « [...] les Bourguignons et les Teutons qui vont à Saint-Jacques par la route du Puy [...]. » Nous savons cependant que les jacquaires de ces régions disposaient d'un choix d'itinéraires, dans le complexe réseau routier des pèlerinages européens, dont les tracés offrent des variantes d'autant plus nombreuses que l'on s'éloigne du point de départ de chacun des quatre grands chemins décrits dans le *Codex Calixtinus*.

La *via lemovicensis*, qui tire son nom de Limoges, l'une de ses principales étapes, partait en fait de Vézelay où le *Guide* recommande aux pèlerins, et avec une insistance particulière, d'aller vénérer les reliques de sainte Marie-Madeleine. Cette route, qui passait par le centre de la France, traversait entre autres Bourges, Saint-Léonard-de-Noblat – l'auteur du *Guide* consacre un long passage à la gloire de ce saint –, puis la ville de Périgueux où les pèlerins allaient vénérer le corps de saint Front. Franchissant la Garonne, le chemin poursuivait jusqu'à Mont-de-Marsan, puis Orthez et Ostabat, point de jonction, nous l'avons vu plus haut, avec la *via podensis* et la *via turonensis*.

Cette dernière route, la plus occidentale de France, très fréquentée et bien connue par les récits des nombreux pèlerins et voyageurs, partait quant à elle de Paris, important centre de communication où convergeaient d'autres routes de pèlerinage venant des Pays-Bas et de l'Europe centrale et septentrionale. Parmi les lieux que doivent visiter « ceux qui vont à Saint-Jacques par la route de Tours », le *Guide* cite en particulier l'église Sainte-Croix à Orléans et, sur les bords de la Loire, « le vénérable corps de saint Martin » auprès de la ville de Tours. Le parcours se poursuivait par Saint-Jean-d'Angély, Saint-Eutrope de Saintes, pour atteindre la mer à Blaye, au bout du profond estuaire de la Gironde, là où la Garonne vient jeter ses eaux dans l'Atlantique. Puis venait la ville de Bordeaux dont le port, avec celui tout proche de La Rochelle, a activement contribué au développement des pèlerinages maritimes à Saint-Jacques tout au long du Moyen Age. A Bordeaux se trouvait l'église Saint-Seurin, où était conservé l'olifant de Roland, qui attirait la curiosité des pèlerins. Il fallait ensuite à ces derniers trois pénibles jours de marche pour traverser les Landes bordelaises, ce pays malsain et désolé « où l'on manque de tout », et arriver à Lespéron. De là, une déviation allait sur Bayonne, mais le *Guide* donne l'itinéraire qui passait par Dax. La *via turonensis* atteignait enfin le point de jonction d'Ostabat, pour ne former qu'une seule et même route avec les deux autres grands chemins se dirigeant vers Roncevaux.

Nous avons décrit les quatre itinéraires classiques du pèlerinage compostellan sur le sol français. Est-il encore besoin de préciser que ce n'étaient pas les seuls ? De nombreuses variantes s'offraient aux pèlerins et d'autres routes sont apparues au cours du temps, dans cet espace français dont le réseau des routes de pèlerinage, bien connu en particulier grâce aux études de M. René de la Coste-Messelière, fait de ce grand pays, comme le souligne à juste titre cet auteur, un véritable carrefour de l'Europe, en même temps que ses propres habitants fournissaient un grand nombre de pèlerins.

Le Camino francés

La route, désormais unique depuis Ostabat, entamait à Saint-Jean-Pied-de-Port la laborieuse ascension qui lui permettait de franchir les cols des Pyrénées pour déboucher enfin, sur le versant sud, dans Roncevaux, lieu chargé de mémoire où se dressait une abbaye et un grand hôpital, sous la direction des religieux. De Roncevaux le chemin pénétrait en pays navarrais, traversait Pampelune et venait se réunir à Puente la Reina avec la *via tolosana*, qui elle franchissait les Pyrénées au Somport.

A partir de Puente la Reina, les chemins européens du pèlerinage à Compostelle ne font plus qu'un, c'est la *strata Sancti Jacobi*, le *Camino francés*, le chemin de Saint-Jacques espagnol que le *Guide* décrit avec un grand luxe de détails : étapes, distances, caractéristiques des lieux traversés et de leurs habitants, sanctuaires, hospices... On dispose par ailleurs d'informations très riches, tant par la quantité que par la qualité, fournies par d'autres sources relevant des genres littéraires les plus variés : itinéraires, récits de pèlerinage, textes narratifs divers, documents locaux, etc.

Avant de sortir de Navarre, Estella était une autre grande ville d'étape. Puis le chemin entrait dans le royaume de Castille, franchissant l'Èbre à Logroño, premier centre

142. Jacob Matham (1571-1631), *Saint Jacques pèlerin*, gravure.

143. Le grand monastère Sainte-Marie de Roncevaux, refuge pour les pèlerins traversant les Pyrénées.

210

urbain de ce royaume. Les étapes sont de plus en plus rapprochées dans les longues descriptions des sources sur le pèlerinage : villes et bourgades d'accueil se succèdent le long du *Camino francés*. Le développement urbain de toutes ces agglomérations est étroitement lié à la croissance démographique et à l'activité commerciale qui vont de pair avec l'essor du pèlerinage compostellan : Nájera, Santo Domingo de la Calzada, Belorado, la grande ville de Burgos, capitale de la Castille, Castrojeriz, Carrión de los Condes, le vieux bourg abbatial de Sahagún.

Nous arrivons en pays léonais : Mansilla, León, ville épiscopale et royale, d'où partait une bretelle qui, franchissant les hauts cols de la cordillère Cantabrique, menait à la ville sanctuaire d'Oviedo. Le chemin principal continuait quant à lui vers Astorga, puis pénétrait dans le Bierzo, antichambre de la Galice : Molinaseca, Ponferrada, Cacabelos, Villafranca, toutes agglomérations étroitement liées depuis leurs origines au chemin de Saint-Jacques. La route faisait ensuite l'ascension du col du Cebrero avant d'égrener ses dernières étapes en Galice : Triacastela, Sarria, Portomarín, Mellide et, enfin, la glorieuse ville de Compostelle, le terme tant désiré du chemin, objet de l'espérance des flots de pèlerins venus des quatre coins de l'Europe.

La route de la côte commence à se développer plus tardivement – elle ne se généralisera, en tant que chemin de pèlerinage, qu'après le XIIIe siècle – et doit son essor aux fondations urbaines de nouveaux centres portuaires qui émaillent le littoral cantabrique basque, asturien et galicien à partir de la fin du XIIe siècle.

De cette route côtière et du chemin principal intérieur partaient des bretelles secondaires dont les plus importantes étaient celle qui, via le tunnel de San Adrián, reliait Bayonne, les bourgades de la province de Guipúzcoa et Vitoria avec Burgos et avec le tronçon du *Camino francés* traversant la Rioja ; et une autre qui, à travers les Asturies et la Galice, allait jusqu'à Oviedo et Lugo avant de déboucher sur le chemin principal.

Les routes terrestres n'épuisent pas toutes les possibilités d'itinéraires de voyage à Compostelle. Pour amener les pèlerins des îles Britanniques et des pays nordiques jusqu'à Saint-Jacques, des vaisseaux sillonnent très tôt les voies maritimes. Ces pèlerins empruntent souvent un itinéraire mixte : ils abordent sur le continent puis poursuivent leur chemin par une des routes terrestres. Mais il n'est pas rare non plus qu'ils fassent le voyage directement par mer jusqu'à un port situé sur le littoral cantabrique, le plus impor-

144. Itero del Castillo, Burgos, San Nicolás de Puente Fitero (XIIe siècle). Édifice restauré par la Confrérie de Saint-Jacques et aménagé pour accueillir les pèlerins qui se rendent aujourd'hui à Compostelle.

tant de tous, en raison de sa proximité avec le *Locus Sancti Jacobi*, étant celui de La Corogne, fondation urbaine du début du XIIIe siècle.

Nous connaissons bien aujourd'hui le développement de ces routes atlantiques qui canalisaient une part importante des contingents de jacquaires en provenance, surtout, d'Angleterre. En témoignent les listes détaillées de licences et de registres de navires assurant ces liaisons, documents qui ont fait l'objet de publications systématiques ces dernières années.

Compostelle n'était d'ailleurs pas la seule destination de ces routes maritimes. On rendait parfois visite au deuxième grand sanctuaire d'Espagne, Saint-Sauveur d'Oviedo, dont nous avons vu que le pèlerinage se développe à partir du XIe siècle, en relation directe avec le pèlerinage compostellan. C'est ainsi qu'en 1423 une expédition de pèlerins embarque au port français de La Rochelle pour une traversée maritime qui devait les conduire à « Saint Jacques en Gallice et Saint Sauveur d'Esturies ».

Brisant les barrières politiques, les chemins de pèlerinage, terrestres et maritimes, les itinéraires divers et variés du *Camino de Santiago* ont servi pendant des siècles de vecteur aux féconds échanges spirituels, culturels et économiques qu'entretiennent les pays européens avec l'Espagne. Une Espagne qui au Moyen Age, et précisément sous le patronage de l'apôtre Jacques, entre dans une étape de son histoire marquée, en grande partie grâce à l'influence bénéfique que véhicule le pèlerinage, par des liens toujours plus étroits avec l'histoire commune à l'ensemble de l'Europe.

Et c'est à juste titre que l'historien français Charles Higounet écrit que, s'il a existé une époque où l'on puisse affirmer qu'il n'y avait pas de Pyrénées, c'est bien le Moyen Age.

Traduit de l'espagnol par Divina Cabo

145. Mellide, La Corogne, *Cruceiro* du XIVe siècle.

212

Itinéraires maritimes
vers Jérusalem

par Marco Tangheroni

Les premiers témoignages de pèlerinages à Jérusalem

Le pèlerinage est un phénomène présent dans toutes les religions, y compris la religion hébraïque au sein de laquelle est né le christianisme. Pour le christianisme, le lieu sacré est celui où s'est déroulé un événement concret, attesté par une réalité matérielle ; le temps sacré n'a rien de mythique, c'est bien notre temps, rien ne le distingue de la réalité profane dans laquelle, balisé par les règles de l'histoire (le lieu, l'espace : « Il a souffert sous Ponce Pilate »), le sacré a fait irruption. *In illo tempore*: non pas l'*illud tempus* du mythe, un « temps des origines », « paradisiaque », « au-delà de l'histoire », mais bien un temps historique et par conséquent un lieu historique. Parmi les destinations du pèlerinage chrétien, la Terre sainte n'est pas seulement une région où se sont rencontrés sacré et profane mais la terre sur laquelle Dieu lui-même s'est incarné (Nazareth), est né (Bethléem), est mort et ressuscité (Jérusalem), « folie pour les Gentils, scandale pour les Juifs ».

Rien de surprenant donc à ce que, dès sa première diffusion, le christianisme ait connu le pèlerinage en ces lieux, et notamment sur le tombeau où Jésus a été enseveli et où il est revenu d'entre les morts. Le mouvement n'a pu s'étendre qu'après les décrets impériaux de 311 (Galère) et 313 (Constantin et Licinius) accordant la pleine liberté de culte aux chrétiens. Constantin a favorisé, ou encouragé, une vaste entreprise de restauration et de transformation urbaine et monumentale de Jérusalem[1] où, comme l'attestent écrits et épigraphes, dès le milieu du IVe siècle on vénérait les reliques de la Vraie Croix. L'*Anonyme de Bordeaux*[2], en revanche, n'en parle pas, preuve que l'*inventio* due à la mère de l'empereur, Hélène, ou aux recherches commencées par elle, n'avait pas encore eu lieu ou du moins que la vénération n'avait pas encore été organisée en 333, date à laquelle un passage de ce texte permet de situer le pèlerinage de l'auteur. Nous ignorons qui était ce chrétien – premier pèlerin occidental dont nous connaissions le parcours détaillé –, probablement originaire d'Aquitaine ou de Bordeaux même. Depuis cette ville, située au bord de la Garonne et proche de l'océan, comme le précise le texte, il traverse des *civitates*, changeant de chevaux aux relais *(mutationes)*, faisant étape dans les auberges *(mansiones)* le long des routes ; son itinéraire, avec indication pour chaque étape des distances en lieux ou en milles, passe par Toulouse, Narbonne, Béziers, Nîmes et Arles où il arrive après 372 milles, 30 *mutationes* et 11 *mansiones*. D'Arles à Milan, en passant par les routes intérieures de l'actuelle Provence et les Alpes Cottiennes, il parcourt encore 475 milles. Il choisit donc un itinéraire uniquement terrestre et ce, jusqu'à Constantinople, qu'il rejoint en traversant la péninsule balkanique ; puis ce sera la Bithynie, la Galatie, la Cappadoce, la Cilicie, Antioche, Tyr en Syrie et enfin la Palestine, toutes régions

146. Bronze colossal, au palais des Conservateurs sur le Capitole (Rome). On pense qu'il s'agit d'une représentation de Constantin.

213

pour lesquelles le texte propose des indications, certes brèves, sur la valeur historico-religieuse des nombreux lieux visités et sur quelques aspects géographiques particuliers comme la mer Morte « dont l'eau est extrêmement salée, où ne vit aucune variété de poisson ni ne flotte aucun bateau ». Ce n'est qu'au retour qu'il empruntera une voie maritime, entre Aulona et Odronto, c'est-à-dire de Valona (Vlorë) à Otrante, une distance qu'il évalue à 1 000 stades, soit 100 milles. Puis, reprenant la voie terrestre, il rejoint Capoue, Rome, la côte romagne et enfin, par la via Emilia et les villes qu'elle traverse, Milan.

Nous ignorons les raisons qui ont présidé au choix d'un itinéraire presque exclusivement terrestre, et de cet itinéraire précis parmi les différentes possibilités. Certes, le réseau de voies romaines, avec ses nombreuses possibilités d'étapes dans un certain confort et ses relais pour changer de chevaux, fonctionnait encore très bien dans la première moitié du IVe siècle, après l'affirmation de la *pax constantiniana*. Mais la navigation en Méditerranée ne présentait guère de problèmes sérieux, ni pour la sécurité (hormis les risques de naufrage) ni en termes de place sur les bateaux, encore nombreux, qui assuraient la liaison entre les bassin occidental et oriental du *Mare Nostrum*[3]. Ainsi quand Jérôme, de son ermitage de Bethléem, envoyait des lettres à ses correspondants dispersés un peu partout dans l'Empire et recevait des réponses et des cadeaux, il utilisait les services des capitaines de navires marchands ; l'un d'eux arrivait directement de l'Atlantique, *ex litore Oceani*. Si l'*Itinerarium Burdigalense* est sans aucun doute le témoignage d'une expérience personnelle de pèlerinage (individuelle ou collective), la concision du récit ne permet de formuler aucune hypothèse sur les choix du voyageur.

Les décennies suivantes ont vu de nombreux pèlerinages de personnalités chrétiennes occidentales en Terre sainte et à Jérusalem, où, entre-temps, ont avait achevé la construction de l'*Anastasis* autour du sépulcre du Christ. Il suffit de rappeler ici les noms de la patricienne Mélanie l'Ancienne (dont le voyage aventureux lui imposa une halte à Alexandrie), de Rufin d'Aquilée, de saint Philastre, évêque de Brescia – et on peut noter ici, avec Franco Cardini, que l'ancienne cathédrale de Brescia reprenait sans doute le plan de l'*Anastasis* –, d'Antiochus (Andéol), évêque de Lyon, de saint Jérôme et sainte Paule[4], du diacre italien saint Sabin : indice d'un mouvement qui était certainement plus général et qui, dans la majorité des cas, s'appuyait sur des itinéraires maritimes. En revanche, nous ne savons rien du parcours emprunté par Égérie, cette dame espagnole, probablement de Galice, qui a accompli un pèlerinage entre la fin du IVe et le début du Ve siècle, dont on a retrouvé au siècle dernier une relation fascinante, destinée à d'autres femmes qui partageaient, au pays, sa recherche d'une vie d'ascèse[5]. Ce récit est malheureusement tronqué de sa première partie. Il est légitime de supposer qu'elle a effectué le voyage par mer, puisque des liaisons régulières assuraient alors les relations commerciales entre la péninsule Ibérique et les ports orientaux de la Méditerranée, notamment Constantinople, la nouvelle grande métropole de l'Empire. Comme il apparaît dans une lettre de

147. Reconstitution hypothétique d'une partie de la grandiose église constantinienne du Saint-Sépulcre (IVe siècle).
On voit la rotonde (en coupe) qui, à la croisée du transept, est couverte par l'*anastasis*. Elle contient un édicule couvrant le tombeau du Christ, creusé à même la roche.

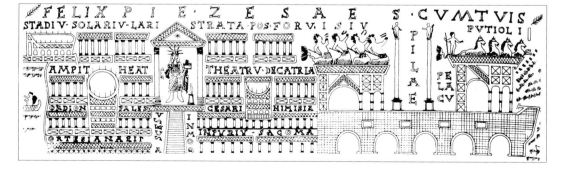

148. Le port de Pozzuoli dans l'Antiquité, une escale en Italie du Sud sur la route vers l'Afrique et le Moyen-Orient.
La représentation, du IIIe-IVe siècle ap. J.-C., provient d'un vitrail conservé au musée Narodni de Prague.

149. Ruines de l'amphithéâtre romain d'Arles, principal lieu d'embarquement au sud de la France à l'époque classique et à la fin de l'Antiquité.

Symmaque, des marchandises typiquement espagnoles étaient transportées vers l'Orient par voie de mer – chevaux de course, mais aussi le sparte ibérique, très demandé car indispensable à la production de cordages. Enfin, n'oublions pas les ports de Narbonne, Arles et Marseille dans le sud de la France.

Il est donc fascinant, l'*Itinerarium Egeriae*[6], non seulement par la description des lieux saints visités et des cérémonies liturgiques qui s'y déroulaient, mais également par les résonances spirituelles qu'il nous propose. Ainsi nous suivons Égérie qui se rend, en compagnie d'un groupe de pèlerins, au mont Sinaï pour accomplir l'ascension traditionnelle qui est « non sans grande peine *(cum infinito labore)*, car on ne gravit pas la pente progressivement, sur un chemin en colimaçon, mais abruptement, comme si on grimpait un mur [...] à pied, car il était impossible de monter en selle, mais je ne sentais pas la fatigue car je voyais mon désir s'accomplir, par la volonté de Dieu ». Après la célébration de l'Eucharistie, puis la visite de la grotte où Moïse avait reçu les tables de la Loi, les pèlerins prennent le temps d'admirer le splendide panorama : « L'Égypte, la Palestine, la mer Rouge et cette mer qui s'étend jusqu'en Alexandrie, et l'immense terre des Sarrasins : tout est là sous nos yeux, et pourtant on a du mal à le croire ; mais les saints nous montrent tous ces lieux un à un. » Le pèlerinage d'Égérie fut très long, la menant jusqu'en Égypte pour revenir à Jérusalem ; puis, après un certain temps, elle éprouva le désir de monter également sur le mont Nébo d'où l'on voit le Jourdain ; un troisième voyage la conduisit de la Ville sainte sur la terre et sur le tombeau de Job. Enfin – trois années avaient passé depuis son arrivée à Jérusalem – Égérie décida de rentrer dans son pays, via Constantinople mais non sans un détour par Antioche via Édesse (où l'attiraient la sainteté des moines et la tombe de l'apôtre Thomas) et en Mésopotamie, sur les traces d'Abraham et d'autres épisodes et personnages de l'Ancien Testament. La seconde partie du texte s'étend longuement sur la vie liturgique et dévotionnelle de l'église de Jérusalem, avec les cérémonies quasi quotidiennes, les constantes processions au Saint-Sépulcre, l'église du mont des Oliviers et la procession nocturne du Jeudi Saint ; d'autres églises de Jérusalem et des environs de Bethléem, où l'on célébrait une messe particulièrement importante le jour de l'Épiphanie ; Béthanie où, la veille du dimanche des Rameaux – ce « samedi de Lazare » qui joue encore aujourd'hui un rôle clé dans la liturgie pascale orthodoxe – se tenait une vigile solennelle dans une église appelée, précisément, *Lazarium*.

150. Maquette de l'édicule surmontant le Saint-Sépulcre, conservée dans la collection de Dumbarton Oaks (Washington).

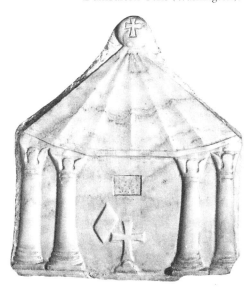

Nous disposons d'éléments attestant qu'au cours de la première moitié du Ve siècle, les pèlerinages d'occidentaux sont encore nombreux ; en outre, nombreux aussi les chrétiens qui, après le pillage de Rome par les Wisigoths d'Alaric (410), se rendent en Palestine, comme Paule la Jeune et Mélanie la Jeune, pour chercher sur les lieux saints à la fois la sécurité matérielle, le détachement des biens de ce monde et une vie spirituelle plus intense. Si le pèlerinage de saint Pétrone, évêque de Bologne, n'est attesté que dans une tradition plus tardive, c'est vers 450 que le moine romain Émilien et le célèbre grammairien Priscien se rendent en pèlerinage à Jérusalem. Quelques années plus tard, le pape Léon Ier y envoie des émissaires personnels. Mais là encore, nous nous sommes limité à quelques noms parmi ceux qui sont attestés et qui représentent sans doute une petite partie de ce qu'il est légitime d'imaginer. Les sources dont nous disposons montrent des moines habitués à accueillir de grandes communautés de pèlerins et des itinéraires liturgico-dévotionnels parcourus par des foules très denses.

A travers la Méditerranée de la fin de l'Antiquité au Moyen Age

Entre-temps, le cadre historique évolue. Ainsi, comparée aux siècles précédents, l'intensité des échanges à longue distance diminue, même si les fouilles archéologiques confirment une survivance du commerce méditerranéen, y compris pour les produits ordinaires comme la céramique et le vin, dont les volumes transportés restent conséquents. Le réseau d'échanges subsiste mais le déclin du système a commencé à la fin du IVᵉ siècle, en raison notamment (mais pas seulement, contrairement à ce que certains ont pourtant affirmé) de la disparition progressive de la demande de l'État. Les invasions ont provoqué l'éclatement de l'Empire d'Occident et l'onde de choc s'est propagée dans les centres maritimes avec plus ou moins de violence selon les villes et les régions. N'oublions pas que tout cela se produit selon un processus non linéaire, puisqu'aussi bien la reconquête justinienne de l'Afrique, de l'Italie et d'une partie non négligeable des côtes espagnoles eut, vers la moitié du IVᵉ siècle, une importance qu'on aurait tort de sous-estimer pour la seule raison que les Lombards l'ont abrégée pour une bonne partie de l'Italie, et qu'au VIIᵉ siècle, les Arabes ont soustrait à l'Empire d'abord l'Égypte puis toutes les provinces africaines.

Même lorsque les documents ne sont pas, comme le « Journal » d'Égérie, amputés de leurs premières pages, c'est le genre littéraire même des *Itinera* et autres *Descriptiones,* dont le but est de décrire les lieux saints, qui rend la recherche difficile. Nous y trouvons peu d'indications sur la façon dont les pèlerins occidentaux, dans un contexte méditerranéen en pleine mutation, avec des liaisons de plus en plus difficiles et irrégulières, parvenaient à rejoindre Jérusalem. Ainsi le *De situ Terrae Sanctae*, œuvre d'un certain Théodose, que l'on peut dater vers le milieu du VIᵉ siècle puisqu'il mentionne les édifices construits sous l'empereur Anastase (mort en 518) mais pas ceux édifiés par Justinien, est un guide synthétique des lieux saints de Jérusalem et d'autres villes[7].

Nous en apprenons un peu plus par le texte d'un anonyme racontant être parti de Plaisance, sans doute juste avant 570, où l'on vénérait saint Antonin martyr auquel notre pèlerin vouait de toute évidence un culte fervent[8]. Son *Itinerarium* prend la direction de Constantinople, d'où il rejoint, par la mer bien sûr, l'île de Chypre dont il décrit *Constantia*, « ville superbe, délicieuse, ornée de palmes de dattiers », où se trouve la tombe de saint Épiphane. De Chypre – on ignore si c'est par le même bateau – il arrive *in partes Syriae*, à Tripoli ; de là, poursuivant à travers l'actuel Liban, il traverse des villes détruites par le tremblement de terre qui a secoué la région quelques années auparavant, sous le règne de l'empereur Justinien : Biblio, Triaris, la *splendissime* Beyrouth, un temps lieu

151. Mosaïque paléochrétienne du IIᵉ siècle. Connue sous le nom de *Carte de Madaba* (Jordanie), on y voit la Jérusalem de l'époque.

152. Voilier marchand alexandrin adapté à la traversée de la Méditerranée. Bas-relief votif de la corporation des *Fabri Navales* d'Ostie (fin IIe-début IIIe siècle). Collection Torlonia, Rome.

d'études littéraires, où, aux dires de son évêque, il y avait eu 30 000 morts, sans compter un nombre inconnu de pèlerins ; Sidon, habitée par de mauvaises gens (*homines in ea pessimi*) ; Tyr, cité puissante mais envahie par une innommable luxure, et Ptolémaïs, enfin une ville *honesta*, avec de bons monastères. De là, notre auteur anonyme entre en Galilée, passant par Cana et Nazareth, riche de vignobles, oliveraies, vergers et de *virtutes* dont nous parlerons plus avant ; puis nous poursuivons sur le mont Thabor, avec ses trois basiliques, le lac de Tibériade et la ville homonyme, puis Capharnaüm, où l'on a construit une basilique sur la maison de Pierre ; il descend ensuite le long du Jourdain, parcourant plusieurs lieux liés à la vie de Jésus dont celui de son baptême, jusqu'à Jéricho, avec la maison de Rahab transformée en *xenodochium* et un champ où Jésus aurait semé de ses mains, pour arriver enfin à Jérusalem.

On a pu dire que notre pèlerin était par trop crédule devant tout ce qu'on lui présentait comme prodigieux, même si, en quelques rares occasions, il nuance son récit d'un prudent « on dit que ». Il ressort en effet de ce texte qu'une sorte de réseau dense de lieux évangéliques et bibliques recouvrait désormais le territoire, avec une exploitation probable par les habitants (il est rarement fait mention de communautés monastiques) des pèlerins toujours en quête d'un objet de vénération. Ce sont les prodiges (*virtutes*) que notre auteur décrit si volontiers et si précisément. Nazareth, par exemple, en comptait beaucoup, dont une poutre, conservée dans la synagogue, où Jésus s'asseyait enfant et qui peut être soulevée par les chrétiens, mais pas par les juifs qui ne sauraient en aucun cas y parvenir ; dans cette même ville, les femmes juives sont les plus belles qui soient et elles doivent ce privilège à Marie, car « autant les Juifs ne font preuve d'aucune charité envers les chrétiens » autant leurs femmes débordent de générosité. Mais s'agissant du thème des rapports entre reliques et pèlerinages, nous n'allons pas l'aborder ici[9].

Même à Jérusalem, l'attention de notre témoin est attirée par les *mirabilia* ; ainsi la pierre qui se trouve dans la basilique aménagée à partir de la transformation de la maison de Jérôme, « si on la prend et qu'on la porte à l'oreille, on entend le bruit que fait une foule ». Que le lecteur moderne fasse preuve d'indulgence à l'égard des pèlerins du VIe siècle : la foi était profonde et l'émotion sincère. On nous donne la description de l'entrée

153. Le port de Tyr, déjà florissant à l'époque phénicienne, sera très fréquenté par les pèlerins en route vers la Terre sainte. Ici, représenté sur une gravure de 1839 de David Roberts.

dans la Ville sainte, avec les pèlerins baisant la terre au terme d'un long voyage, véritable prélude à l'objectif fondamental. On dispose d'indications précises sur les structures d'accueil, comme les *xenodochia* pour hommes et pour femmes, avec d'innombrables tables pour les repas et au moins trois mille lits pour les pèlerins malades ou trop fatigués. N'oublions pas non plus la fascination de ce qui était alors, pour un Occidental, tout à fait exotique, comme l'immense lion, impressionnant mais inoffensif, élevé dans un petit monastère féminin, ou les quelques farouches bédouins au teint sombre *(homines a parte Aethiopiae)*, aux orteils ornés d'anneaux, accompagnés de leurs chameaux.

La raréfaction des contacts entre l'Occident et l'Orient accentuait la diversité et l'éloignement des modes de vie – une tendance qui allait s'aggraver par la suite –, à tel point que même lorsque les relations s'intensifieront à nouveau, que le nombre de pèlerins augmentera, tout comme celui des croisés (un genre de pèlerins aussi, finalement, mais armés) et le volume des marchandises, les différences resteront aussi marquantes que la curiosité et l'attrait pour l'exotisme qu'elles susciteront. Il faut se rappeler que le haut Moyen Age connaît une forte contraction, sinon une quasi disparition, des échanges entre les rives orientale et occidentale de la Méditerranée ou du moins de leur régularité, aboutissement d'un lent processus plusieurs fois séculaire trouvant ses origines à la fin de l'Empire romain, puis activé par les invasions germaniques, partiellement et provisoirement contenu par la reconquête justinienne, enfin précisé et mené à terme par l'expansion arabe. La vie maritime des côtes de l'Espagne wisigothique, de la France mérovingienne et de la côte nord-tyrrhénienne de l'Italie, désormais lombarde, atteint son niveau le plus faible entre la fin du VIIᵉ siècle et le début du VIIIᵉ siècle. Nous n'avons aucune mention d'une quelconque activité dans les principaux ports tyrrhéniens, Pise et Gênes. Les deux ports du royaume mérovingien, Marseille et Fos, ont cessé toute activité commerciale entre 670 et 690. Sur les côtes espagnoles, l'activité maritime reprendra avec la conquête de la péninsule par les Arabes mais se limitera au monde musulman. Cela ne signifie pas pour autant la disparition de toute présence humaine organisée ni de toute forme de vie maritime liée à la pêche et au cabotage, même si nous n'avons aucun élément probant à cet égard ; l'hypothèse semble en tout cas parfaitement légitime et doit se voir accorder toute son importance dans la mesure où ce maintien était essentiel à la conservation des connaissances et de l'expérience qui seront précieuses au moment de la reprise. Quoi qu'il en soit, l'Europe occidentale apparaît alors repliée sur elle-même, fortement rurale.

Les pèlerinages occidentaux vers la Terre sainte ne cesseront pas non plus. Ils se font plus rares, plus aventureux, mais ils continuent.

154. Piédestal wisigothique remployé par les Arabes à Cordoue. Signe d'un recul de la présence de l'Espagne chrétienne en Méditerranée.

155. Coupe du célèbre Dôme du Rocher, construit en 687 par le calife Abd al-Malik à la place de l'ancienne mosquée d'Omar. Érigé sur un relief rocheux sacré pour les trois religions monothéistes, le Dôme du Rocher est devenu le symbole de la Jérusalem arabo-musulmane.

Voici par exemple ce qu'écrit Bède le Vénérable, dans son *Historia ecclesiastica gentis Anglorum*[10] : « Adamnan aussi a écrit un livre sur les lieux saints très utile aux lecteurs ; il eut pour inspirateur un évêque des Gaules, Arculfe, dont l'amour des lieux saints l'avait conduit à Jérusalem ; il avait donc visité toute la Terre promise, puis s'était rendu à Damas, Constantinople, Alexandrie et dans plusieurs îles [de la Méditerranée] ; alors qu'il rentrait chez lui par bateau, une forte tempête le fit échouer sur les côtes occidentales de l'Angleterre et, après maintes vicissitudes, il rencontra le serviteur de Dieu, Adamnan. Généreusement accueilli et attentivement écouté par lui, il se mit à lui raconter toutes ces choses dignes d'intérêt qu'il avait vues sur les lieux saints pour qu'il les écrivît. Adamnan offrit ensuite le livre au roi [de Northumbrie], Alfred. » Nous savons également qu'Alfred a reçu ce cadeau entre 679 et 688 et qu'Arculfe devait se trouver à Jérusalem vers 683, après la mort du calife Mu'āwiya. Peu de temps avant de mourir, Mu'āwiya avait avalisé, avec une grande dévotion et en dépit de l'opposition des Juifs incrédules, la découverte du linge qui enveloppait la tête du Christ dans le sépulcre ; c'est du moins ce que rapporte Arculfe, sous la plume d'Adamnan[11].

Voilà donc, pour ce qui nous intéresse ici, un pèlerinage – celui de l'évêque Arculfe, inconnu par ailleurs – accompli en grande partie par voie maritime. C'est par la mer qu'il a voyagé dans le Bassin méditerranéen et par la mer qu'il retournait dans son pays lorsqu'un naufrage l'a déposé sur les côtes anglaises : un voyage qui prévoyait donc également une partie au moins du trajet sur l'Atlantique. Il faut rappeler ici la structure de l'œuvre d'Adamnan : le premier livre est consacré à Jérusalem et à ses églises ; le second à Bethléem, Hébron, Jéricho, au Jourdain, à la mer Morte puis, en remontant, à Capharnaüm, Nazareth mais aussi à Damas *(civitas regalis magna)*, Tyr *(Fenicis provinciae metropolis)* et Alexandrie ; le troisième, plus court, décrit Constantinople, où Arculfe s'était rendu, s'arrêtant quelque temps sur l'île de Crète. Si Arculfe se révèle observateur attentif et narrateur précis, Adamnan se montre écrivain scrupuleux, comparant à l'occasion, pour confirmation, les faits rapportés avec ce qu'il avait lu chez divers auteurs, notamment saint Jérôme.

Le VIIIᵉ siècle voit probablement les relations entre Orient et Occident méditerranéens atteindre leur niveau le plus bas. Non que les voyages maritimes disparaissent complètement, puisqu'en fait subsistent quelques possibilités de liaisons maritimes avec l'Orient, surtout depuis le sud de l'Italie, mais il s'agit de liaisons difficiles, rares et irrégulières. Ainsi, lorsqu'en 723 Willibald veut se rendre en Orient, il prend un bateau à Gaète, à Naples, puis en Sicile et parvient donc non sans peine à rejoindre Chypre, alors soumise au califat mais encore en relation avec Byzance ; lorsqu'il débarque enfin en Syrie, c'est

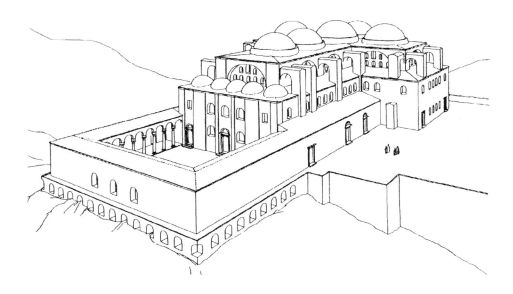

156. Éphèse, reconstitution de la basilique de Justinien (H. Hörmann). L'imposante basilique était le centre de l'Éphèse chrétienne.

219

pour être arrêté avec l'équipage chypriote, puis relâché sur un témoignage confirmant sa condition de pèlerin, de nouveau arrêté, de nouveau libéré, cette fois grâce à un Espagnol converti à l'islam, enfin contraint à une attente interminable pour trouver un passage direct pour Constantinople. Nous pouvons avec Pierre Guichard résumer ainsi la situation : « Les relations subsistent donc, mais on voit combien les dangers et l'adversité ont fragmenté de la mer la belle unité passée. » Divers pèlerins ont laissé des récits de voyage au cours du VIIIe et du IXe siècle, dans lesquels il est toujours question d'incertitudes, de problèmes, d'attente et de dangers. Le moine Madalvé de Verdun (VIIIe siècle) arrive d'abord à Rome, d'où il part pour le mont Gargan (et son sanctuaire consacré à l'archange Michel), puis, embarquant dans un port des Pouilles, il rejoint Constantinople après une longue traversée, pour trouver ensuite un passage vers Éphèse et Jaffa, port le plus proche de Jérusalem. Au siècle suivant, un autre moine franc, Bernard, avec deux autres frères, se rend, après le trajet Rome-mont Gargan, à Bari, alors siège d'un émirat *(civitas Sarracenorum),* où il obtient un laissez-passer lui permettant d'embarquer pour Alexandrie, d'où, avec un nouveau laissez-passer, il peut se rendre en Terre sainte ; au retour, il embarque directement de la côte palestinienne à destination de l'Occident pour toucher port, après deux mois, en Corse [12].

Le IXe siècle a vu la conquête islamique de la Sicile (qui a chassé la flotte byzantine de la Méditerranée occidentale) et de la Crète, base de départ des incursions contre la Grèce. Puis ce fut à l'inverse la reconquête byzantine de Chypre et de Crète vers le milieu du Xe siècle. Quoi qu'il en soit, Venise a maintenu une route vers l'Orient byzantin au prix de rudes batailles dans l'Adriatique, tandis que les Amalfitains parvenaient à conserver des relations tant avec des centres musulmans qu'avec Constantinople. Ce qui était de toute première importance étant donné que, de l'ancienne via Egnatia, seul le trajet Thessalonique-Constantinople restait en fonction, la partie Durazzo-Thessalonique étant tombée aux mains des Slaves depuis au moins le début du VIIe siècle [13].

157. Pierre l'Ermite prêchant la Première Croisade *(en bas)* et en prière au Saint-Sépulcre *(en haut).*
Lyon, Bibliothèque municipale, ms. 828, f° 1, détail.

L'époque des croisades

Entre-temps, l'Occident chrétien était parcouru des frémissements d'une reprise, tant économique que démographique ; quelques villes maritimes reprenaient également de la vigueur, Pise d'abord puis Gênes, capables, par d'importantes et ambitieuses expéditions, d'imposer au XIe siècle leur suprématie sur la Méditerranée occidentale de nouveau ouverte à leurs flottes. Elles seront d'ailleurs rapidement suivies par les flottes provençales et catalanes. Pisans et Génois retrouvaient en outre, sur les pas des Amalfitains et des Vénitiens, les routes de l'Orient, byzantin comme musulman. Autrement dit, le partage du pouvoir en Méditerranée connaît une transformation radicale au XIe siècle [14], au moment précis où l'accélération de la dynamique du développement économique et de la croissance démographique, conjuguée avec un puissant renouvellement religieux, multipliait le nombre de pèlerins désireux de se rendre en Terre sainte.

Mais le cadre politique du monde islamique connaissait lui aussi de profonds bouleversements. Tandis que le califat omeyyade de Cordoue était sur le déclin et que l'Espagne islamique se fragmentait en une série de petits royaumes *(taifas),* à partir de 1040 en Orient, les Turcs seldjoukides, récemment convertis à l'islam sous sa forme sunnite, entrent en force sur la scène : après la conquête d'une partie de la Perse, ils s'emparent de Bagdad (1055), bien accueillis, du reste, par le calife abbasside. En 1070, le sultan Alp Arslan écrasait l'armée byzantine à Manzikert, et peu après son fils enlevait la Syrie et la Palestine aux Fatimides d'Égypte, lesquels parvenaient par ailleurs à reconquérir Jérusalem en 1098, tandis que les croisés étaient déjà arrivés à Antioche. Les querelles et les conflits internes du monde musulman, et notamment la crise qui devait briser l'unité du grand empire seldjoukide, ont sans doute constitué une condition nécessaire, mais certes

158. La chaire d'Élie, église romane Saint-Nicolas de Bari. Statues de pèlerins soutenant la chaire.

pas suffisante, à la réussite de la croisade qui aboutira, le 15 juillet 1099, à la conquête de Jérusalem [15].

D'autre part la croisade avait trouvé l'une de ses justifications dans les obstacles dressés, même si ce n'était pas systématique, par les autorités islamiques face à la présence chrétienne en Terre sainte et donc aux pèlerins. Entre 1004 et 1014, le calife fatimide Hakim avait ordonné une persécution qui impliquait la destruction du Saint-Sépulcre et d'autres églises de Jérusalem. Mais le même Hakim, proclamant sa propre divinisation, était entré en conflit avec le monde islamique et avait dû se tourner vers les chrétiens et les juifs : un accord prévoyait la reconstruction du Saint-Sépulcre qui ne se produira pourtant qu'en 1046 grâce à l'empereur byzantin Constantin IX. Divers incidents touchant les pèlerins chrétiens vont donc se produire à partir de 1055, incidents dont les récits se diffusent en Occident, non sans quelque amalgame avec les vexations que le clergé grec local faisait également subir aux chrétiens latins après le schisme de Michel Cérulaire, patriarche de Constantinople. Nous sommes encore, au XIe siècle, à une époque où les pèlerins européens utilisaient toujours largement la voie terrestre à travers la Hongrie et les Balkans. Même les premiers croisés vont privilégier les itinéraires terrestres, à l'exception des Catalans, qui rejoindront l'Italie méridionale par mer, et des petites expéditions de Guynemer de Boulogne (1097) et d'Edgar Atheking (printemps 1098), qui passeront par l'Atlantique puis par la Méditerranée pour retrouver les croisés à Antioche. Seule une petite flotte organisée à Gênes (1097) et une autre de cent vingt bateaux réunie par l'archevêque Daimbert (1098-1099) apportèrent un soutien naval d'envergure, qui se révélera d'ailleurs décisif [16].

Après le succès de la Première Croisade, des vagues de pèlerins et de croisés – difficiles à distinguer, notamment parce qu'ils sont souvent confondus dans les sources mêmes – commencent à se tourner vers la Terre sainte, au point qu'il devient difficile de trouver une place sur les bateaux, l'offre et la demande étant totalement déséquilibrées. Selon le témoignage du chroniqueur Albert d'Aix-la-Chapelle, deux cents bateaux sont arrivés en Terre sainte au cours de l'été 1102. Les ports les plus fréquentés étaient alors ceux de la côte des Pouilles, Trani, Bari, Brindisi, Otrante et, à un degré moindre, Tarente [17], ainsi que Barletta et Siponto. Au demeurant, les *Consuetudines* de Bari font clairement la distinction entre les navires marchands *(merciales)* et ceux qui transportaient les pèlerins *(peregrinorum)* [18]. C'est aussi de Bari que saint Théoton part en 1130 pour son second pèlerinage en Terre sainte.

Prenons un exemple concret à travers le récit laissé par un pèlerin britannique, Saewulf [19], *licet indignus et peccator Iersolimam pergens causa orandi sepulchrum dominicum*, voyage soumis à l'étude attentive d'un grand spécialiste de l'histoire de la navigation méditerranéenne, John Pryor [20]. Saewulf (nom signifiant « loup de mer » et qui pourrait être un pseudonyme ou un surnom) et les pèlerins de son groupe n'ont pas trouvé de place dans un navire direct, dont au moins une partie du trajet devait passer en haute mer *(per altum pelagus)*, étant sans doute arrivés un peu tard dans les Pouilles par rapport aux dates de départ habituelles. Ils partent donc d'un port mineur, Monopoli, le 13 juillet 1102, risquant immédiatement le naufrage à cause d'une tempête imprévue. Contraint de revenir au port en catastrophe, le bateau sur lequel ils avaient embarqué reprend finalement la route prévue, une route de cabotage qui les mène aux ports de Brindisi (où les dommages subis par le bateau sont réparés), Corfou, Patras et enfin Corinthe, qu'ils atteignent après vingt-huit jours de navigation. Saewulf évoque de nouveau une grosse tempête sur le trajet entre Corfou et Céphalonie, mais comme le suppose déjà Pryor à propos de la première, si l'on tient compte des conditions pratiquement toujours bonnes sur l'Adriatique et la mer Égée au mois de juillet, on peut raisonnablement penser qu'il ne s'agit que d'une grosse mer. Arrivé le 9 à Corinthe, notre pèlerin affronte diverses mésaventures (*multa passi sumus contraria*) avant d'embarquer enfin pour Nègrepont, une des principales îles de la mer Égée, qu'il atteint le 23 août après trois jours de navigation. Là, Saewulf doit se contenter d'embarquer sur un bateau byzantin qui assurait manifestement la desserte des îles de l'archipel grec, étant donné les nombreux arrêts que les vents et les courants ne sauraient justifier, en un trajet dont la durée évoque plutôt une ligne commerciale. Enfin, il arrive à Rhodes, célébrissime pour la statue du colosse qui était – il nous le rappelle – l'une des sept merveilles du monde. De là, après Myre, déjà siège archiépiscopal de saint Nicolas, Saewulf arrive à Chypre d'où, après sept jours de navigation houleuse en haute mer, il atteint enfin la Terre sainte, abordant à Jaffa, port principal des croisés qui n'avaient pas encore conquis Acre, plus accessible et qui aura la préférence, après sa conquête en 1104, pour les liaisons avec la Terre sainte. Selon notre auteur, il y avait une trentaine de bateaux dans le port de Jaffa : *dromoni* (assez proches des galères), *gulafri* et *catti*[21]. Une autre tempête effroyable, qui terrorise Saewulf, épargne seulement sept embarcations, tandis que l'on dénombre un millier de morts. Si Saewulf n'a pas eu de chance, il n'est pas le premier à avoir affronté des circonstances aussi difficiles. Mais qu'on ne s'y trompe pas, au début du XIIe siècle, on pouvait déjà faire des voyages plus rapides et moins agités. Quoi qu'il en soit, « même sous la forme incomplète parvenue jusqu'à nous, le récit des tribulations de Saewulf est la meilleure description de voyage sur la Méditerranée au XIIe siècle[22] ».

Suivons-le, ne serait-ce que rapidement, dans son pèlerinage en Terre sainte – notons au passage que son texte, d'abord si personnel, en rappelle bien d'autres pour la partie traitant de la *descriptio* – aux fins de vérifier la situation des pèlerins juste après la conquête chrétienne de la Ville sainte, dans un royaume naissant et pas encore complètement sous contrôle. La montée de Jaffa à Jérusalem se faisait en deux jours ; c'était un chemin « extrêmement difficile et dangereux, car les Sarrasins, toujours prêts à piéger les chrétiens, se cachaient dans les cavernes des montagnes et les grottes formées par les reliefs, guettant nuit et jour la possibilité d'une attaque, soit du fait d'un groupe réduit ou de quelques personnes fatiguées se retrouvant isolées à l'arrière du groupe... Sur cette route, le danger ne guettait pas seulement les pauvres et les faibles, car ni la richesse ni la force ne vous protégeait : beaucoup étaient tués par les Sarrasins, beaucoup mourraient de chaleur et de soif, par manque d'eau ou parce qu'ils en buvaient ». Nous savons en effet que ces dangers, quoique exagérés par notre craintif Saewulf, étaient réels : c'est précisément pour protéger les pèlerins, et pas seulement le royaume, que sont nés les Templiers et que les Hospitaliers se sont militarisés. Après la visite des lieux saints de Jérusalem, Bethléem, Béthanie, Hébron, Nazareth (ville qui lui apparaît dévastée et détruite par les Sarrasins), Saewulf entreprend le voyage de retour en choisissant, par crainte des attaques des musulmans en haute mer, de longer les côtes palestiniennes et syriennes vers le nord, par les villes du royaume de Jérusalem *(has civitates Baldwiuns flos*

159. Le port de Jaffa, le plus proche de Jérusalem pour les pèlerins. Gravure de David Roberts (1839).

160. Bohémond appareillant d'Antioche, en Syrie. Lyon, Bibliothèque municipale, ms. 828, f° 26.

regum possidet), puis Acre, *civitas fortissima* encore aux mains des Sarrasins. C'est justement avant d'arriver à Acre que le petit convoi de trois bateaux est intercepté par une flotte musulmane de vingt-six bateaux descendant de Tyr et de Sidon pour venir soutenir les actions de reconquête. Alors « les deux bateaux qui étaient avec nous depuis Jaffa, comme ils étaient plus légers, ont abandonné le nôtre ». Le courage démontré dans les préparatifs pour la défense du bateau aurait cependant convaincu les musulmans de renoncer à l'attaque. Chypre, Rhodes, Samos, Smyrne, sont les premières étapes d'une déviation vers Constantinople et du voyage de retour que les lacunes du récit ne permettent pas de connaître plus avant.

Au cours des décennies qui suivent, tandis que le royaume de Jérusalem adopte une structure féodale, plusieurs expéditions de secours sont organisées en Occident, même si elles n'entrent pas dans le décompte traditionnel des croisades : celle des Norvégiens, empruntant uniquement une voie maritime – mer du Nord, Manche, océan Atlantique et Méditerranée, avec passage du détroit de Messine (1107-1110) – celle de Bohémond de Tarente (1107-1108) ; celle du pape Calixte II, partie de Venise, qui passe par l'Adriatique, la mer Ionienne et la mer Égée (1122-1126) ; celle de 1128-1129, qui emprunte un long trajet maritime au départ de Gênes[23]. Sur la côte syro-palestinienne, la conquête de Tyr offre un nouveau port d'importance aux navires chrétiens et prive les musulmans d'une base menaçante (1124) ; mais la chute du comté d'Édesse vingt ans après, avec la perte de la Cilicie, enlève aux États francs une infrastructure majeure, ne serait-ce qu'en termes de ravitaillement. C'est alors qu'est lancée, sur l'initiative du pape Eugène III et prêchée par son maître Bernard de Clairvaux, celle que l'on nomme la « deuxième croisade » : les croisés provençaux, partis de Marseille, et les Anglais font le voyage par mer, passant, en Méditerranée, au sud de la Sicile, de la Crète et de Chypre, et démontrant ainsi qu'il était possible, en emportant des chevaux, des vivres et de l'eau, d'organiser des expéditions maritimes naviguant longtemps en pleine mer sans escale logistique ; d'autres contingents européens d'importance passent au contraire par l'Italie et n'empruntent la voie maritime qu'entre Brindisi et Durazzo (Durrës) ; enfin, le gros des contingents francs et germaniques rejoint Nicomédie par voie terrestre, à travers la Hongrie et les Balkans, puis d'Éphèse les croisés remontent par la mer jusqu'à Constantinople d'où, après moins d'un mois d'arrêt, ils rejoignent Acre, toujours par mer. De leur côté, les véritables pèlerins, sous la conduite d'Othon, évêque de Freising, rallient la Terre sainte par l'Asie Mineure, avec un trajet maritime plus court, entre Adalia et Saint-Siméon, port d'Antioche. La croisade connut, comme on le sait, diverses vicissitudes, mais elle fut surtout marquée par l'échec de l'attaque de Damas (1148). Moins de quarante ans plus tard (1187), Saladin ayant unifié, à partir de l'Égypte, les musulmans du Proche-Orient, il rend Jérusalem à l'Islam. La « troisième croisade », immédiatement lancée en Occident,

161. Port de Sidon. Vue de la mer du château construit par les croisés.

ne réussira pas à reprendre la Ville sainte mais entraînera l'occupation chrétienne de tout le littoral syro-palestinien. On retiendra que, sur la douzaine de contingents importants partis à destination du Levant, sous la conduite de divers princes ou souverains, seul celui mené par l'empereur Frédéric Barberousse n'a pas choisi la voie maritime ; et la mort de celui-ci lors de la traversée du gué d'un fleuve, en juin 1190, semble bien, avec le recul, confirmer que le bateau est désormais le meilleur moyen de se rendre en Terre sainte.

Les croisades du XIIIᵉ siècle, à commencer par celle déviée contre Constantinople en 1204, seront alors avant tout d'énormes expéditions navales. Les pèlerins eux-mêmes accompliront désormais presque systématiquement leur voyage par voie de mer. Les sultans mamelouks d'Égypte conservent le contrôle de Jérusalem et des lieux saints jusque dans les années 1515 et, sur place, ils n'opposent pas trop d'obstacles à l'afflux des pèlerins, qu'ils favorisent parfois dans une certaine mesure. Ils s'emploient cependant à démanteler les structures portuaires et commerciales des villes côtières reconquises (la dernière à tomber est Acre en 1291), soit pour décourager toute tentative de revanche chrétienne, soit pour favoriser le monopole d'Alexandrie[24].

162. Petit cloître de l'ancien couvent franciscain de Jérusalem, au sud du Cénacle.

Le règne des sultans d'Égypte

Bien entendu, le réseau des patriarcats, archevêchés et évêchés latins, mis sur pied au début du XIIᵉ siècle, disparaît, mais quelques évêchés et un certain nombre de monastères parviennent, un temps, à survivre. D'autre part, dès le début de leur existence, les nouveaux ordres mendiants se lancent dans une activité missionnaire : très vite, comme on le sait, il s'étendent sur tout le continent asiatique, mais les lieux saints demeurent au centre de leur préoccupations, en particulier pour l'ordre des Frères mineurs. Ceux-ci regagnent une Palestine totalement occupée par les musulmans et, avec le soutien du roi de Naples, obtiendront, entre 1335 et 1337, un monastère sur le mont Sion, premier d'une série de lieux saints revenus sous tutelle chrétienne. Ce monastère franciscain deviendra, avec la reconnaissance pontificale, le siège de la Custodie de Terre sainte, unique présence chrétienne organisée et officiellement acceptée pendant des siècles et ce, jusqu'à nos jours[25]. C'est justement un franciscain dont nous parlerons plus loin, Niccolò da Poggibonsi, qui écrira, vers le milieu du XVᵉ siècle, que « devant l'autel de sainte Marie-Madeleine, des Latins officiaient, c'est-à-dire des Frères mineurs, nous donc les chrétiens latins, car à Jérusalem et partout outremer, en Syrie et en Israël, en Arabie et en Égypte, il n'y avait d'autres religieux, ni prêtres, ni moines, que les Frères mineurs[26] ». Les franciscains ont d'ailleurs subi en maintes occasions des persécutions, parfois sanglantes, en représailles des attaques chrétiennes.

163. Pèlerin de l'époque des croisades. Commentaire de l'Ancien Testament (XIIIᵉ siècle), conservé à la Bibliothèque municipale de Tours.

Les pèlerinages continuaient donc, en nombre, même si « les itinéraires se modifiaient, s'allongeaient ; beaucoup préféraient débarquer, plutôt que dans un port misérable et dangereux comme celui de Jaffa, proche de Jérusalem, à Alexandrie (où les Occidentaux étaient nombreux et la vie plus sûre, sans parler des affaires que l'on pouvait y conclure) et de là, se rendre en Terre sainte par le chemin suivi par Moïse, visitant à l'occasion le sanctuaire sinaïtique de sainte Catherine. Un itinéraire beaucoup plus long donc, et fatigant, mais qui permettait, en passant, la visite du djebel Musa (la montagne sur laquelle Moïse avait reçu les tables de la Loi), d'Hébron, lieu de sépulture des patriarches, et de Bethléem. D'autant que le risque d'être dévalisé par les bandits existait de toutes façons, que l'on choisisse l'itinéraire de Jaffa ou celui d'Alexandrie[27]. » Mais quel que fût le port de débarquement en Orient, l'itinéraire principal, que les lignes organisées empruntaient le plus volontiers, partait toujours de Venise. Le pèlerin ou le plus souvent les groupes, grands et petits, de pèlerins pouvaient choisir d'embarquer à Gênes ou à Ancône, plus rarement à Pise ou Naples. Jusqu'à la fin du XIIIᵉ siècle au moins, les ports des Pouilles restent importants, puisqu'ils étaient très utilisés pour les liaisons avec

83. Venise, un des ports d'embarquement pour la Terre
sainte avec un bateau de pèlerins. Journal de voyage de
Steffan Baumgartner, *Beschreibung einer Pilgerfahrt ins Heilige
Land*, 1498. Nuremberg, Germanisches Nationalmuseum,
HS 369, f° 2r.

85. La chaire de l'évêque Élie, avec la figure d'un pèlerin. Bari, cathédrale Saint-Nicolas (vers 1105).

Ci-contre :
84. Venise, basilique Saint-Marc, détail de l'exèdre du portail principal.

Pages suivantes :
86. La carte nautique d'Albino de Canepa témoigne d'une bonne connaissance géographique et de la densité du réseau d'itinéraires méditerranéens organisé au XVe siècle. Rome, Museo della Società Geografica Italiana.

87. Istanbul, cathédrale Sainte-Sophie.

88. Le château des croisés d'Adana, en Cilicie.

90. Tronçon d'une route médiévale en Syrie.

Ci-contre :
89. Le pont médiéval de Mopsueste, sur la voie des croisades
en direction de la Syrie.

91. Entrée de la grotte que la tradition attribue à saint Pierre, considéré comme fondateur et premier évêque de l'Église d'Antioche. La ville (aujourd'hui en Turquie) était un lieu de passage et le siège d'une principauté de l'Orient latin fondée par les croisés.

92. Vue intérieure du Crac des Chevaliers, un des plus célèbres châteaux des croisés en Syrie.

93. Le port d'Akko, rebaptisé par les croisés
Saint-Jean-d'Acre, était l'un des principaux accès maritimes
pour la Terre sainte.

94. La crypte de la citadelle souterraine des croisés
à Saint-Jean-d'Acre.

95. Matthew Paris, *Iter de Londinio in Terram Sanctam*.
Vue du port et de la ville de Saint-Jean-d'Acre.
Cambridge, Corpus Christi College.

96. Burchard de Mont Sion, *Jérusalem et les lieux saints*.
Paris, Bibliothèque nationale, ms. fr. 90-87.

97. Le *Monte Gaudii*, d'où le pèlerin arrivant d'Emmaüs
découvrait la ville de Jérusalem.

98. Les pèlerins au Saint-Sépulcre, dans le
Liber Peregrinationis de Ricold de Montcroix.
Paris, Bibliothèque nationale, ms. fr. 2810, f° 274.

100. La mer de Galilée. La dévotion des pèlerins a entraîné la construction de nombreux édifices sur le rivage, en commémoration de la prédication et des miracles de Jésus-Christ.

Ci-contre :
99. La vallée où coule le Jourdain, but des pèlerinages chrétiens depuis l'Antiquité.

101. Nabi Musa, lieu de culte des pèlerins chrétiens.
D'après la tradition, c'est là qu'aurait été enterré Moïse.

102. Le tombeau de Lazare à Béthanie, rappel du miracle
de la résurrection accompli par Jésus.

103. Alexandrie d'Égypte, autre escale
des itinéraires maritimes, vue par l'imaginaire
de l'artiste. Gentile et Giovanni Bellini,
Saint Marc prêchant à Alexandrie.
Milan, Pinacoteca di Brera.

104. Le monastère Sainte-Catherine au Sinaï.
Dès les premiers temps chrétiens, la tradition y voit le lieu où
Moïse aurait reçu les tables de la Loi. C'était un détour
traditionnel pour les pèlerins en provenance d'Égypte.

les États francs d'Orient et pour le passage des groupes de croisés[28] ; tandis qu'à l'époque de Frédéric, c'est-à-dire à partir du second quart du XIIIe siècle, même Messine a joué un rôle d'envergure pour le déplacement des pèlerins[29]. Sans oublier Marseille et Barcelone. C'est de Gênes, par exemple, que s'embarque en 1216 Jacques de Vitry – auteur de la célèbre *Histoire d'Orient* – pour Acre, siège épiscopal qui lui était destiné. C'est sous le nom de Jacques de Vitry que seront écrits des *Itineraria* même au siècle suivant, qui reprennent ses propres écrits[30].

Au XIVe et au XVe siècle, ce sont des milliers de pèlerins qui affluent tous les ans. Cela supposait donc des services maritimes conséquents et ils alimentaient un chiffre d'affaires non négligeable, tout particulièrement pour les armateurs vénitiens. Ce sont alors des centaines et des centaines de récits de voyage, des *Itineraria*, des *Descriptiones*, qui sont écrits durant ces deux siècles[31]. Toutes ces œuvres présentent souvent des traits communs, surtout dans les passages traitant de Jérusalem, à tel point qu'on en est venu à supposer l'existence d'un texte de base, une sorte de document de référence ; on a même eu recours récemment à une analyse factorielle pour reconstituer ce « guide du pèlerin de Jérusalem[32] ». D'autre part, nous disposons également de récits plus personnels, au style divertissant, parfois même d'une grande qualité littéraire, souvent animés d'une curiosité alerte ne se limitant pas au domaine religieux, que l'on pourrait rattacher à « la vogue croissante des mémoires autobiographiques, prospère surtout dans un environnement marchand [...] on se trouve devant un genre littéraire apocryphe, marginal, mais qui n'en est pas moins stimulant[33] ». Même un frère franciscain comme l'Irlandais Simon Simeonis, pèlerin parti de son pays en 1323-1324, porte dans son récit qui nous est parvenu incomplet[34] une telle attention aux prix et aux échanges, qu'il constitue une source majeure de renseignements sur l'histoire commerciale de l'Égypte.

Dans ces pages consacrées aux itinéraires maritimes, il faut mentionner le *Libro di Oltremare* de Niccolò da Poggibonsi, frère franciscain pèlerin dans diverses régions du Proche-Orient entre 1346 et 1350[35], observateur attentif, qui nous dit lui-même qu'il portait à la ceinture son nécessaire à écrire. Parti de Venise, il fait escale à Modon, dans le Péloponèse alors sous domination vénitienne, et à Nicosie (Chypre). A Jérusalem, il assiste à la célébration de la Pâque et aux fêtes de l'Ascension, puis il se consacre à la visite des lieux saints de Palestine. Il se rend donc en Syrie et au Liban d'où il poursuit, par la mer, vers l'Égypte et, de là, se rend au monastère Sainte-Catherine et au mont Sinaï. Pour le voyage de retour, il embarque dans le port égyptien de Damiette, s'arrête

164. Akko, l'antique Ptolémaïs, qui devient sous les croisés le célèbre port de Saint-Jean-d'Acre. Elle a été fortifiée après sa conquête par Richard Cœur de Lion en 1191, avant de revenir aux musulmans un siècle plus tard.

quelque temps à Chypre, revient à Venise, d'où il repart pour la Toscane. Son texte a connu un énorme succès pendant longtemps, puisqu'il a fait l'objet d'une bonne soixantaine d'éditions entre le XVIᵉ et le XIXᵉ siècle ; en outre, une quinzaine de feuillets du manuscrit sont parvenus jusqu'à nous. Son récit a lui aussi été adapté, coupé et en partie copié[36].

Parmi les récits très connus et diversement publiés, citons les carnets de voyage de Lionardo di Niccolò Frescobaldi, Simone di Gentile Sigoli et Giorgio di Guccio Gucci, pèlerins, avec Andrea Rinuccini qui meurt durant le voyage, entre 1384 et 1385 : un groupe de représentants de cette oligarchie arrivée au pouvoir à Florence en 1382, mais aussi de personnes liées au cercle du Saint-Esprit, influencé par Giovanni delle Celle et par sainte Catherine de Sienne, le premier défavorable au pèlerinage, la seconde étroitement liée à la Terre sainte[37]. On trouve, dans le récit de Frescobaldi, une évocation de l'aspect politico-militaire du voyage, destiné à recueillir des informations pour Charles III de Duras, roi de Naples. Pour les informations pratiques concernant le voyage, le récit le plus intéressant est celui de Gucci, puisqu'il était le *spenditore* du groupe et veillait donc aux diverses dépenses et au change des monnaies, prompt à se fâcher contre les « orientaux » pour leurs petites escroqueries et leur insistance constante à réclamer un pourboire. Nous allons suivre ici – en nous limitant à la partie maritime du voyage – le journal de Frescobaldi, qui fait l'objet de la meilleure édition.

Partis de Florence le 10 août, « au nom du Christ crucifié », nos pèlerins rallient Venise où ils se livrent à une visite systématique des reliques conservées dans les églises de la cité de la lagune, résolus à acquérir les indulgences qui y étaient attachées. A Venise, ils trouvent « beaucoup de pèlerins français et quelques vénitiens », ainsi que quelques florentins : tous sont invités dans la splendide demeure de Remigio Soranzo, lui-même sur le point de partir en pèlerinage. Mais « tous ces pèlerins vénitiens et étrangers voulaient se rendre au Saint-Sépulcre à Jérusalem sans aller à Sainte-Catherine ni en Égypte, contrairement à nous [...]. Ils voulaient tous, Vénitiens et étrangers, faire le voyage sur des galères pour s'arrêter chaque soir dans un port. Nous avions décidé d'aller jusqu'à Alexandrie et de commencer notre quête là et en Égypte ; alors nous avons affrété un bateau neuf de sept cents tonneaux en payant dix-sept ducats par personne. » Et les autres pèlerins florentins, « séduits par l'idée », décident de se joindre à Frescobaldi, Sigoli, Gucci et Rinuccini. Le passage illustre bien les choix – par ailleurs liés – à faire entre la mer et la route. N'oublions pas que l'embarcation était un voilier de moyennes dimensions, avec le timon à l'arrière, modèle très répandu sur la Méditerranée du XIVᵉ siècle ; en l'occurrence, il s'agissait d'un bateau de 500 tonneaux de jauge[38]. L'armateur, baptisé Pola, était le Vénitien Lorenzo Morosini. La maladie de Frescobaldi, sexagénaire, oblige toutefois le groupe à un séjour prolongé à Venise, les médecins insistant pour qu'il renonce à ce voyage, et même Sorenzo l'exhorte ainsi : « Vous, les Florentins, n'êtes pas habitués aux tempêtes en mer contrairement à nous et à tous ceux qui vivent près de la mer ; or, participer à une telle traversée – jusqu'à Alexandrie – est une épreuve même pour le plus robuste des marins. C'est pourquoi tous ensemble nous sommes d'avis que tu ne devrais pas embarquer, ce serait tenter le diable. » Mais Lionardo ne veut pas entendre raison, déclarant notamment être « prêt à franchir les portes du Sépulcre avant celles de Florence » et que « si Dieu devait décider que la mer soit mon tombeau, j'en serais heureux ». Le 4 septembre, tandis que le groupe de quatorze pèlerins reçoit la communion (alors interdite en mer sauf dispense particulière, comme celle accordée à Saint Louis), on charge les marchandises sur le bateau, à trois milles au large de Venise : tissus lombards, pièces d'argent, cuivre, huile et safran. Le soir venu, à bord d'une embarcation à seize rames, c'est accompagné d'amis florentins et vénitiens que le groupe rejoint le bateau ; et « au nom du Dieu tout-puissant, nous avons largué les amarres ».

165. Le couvent franciscain de Candie, sur l'île de Crète, est resté une étape pour les pèlerins de Jérusalem après l'époque des croisades (B. Breydenbach, *Sainctes pérégrinations de Jérusalem*, Lyon, 1488).

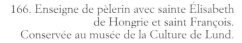

166. Enseigne de pèlerin avec sainte Élisabeth de Hongrie et saint François. Conservée au musée de la Culture de Lund.

La traversée bénéficie de vents favorables jusqu'à l'île de Saseno, au large de Valona (Vlorë), où ils sont confrontés à « une petite fortune de mer », c'est-à-dire une petite tempête. Frescobaldi écrit : « Comme le bateau était grand et neuf, il semblait se jouer de la mer, mais une galère désarmée chargée de pèlerins revenant du Sépulcre était si vieille qu'elle s'est ouverte et a englouti ses passagers, tous de pauvres gens qui n'avaient emprunté un si vieux bateau que pour faire des économies ». Huit jours de navigation plus tard se produit une violente tempête qui oblige le bateau à se réfugier sur l'île de Zante, où une escale de six jours permet de s'approvisionner en viande, fromages et fruits. Une fois les vents à nouveau favorables, le bateau repart et arrive à l'escale habituelle de Modon le 19 septembre. Là, tandis que la fièvre de Frescobaldi tombe, l'un des pèlerins, un prêtre de Casentino, meurt. Le 20, après un nouveau ravitaillement, le bateau repart, longeant la côte jusqu'à la base proche, et également vénitienne, de Coron. A partir de cette pointe du Péloponèse, le bateau prend la route directe pour Alexandrie, laissant sur sa gauche la Crète, dont l'auteur n'hésite pas à écrire, avec un conditionnel prudent, « on dit qu'elle se serait divisée pour laisser passer le bateau dans lequel les Vénitiens ont ramené le corps de saint Marc l'Évangéliste d'Alexandrie à Venise ». Dans la nuit du 27, après une traversée calme, le bateau entre dans le vieux port de la cité égyptienne, mais reste au mouillage, malgré les vents forts, « par crainte des Sarrasins ». L'escale en Égypte dure longtemps et comprend l'arrêt à Alexandrie, la navigation sur le Nil et un séjour au Caire ; les remarques de Frescobaldi sont intéressantes, à la fois précises, attentives et vivantes, mais nous sommes obligés de l'abandonner ici, et nous renvoyons le lecteur à son texte. Nous ne suivrons donc pas nos pèlerins dans le voyage qui, fin octobre, les mènera, à travers le désert, à Sainte-Catherine et sur le mont Sinaï, ni ensuite par une étape aventureuse jusqu'à Gaza, « ville frontière entre l'Égypte et la Terre promise ». Puis, après Hébron et Bethléem, les pèlerins rejoignent Jérusalem ; ensuite, selon l'itinéraire classique, c'est Nazareth, le lac de Tibériade, Damas, où ils s'arrêtent pendant un mois et où est mort et enterré Andrea Rinuccini. De Damas – nous sommes maintenant fin janvier –, ils se rendent à Beyrouth, avec d'autres pèlerins « attendant un bateau pour retourner en terre chrétienne ». La possibilité finit par se présenter en mai, sous la forme d'un bateau vénitien à deux ponts, venant du Ponant, « immense navire » certes, mais « étant donné le long voyage, on n'avait pas eu le temps de le calfater cette année-là et il prenait donc l'eau, si bien qu'il fallait écoper nuit et jour ». Jusqu'au golfe d'Antalya, les vents sont favorables, mais surgit alors une de ces terribles tempêtes qui rendent la Méditerranée si imprévisible et menaçante en toutes saisons : « Là nous avons rencontré un vent si fort qu'il a déchiré la voile, l'a détachée du mât et nous a fait dériver vers la Barbarie, l'eau entrant par dessus bord encore et encore, au point que nous avions presque perdu espoir, et nous avons ainsi parcouru près de cinquante milles. Puis, par la grâce de Dieu, les choses ont commencé à se calmer car nous avons mis à la mer quelques reliques favorables. » Une fois remis sur le bon chemin, les pèlerins arrivent à Venise et, après avoir été accueillis par le doge en personne, ils rentrent à Florence via Bologne, après onze mois et demi de voyage.

Ce récit de Frescobaldi montre bien les difficultés que rencontraient les pèlerins même lorsque – contrairement aux passagers du vieux bateau en piteux état qui a fait naufrage au large de Valona – le voyage était entrepris avec de gros moyens, des choix éclairés et des soutiens puissants. Les pièges étaient multiples, en mer comme sur terre ; les conditions de voyage étaient pour le moins inconfortables. En effet, l'espace disponible pour chaque passager était réduit au minimum et l'intimité inexistante, hormis dans les petites cabines faites de quelques planches et destinées au commandant et aux passagers plus importants ou plus fortunés. Il n'y avait pratiquement aucune protection contre les intempéries. Les maladies étaient fréquentes, du fait de la saleté, de la présence inévitable de parasites, des carences dues à une alimentation non variée et de l'humidité constante. Ainsi en 1270, un grand navire vénitien à deux ponts, un 36 m sur 13,30 m, affrété pour la seconde croisade de Saint Louis, devait transporter, outre l'équipage, au moins 2 000 pèlerins[39]. L'accord conclu en 1233 entre la commune de Marseille d'une part et les Templiers et les Hospitaliers d'autre part permettait aux ordres militaires de faire charger et décharger chaque année dans le port de la ville quatre navires leur appartenant, avec autorisation de faire monter à bord jusqu'à 1 500 pèlerins, en plus des négociants qui voulaient profiter du voyage. Ainsi des bateaux de plus de 1 000 pèlerins sont enregistrés tant dans les statuts marseillais, vingt ans après, que dans des documents génois.

Quant aux dangers, le voyage de retour de Roberto da Sanseverino en 1458 nous en offre un autre exemple. Parti le 12 octobre d'Acre sur un navire marchand, il a dû affronter toute une série de tempêtes durant lesquelles, écrit-il, les eaux frappaient l'embarcation avec une telle force qu'on « aurait dit des bombes de forte puissance ». Les pèlerins et les marins ne voyaient que « ciel et eau ». Ils multiplient donc les vœux, tout en constatant combien est vrai le dicton affirmant qu'il est dangereux de se trouver en mer pour la sainte Catherine ; mais l'apparition de trois cierges allumés sur le mât du bateau les convainc qu'ils bénéficient d'une extraordinaire protection divine. Et lorsque, à court de vivres et d'eau, ils réussissent à toucher terre à Ancône, « il leur sembla sortir des ténèbres et retourner dans la lumière, s'arracher de l'enfer et retourner au paradis, revenir de la mort à la vie ». Puis, ils décident de se relever de leur vœu principal en accomplissant un pèlerinage collectif à Lorette[40].

Comme on l'a vu, dans la seconde moitié du XIVe siècle, Venise, par une organisation poussée des services disponibles dans la cité et une offre bien conçue de transports maritimes, détenait le quasi-monopole du voyage des pèlerins. C'est ce que reconnaît de fait, en 1405, l'archevêque de Gênes, Pileo de Marini, qui sollicite un sauf-conduit pour pouvoir embarquer dans la cité de la lagune. L'État vénitien avait défini des règles précises pour les responsables des bateaux transportant des pèlerins : ils devaient leur assurer deux vrais repas par jour et se charger d'organiser leur visite aux lieux saints, y compris le mont Sinaï, s'ils en exprimaient le désir. Le Sénat veillait à l'application des ces lois.

Quant au choix du type d'embarcation, rappelons qu'en 1470 Anselme Adorno, avec son fils Jean, se rend de Bruges à Gênes, d'où son ancêtre, Opicino Adorno, était parti pour les Flandres deux siècles plus tôt. Voulant partir en pèlerinage en Terre sainte, Anselme doit choisir entre le navire et la galère[41] : les *amici et fautores nostri* qu'il consulte lui conseillent le navire en raison de la saison (l'été) pendant laquelle doit se faire le voyage. Ils lui expliquent que si « l'hiver, quand les flots sont gonflés par les multiples bourrasques, quand les vents violents soufflent en permanence et provoquent de nombreuses et interminables tempêtes, alors, il vaut mieux choisir les galères, plus sûres car elles offrent toujours la possibilité, en cas de péril imminent, de trouver refuge dans un port[...] ; en été, de telles conditions sont rares et en tout cas très ponctuelles, c'est pourquoi les grands navires, plus confortables, sont alors préférables aux galères ». Adorno suit donc ce conseil, lui qui, pourtant, peu habitué aux voyages en mer, était plus attiré par la sécurité des galères. Il embarque donc le 7 mai sur un grand navire génois (les plus grands navires de l'époque étaient génois), d'un peu moins de 800 tonneaux, avec 110 hommes d'équipage. Il ajoute, d'ailleurs, « je déconseille vivement à quiconque tient à la vie d'embarquer sur les galères de pèlerins qui, tous les ans, sont armées à Venise pour la fête de l'Ascension, non seulement du fait de l'étroitesse de l'espace disponible, mais aussi du grand nombre de gens de diverses origines qui se transmettent réciproquement, simplement en respirant, toutes sortes de maladies ».

Les étapes du voyage sont, dans l'ordre, la Corse (arrivée le 12 mai), la Sardaigne (18 mai), les côtes tunisiennes (25 mai), occasion d'une longue et passionnante digression sur les modes de vie des musulmans et sur les caractéristiques des Arabes (c'est-à-dire des Bédouins), puis la Tunisie (27 mai). A Tunis, Adorno embarque, le 15 juin, sur un bateau

167. Navires du XVe siècle dans la *Légende de sainte Ursule* de Vittore Carpaccio (Venise, Galleria dell'Accademia).

génois plus grand que le précédent ; parmi les passagers, on compte une centaine de *Maures* (c'est-à-dire de musulmans des villes côtières), hommes et femmes, dont une partie sont des marchands et l'autre des pèlerins en route pour La Mecque, ainsi que quelques juifs. Le bateau lève l'ancre au son des trompettes le 17 juin. L'environnement méditerranéen était en pleine mutation du fait de l'ample expansion ottomane, dont l'objectif le plus marquant fut, en 1453, la conquête de Constantinople. Le même Adorno le souligne parfois dans son texte, lequel – répétons-le – n'est pas un journal de voyage mais cherche à donner un ensemble d'informations assez complet, même si pour cela il se réfère souvent à ce qu'il a effectivement vécu. Ainsi, par exemple, après avoir donné une description générale de la Sicile, il passe à un chapitre *de Morea sive Romenia et eius civitatibus*, dans lequel, après un bref rappel de son passé lointain et proche, il ajoute que « le Grand Turc l'a pratiquement conquise entièrement, à l'exception de quelques villes maritimes restées aux mains des Vénitiens. Ces derniers possèdent tout d'abord la ville de Modon, où nous avons fait escale au retour. » Il parle de la conquête turque, « quelques années auparavant [42] », de Corinthe (« ville autrefois beaucoup plus illustre qu'aujour-

168. Voyage maritime de pèlerins.
Hans Burgkmair, *Navicula penitentiae*,
Augsbourg, 1511.

d'hui »), des attaques répétées des Turcs à Nauplie, de l'exécution capitale d'un espion qui s'était finalement converti au christianisme : bref, l'expansion ottomane se poursuit, tandis que Venise cherche à sauver au moins les bases maritimes de son empire naval. Il est toutefois possible qu'Adorno se trouvait bien loin de Constantinople et qu'il ait pu se tromper, situant près de Corinthe la colonie italienne, principalement génoise, de Galata-Péra, installée sur la rive nord de la Corne d'Or [43].

Adorno, qui était arrivé à Jérusalem depuis l'Égypte et le désert du Sinaï, décrit également la route du retour par Beyrouth-Chypre-Rhodes-Brindisi, cette dernière considérée comme la ville la plus importante des Pouilles, même comparée à Bari, désormais déchue. Beyrouth, elle, était devenue le premier port du littoral libanais, ce qui explique qu'Adorno y trouve immédiatement une place sur un navire vénitien en partance. L'expansion ottomane n'avait pas complètement fermé aux marchands et aux pèlerins l'accès au Levant, sauf là où l'empire ottoman cherchait à reprendre son expansion vers l'ouest. En effet ils ne se sentaient guère en sécurité dans leurs positions avancées en terre chrétienne ; ainsi, à propos de Rhodes, Adorno, après l'avoir décrite toujours prête à se défendre, rappelle les rumeurs constantes annonçant des attaques turques et invite les chrétiens à lui porter secours car « si elle est perdue, l'audace, déjà immense, des Turcs deviendra incontrôlable ». Il observe également que l'aversion turque pour les religieux (les Hospitaliers) qui en sont les maîtres est nettement plus marquée que celle que leur inspirent les Vénitiens.

Rhodes sera conquise, comme on le sait, en 1522 par Soliman le Magnifique, qui s'était emparé de Belgrade l'année précédente. En ce qui concerne plus directement les pèlerins et la Terre sainte, le changement clé est la conquête du sultanat mamelouk d'Égypte et donc de la Syrie et de la Palestine, en plus des lieux saints spécifiques de l'Islam, La Mecque et Médine (1514-1517).

Traduit de l'italien par Hélène Ladjadj

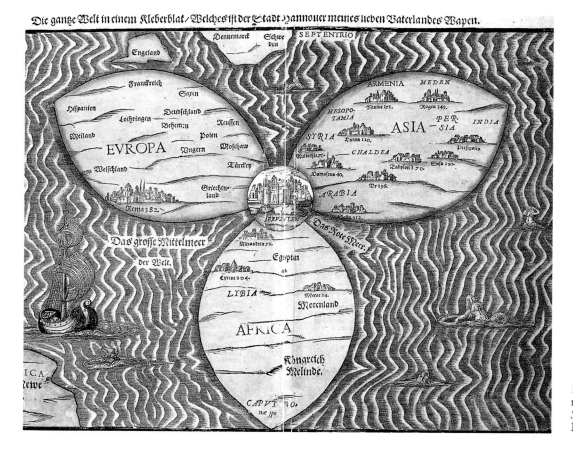

169. Jérusalem, point de convergence du monde. Carte de départ de l'*Itinerarium Sacrae Scripturae* de Heinrich Bünting, publié à Magdebourg (Jacobus Lucius, 1585).

254

NOTES

1. F. CARDINI, *Dal Medioevo alla Medievistica*, Gênes, 1989, pp. 243-251, pour une première information sur la question et sur ce qui suit. Pour les sources fondamentales, voir l'introduction de J. RICHARD, *Les récits de voyages et de pèlerinages*, Turnhout, 1981, fascicule de la collection « Typologie des sources du Moyen Age Occidental ». Cf. également E. MENESTÒ, « Relazioni di viaggi e di ambasciatori », in *Lo spazio letterario del Medioevo*, vol. I, tome II, Rome, 1988, pp. 535-600.

2. « *Itinerarium Burdigalense* », in *Corpus Christianorum, Series latina* (ci-après *CCSL*), vol. CLXXV, Turnhout, 1965, pp. 1-26.

3. Pour une vue d'ensemble comme pour des indications précises, cf. M. TANGHERONI, *Commercio e navigazione nel Medioevo*, Rome-Bari, 1996, chap. I.

4. Cf. l'Épître CVIII de saint Jérôme, éditée et commentée dans *Vita di Martino, Vita di Ilarione, In memoria di Paola*, C. Mohrmann (dir.), vol. IV, Milan, 1975.

5. Égérie s'adresse à des *dominae venerabiles sorores*.

6. « *Itinerarium Egeriae* », in *CCSL*, vol. CLXXV, *op. cit.*, pp. 27-103 ; pour une bonne traduction française, cf. ÉGÉRIE, *Journal de voyage*, Paris, 1982 (SC 296). Cf. aussi *Atti del Convegno Internazionale sulla « Peregrinatio Egeriae ». Nel centenario della publicazione del « Codex Aretinus 405 » (già « Aretinus VI, 3 »)*, Arezzo, 1989.

7. THÉODOSE, « *De situ Terrae Sanctae* », in *CCSL*, vol. CLXXV, *op. cit.*, pp. 113-125.

8. Voici l'incipit : « *Praecedente beato Antonino martyre, ex eo quod a civitate Placentina egressus sum, in quibus locis sum peregrinatus, id est sancta loca* ». C'est pourquoi le texte fut longtemps attribué à un certain Antonin de Plaisance ; il est publié dans le volume cité, pp. 127-153.

9. Voir F. CARDINI, *Gerusalemme d'oro, di rame, di luce. Pellegrini, crociati, sognatori d'Oriente fra XI e XV secolo*, Milan, 1991, pp. 3-43, qui, malgré le sous-titre, traite cette question principalement pendant le haut Moyen Age.

10. BÈDE LE VÉNÉRABLE, *Historia ecclesiastica gentis Anglorum*, C. Plummer (éd.), Oxford, 1896, p. 316.

11. ADAMNAN, « *De locis sanctis libri tres* », in *CCSL*, vol. CLXXV, *op. cit.*, pp. 175-234.

12. A. PERTUSI, « Bisanzio e l'irradiazione delle sua civiltà », in *Centri e vie di irradiazione della civiltà nell'alto Medioevo*, Spolète, 1964, pp. 86-87. Les thèses sont publiées dans T. TOBLER et A. MOLINIER, *Itinera Hierosolymitana et descriptiones Terrae Sanctae bellis sacris anteriora*, Osnabruck, 1966 (réimp.).

13. A. PERTUSI, « Bisanzio ... », *op. cit.*, pp. 83-84.

14. Sur ce thème, nous nous permettons de renvoyer le lecteur à notre synthèse in M. TANGHERONI, *Commercio ...*, *op. cit.*, chap. V.

15. Le lecteur souhaitant approfondir la question pourra commencer par J. RILEY-SMITH, *Breve storia delle crociate*, Milan, 1994.

16. En réalité, la flotte pisane, qui s'était arrêtée pour piller quelques îles byzantines, atteignit Jaffa début septembre 1099 ; Jérusalem était donc déjà conquise depuis un mois et demi, mais elle joua néanmoins un rôle décisif pour consolider la position des croisés. Daimbert devint le premier patriarche latin de Jérusalem.

17. V. VON FALKENHAUSEN, « Taranto », in *Itinerari e centri urbani nel Mezziogiorno normanno-svevo*, Bari, 1993, pp. 466-467.

18. P. CORSI, « Bari e il mare », in *Itinerari ...*, *op. cit.*, p. 108.

19. Son récit est publié dans *CC, Continuatio Mediaevalis*, vol. CXXXIX, pp. 59-77.

20. J. PRYOR, *The voyages of Saewulf*, dans le volume cité ci-dessus, pp. 35-57, où l'on trouvera une comparaison intéressante entre le récit d'une part et les courants et les vents dominants d'autre part, et aussi les itinéraires les plus problématiques d'île à île.

21. Concernant la typologie des bateaux, outre M. TANGHERONI, *Commercio...*, *op. cit.*, voir aussi J. PRYOR, *Geography, Technology and War. Studies in the Maritime History of the Mediterranean, 649-1571*, Cambridge, 1988.

22. J. PRYOR, *The voyages...*, *op. cit.*, p. 57.

23. Pour ces itinéraires et ceux des autres croisades, cf. J. RILEY-SMITH, *The Atlas of the Crusades*, New York, 1990.

24. Cf. F. CARDINI, *Gerusalemme...*, *op. cit.*, pp. 52-53, lequel remarque également que ce

choix réduit « le littoral entre Alexandrette et Gaza à un état de misère endémique dont il ne se sortira qu'au XXᵉ siècle ».

25. S. DE SANDOLI, *The Peaceful Liberation of the Holy Places in the XIV Century*, Le Caire, 1990 ; *Custodia di Terrasanta 1342-1942*, Jérusalem, 1951.

26. *Libro d'Oltremare di Fra Niccolò da Poggibonsi*, A. Bacchi della Lega (éd.), Bologne, 1881 ; reproduction anastatique, 1968, pp. 95-96.

27. F. CARDINI, *Gerusalemme...*, *op. cit.*, p. 53.

28. F. CARDINI, « I pellegrinaggi », in *Strumenti, tempi e luoghi di comunicazione nel Mezzogiorno normanno-svevo*, Bari, 1995, pp. 275-299 ; P. CORSI, « Il trasporto dei crociati : la Puglia », in *Le crociate. L'Oriente e l'Occidente da Urbano II a San Luigi, 1096-1279*, Milan, 1997, pp. 226-232.

29. E. PISPISA, « Messina, Catania », in *Itinerari...*, *op. cit.*, p. 149.

30. C'est le cas notamment d'un code des Archives capitulaires de Pise, que Catia Rizzo étudie actuellement.

31. Citons un répertoire classique, celui de R. RÖRICHT, *Biblioteca Geographica Palestinae. Chronologisches Verzeichnis der von 333 bis 1878 verfassten Literatur über das Heilige Land mit dem Versuch einer kartographie*, dans l'édition revue par D. Amiran, Jérusalem, 1963. Voir en outre N. SCHUR, *Jerusalem in Pilgrims and Traveller's Account. A Thematic Bibliography of Western Christian Itineraries, 1300-1917*, Jérusalem, 1980.

32. J. BREDFELD, *A Guidebook for the Jerusalem Pilgrimage in the Late Middle Ages. A case for Computer-Aided Textual Criticism*, Hilversum, 1994.

33. F. CARDINI, *Gerusalemme...*, *op. cit.*, p. 54.

34. *Itinerarium Symonis Simeonis ab Hybernia ad Terram Sanctum*, M. Esposito (éd.), Dublin, 1960.

35. Outre la note 26, cf. aussi Niccolò da POGGIBONSI, *Libro d'Oltremare (1346-1350)*, B. Bagatti (éd.), Jérusalem, 1945.

36. Cf. F. CARDINI, *Gerusalemme...*, *op. cit.*, p. 57.

37. G. BARTOLINI et F. CARDINI, *Nel nome di Dio facemmo vela. Viaggio in Oriente di un pellegrino medioevale*, Rome-Bari, 1991, où Bartolini donne une édition remarquable du texte de Frescobaldi, tandis que l'essai de Cardini s'attarde sur le voyage des pèlerins florentins, mais envisage également l'ensemble du tableau ; l'ouvrage contient en outre les indications bibliographiques concernant les autres « journaux ».

38. Sur les galères et navires, voir M. TANGHERONI, *Commercio...*, *op. cit.*, pp. 196-207.

39. M. TANGHERONI, *Commercio...*, *op. cit.*, pp. 218-239.

40. *Viaggio in Terrasanta fatto e descritto per Roberto da Sanseverino*, G. Romagnoli (éd.), Bologne, 1888 ; reproduction anastatique, Bologne, 1969.

41. *Itinéraire d'Anselme Adorno en Terre Sainte (1470-1471)*, édition et traduction française de J. Heers et G. de Groer, Paris, 1978. Adorno est parti de Bruges le 19 février 1470, ville dans laquelle il est revenu, avec ses compagnons de pèlerinage, le 4 avril 1471.

42. Elle s'est produite en 1458.

43. Cf. *op. cit.*, p. 157, note 8.

LOCA SANCTA

Rome

par Anna Benvenuti

De même que l'image chrétienne de Jérusalem et de la Palestine est le fruit d'une projection culturelle, un hologramme de la mémoire reconstruit d'après les Évangiles et la tradition apocryphe, le caractère sacré de Rome – en germe, il est vrai, dès les premiers siècles de l'ère chrétienne – est le produit d'une « élaboration » séculaire. Bien avant que le transfert à Constantinople n'entérine son déclin politique, Rome voit son prestige de capitale de la diaspora lui garantir la primauté sur la Jérusalem « historique », affaiblie dans son identité hébraïque par la destruction de Titus et non encore « réinventée » dans son acception chrétienne.

L'opposition latente entre une Rome ecclésiale, gardienne du pouvoir charismatique de Pierre, et une Palestine eschatologique, apocalyptique, dont on attend la confirmation et l'accomplissement des Écritures, se fait jour dès la première manifestation d'un culte des apôtres. Ce n'est pas tant sa fonction de Ville éternelle, *corona sanctorum martyrum*, qui dès les premiers siècles désigne Rome comme un but et un pôle privilégié de pèlerinage, que son rôle de continuatrice directe et légitime de l'Église hiérosolymitaine primitive. Quoi qu'il en soit, c'est bien dans le cadre de cette vieille rivalité entre capitale évangélique et capitale apostolique de Pierre que s'inscrit la longue histoire de la mémoire chrétienne et de son corollaire le plus évident : le « retour » aux origines fondatrices, à travers la métaphore spirituelle d'un voyage accompli moins dans l'espace que dans le temps de l'évocation et de l'identification.

170. L'une des première images des apôtres Pierre et Paul ensemble. Détail de la bande de fermeture du *loculus* d'Asellus, datant du IVᵉ siècle et découverte à Rome dans la catacombe de Saint-Hippolyte. Conservée aujourd'hui aux musées du Vatican.

Construisant sa supériorité spirituelle sur la communauté universelle des fidèles, Rome valorise aussi, à côté de l'héritage apostolique, le patrimoine extraordinaire de la mémoire de ses martyrs, dont l'élaboration liturgique est en formation dès le IIᵉ siècle, voire avant, quand commence la commémoration du *dies natalis* (le jour anniversaire de la mort terrestre ou de la naissance glorieuse) de certains d'entre eux. Une liste établie au IVᵉ siècle, la *Depositio martyrum*, mentionne trente-deux martyrs, auxquels, un siècle plus tard, s'en ajoutent déjà soixante-dix autres. La plupart sont ensevelis dans les immenses cimetières souterrains des abords de la ville, tel celui de Calixte ou, plus célèbre encore, *ad catacumbas*, sur la via Appia. Gardienne du sang abondamment versé pour la constitution du corps mystique de l'Église, Rome rappelle, dès le IIIᵉ-IVᵉ siècle, dans les liturgies du 29 juin, la naissance à la vie glorieuse de ses héros les plus illustres, les apôtres Pierre et Paul, dont on vénère les tombeaux situés au pied de la colline du Vatican et sur la via Ostiensis, mais qu'on célèbre aussi dans la catacombe appelée plus tard de Saint-Sébastien, sur la via Appia, où, associés par le culte populaire, ils deviennent l'objet d'une dévotion fervente, comme en témoigne, parmi les inscriptions votives des premiers pèlerins, celle de l'évêque d'Hiérapolis, Aberkios, entre 170 et 200.

Néanmoins, l'histoire d'une Rome désormais en déclin en tant que *Caput mundi* mais en essor constant comme *Caput fidei* ne commence véritablement qu'avec la légitimation définitive du IVᵉ siècle et, donc, avec l'élan que la famille impériale imprime alors à la mémoire chrétienne ; quand bien même cet élan est marqué par les caractéristiques de la conversion de Constantin et les nombreux compromis que celui-ci opère avec la tradition. Ville mondaine et charnelle – que saint Jérôme et ses disciples patriciennes quittent avec un mépris d'ascète pour revivre sur les lieux des Évangiles les émotions spirituelles du retrait du monde –, ville christianisée malgré soi par la volonté ambiguë d'un empereur qui fait du Christ son *divus comes*, la Rome chrétienne s'apprête à reconquérir le monde que le Bas-Empire est en train de perdre, et cette reconquête s'effectuera depuis la colline du Latran, siège excentré dans le *pomerium*, que Constantin destine aux évêques héritiers de Pierre.

171. *Banquet céleste*. Fresque au-dessus d'un *loculus*. Rome, catacombe des Saints-Pierre-et-Marcellin.

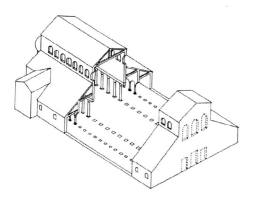

172. Reconstitution de la basilique constantinienne Saint-Jean-de-Latran (Rome).

L'édification de basiliques-cimetières juste en deçà de l'enceinte d'Aurélien et, en général, les grandioses réalisations d'architecture sacrée qui voient le jour au IVᵉ siècle modifient l'aspect de la ville où, en dépit d'un recul démographique et urbanistique généralisé, on crée des pôles et des axes étrangers à l'ancienne structure urbaine. Voulue et financée par Constantin, la cathédrale, qui est aussi l'évêché, est construite dans la zone périphérique du Latran ; là, en effet, l'établissement de la nouvelle réalité officielle de l'Église chrétienne, désormais tolérée mais pas au point de permettre, même à l'empereur, d'en imposer la présence dans le circuit de la tradition sacrée de la ville, ne heurte pas la susceptibilité des conservateurs païens. D'abord consacrée au Sauveur puis dédiée à saint Jean-Baptiste (IVᵉ siècle), la grande construction, sur la colline du Latran, s'insère dans la verdure de vastes domaines patriciens, appartenant notamment au patrimoine privé de Constantin. D'une magnificence digne d'une donation impériale, elle est cependant à l'écart par rapport au développement topographique urbain et peu commode d'accès, ce qu'elle restera longtemps. Mais la basilique constantinienne, dite aussi Basilique d'Or à cause de la richesse de ses objets de culte et de son ornementation, l'*omnium Urbis et Orbis Ecclesiarium mater et caput* affirme rapidement – comme le souligne Gregorovius – « sa suprématie sur toutes les autres églises du monde et va jusqu'à prétendre avoir reçu en elle la sainteté du Temple de Jérusalem, puisque l'Arche sacrée des Juifs est gardée sous son autel. Toutefois, cette église épiscopale, dont la prise de possession en grande pompe est le premier acte de chaque pape nouvellement élu, est éclipsée par la cathédrale de Pierre, prince des apôtres » (F. GREGOROVIUS, *Storia di Roma*, Rome, 1966, I, p. 78 *sq*).

Les jardins d'Agrippine, près du temple de Cybèle, rivalisent donc avec le vert Latran dans le prestige de la hiérarchie sacrée de Rome. La tradition veut que ce soit Constantin lui-même qui ait célébré la *consecratio* de la basilique, édifiée sur le lieu du martyre de Pierre ; l'empereur aurait donné le premier coup de bêche et apporté pour les fondations douze paniers de terre, nombre symbolique renvoyant à celui des apôtres. Au Vᵉ siècle, Paulin de Nole est l'un des premiers visiteurs à décrire la basilique vaticane ; par-delà l'enthousiasme du dévot, son récit donne une idée des dimensions considérables et de

173. Reconstitution de la basilique constantinienne Saint-Pierre au Vatican.

174. Reconstitution de la basilique Saint-Paul-hors-les-Murs, d'après une gravure du XVIIIᵉ siècle. Image antérieure à l'incendie de 1832, montrant l'état de conservation exceptionnel du monument paléochrétien.

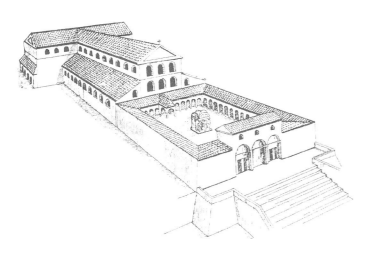

l'aspect imposant de l'édifice. La basilique n'est entourée alors que de quelques chapelles funéraires qui obéissent à l'usage d'être enseveli *ad sanctos*, une coutume qui s'implantera toujours davantage à partir de ces années ; se faire enterrer près d'un saint important qui, tel le *patronus* dans la société romaine, assure à ses « clients » la protection au jour du Jugement, devient en effet un usage courant. Plus tard, s'ajouteront à ces constructions une série d'édifices destinés à accueillir les pèlerins et d'autres structures complémentaires : cloîtres, chapelles, habitations du clergé. La tradition prête aussi à Constantin la construction du *templum* de Paul, l'autre coryphée de la foi chrétienne. Selon le *Liber Pontificalis*, le pape Silvestre Ier aurait demandé à l'empereur d'honorer la mémoire de l'Apôtre des gentils en édifiant une basilique sur la via Ostiensis, à un mille environ de la ville, là où, dit-on, la pieuse matrone Licinia avait enseveli la sainte dépouille. Mais ce n'est qu'à la fin du IVe siècle que les empereurs Valentinien II, Théodose et Arcadius ordonneront à Salluste, préfet de l'*Urbs*, de remplacer ce qui n'était probablement qu'une simple chapelle funéraire par une église digne de l'apôtre.

La tradition rattache aussi au groupe des fondations impériales la basilique Sainte-Croix-de-Jérusalem, grandiose chapelle privée, aménagée dans l'aile du palais Sessorien à l'identification incertaine, situé près de la porte Majeure ou Sessoriana, justement ; église dans laquelle l'impératrice Hélène aurait placé une relique de la Vraie Croix. A l'instar de la basilique d'Hélène – et, du reste, du *Lateranorum aedes* comprenant la *domus Faustae* sur laquelle a été édifiée la basilique du Latran –, d'autres propriétés et constructions privées de la famille impériale comptent au nombre des principaux monuments chrétiens de Rome, et, en particulier, l'église Sainte-Agnès-hors-les-Murs, érigée près du tombeau de la sainte au-delà de la porte Nomentana ; cette basilique finira par englober le mausolée des filles de Constantin, Hélène et Constantine et, par la suite, la superposition des cultes suscitera une confusion transformant la seconde – pécheresse aux dires de l'historien Ammien Marcellin – en une vierge sainte, vénérée à l'époque médiévale sous le nom de Constance. De même, la construction du mausolée de l'impératrice Hélène, sur la via Labicana, sera attribuée à Constantin du fait de sa proximité avec la catacombe des martyrs Pierre et Marcellin. Or, en réalité, le fondateur de la Rome chrétienne ne peut revendiquer que le seul patronage de la basilique du Latran, bien que la tradition associe à son nom la presque totalité des plus anciennes églises de la ville.

Disséminés pour la plupart dans les faubourgs du *pomerium*, les grands ensembles basilicaux imposent un séjour assez long aux visiteurs désireux d'accomplir toute la *peregrinatio* romaine ; Paulin de Nole nous dit s'être arrêté dix jours à Rome « *pro apostolorum et martyrum veneratione* ». En ces premiers siècles de l'ère chrétienne, les sépultures souterraines comptent au nombre des étapes les plus émouvantes de ce pèlerinage ; conformément à la législation romaine qui interdit toute promiscuité entre la ville des vivants et celle des morts, les sépultures sont situées le long des principaux axes routiers, hors les murs de la ville.

Les catacombes apparaissent vers le premier siècle de l'ère chrétienne en tant que sépultures privées de familles aisées, bien qu'elles soient ouvertes aussi à d'autres fidèles. Du IIIe siècle à l'ère de Constantin, elles continuent de s'agrandir, prenant le nom du pape qui les aménage ou celui du plus célèbre martyr dont elles abritent la dépouille. L'édit de Milan et la pratique au grand jour du culte réduisent leur raison d'être en tant que cimetière mais elles demeurent encore des lieux de mémoire et de culte ; puis ce rôle aussi disparaît progressivement, surtout entre le VIIe et le IXe siècle, lorsque de nombreux corps de martyrs sont transférés des catacombes aux basiliques citadines. Ce processus va de pair avec l'élaboration du culte des saints, dont la définition connaît une évolution décisive à partir, justement, du IVe siècle ; de fait, se généralise alors l'habitude de célébrer la messe sur des autels sacralisés par la présence des restes d'un martyr ou d'un saint.

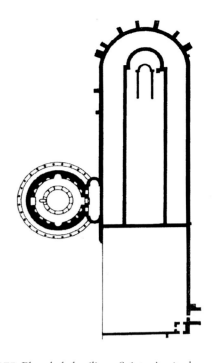

175. Plan de la basilique Sainte-Agnès de Rome avec le mausolée rond de Sainte-Constance : deux exemples conjoints des grandes typologies de l'architecture paléochrétienne.

Selon le *Liber Pontificalis*, c'est au pape Félix (269-275) qu'il faut attribuer le début de la commémoration liturgique des martyrs. S'il en est bien ainsi, abstraction faite des réserves émises par la critique, les cérémonies se déroulent dans les catacombes hors les murs où, très tôt, on prend l'habitude d'aménager de minuscules chapelles dans les arcosolia en employant comme tables d'autel les dalles de couverture des tombes : le jour anniversaire de la *depositio* ou du *dies natalis*, c'est là qu'on célèbre la messe.

Mais à Rome, tout au moins, rien ne prouve avant le VIᵉ siècle qu'on utilise des reliques pour consacrer des autels, contrairement à ce qui se fait dans d'autres régions chrétiennes où cette coutume est connue dès le IVᵉ siècle. En général, il ne s'agit pas de fragments ni de parties entières du corps du saint mais de *brandea*, bandes ou morceaux d'étoffe mis en contact avec la tombe du martyr et qui se « chargent » des vertus sacrées du corps, devenant ainsi des reliques qu'on peut transporter et attribuer à de nouveaux autels, consacrés de préférence au même saint.

En Occident, l'Église demeurera longtemps hostile à la violation des sépultures des saints et au démembrement de leurs corps, ce qui n'est pas le cas en Orient.

Dans les pays occidentaux et à Rome en particulier, la continuité de la législation sur les profanations des sépultures génère l'habitude – dite justement « romaine » – d'utiliser des reliques représentatives, tels les *brandea*, avec lesquelles, en dépit des demandes insistantes qui n'émanent pas uniquement de Byzance, les papes réussissent à préserver l'intégrité des dépouilles sacrées.

Centre de rassemblement et de distribution des reliques

176. *Sainte Agnès.* Détail de la mosaïque absidale de l'église paléochrétienne homonyme (Rome).

A partir du IVᵉ siècle, l'officialisation du culte et l'institutionnalisation du christianisme permettent de donner un autre caractère, plus formel, au culte des reliques, lié jusque-là à la seule zone des catacombes et limité par l'interdiction draconienne de fractionner les corps saints. Cet interdit est toujours en vigueur au VIᵉ siècle, puisque le pape Grégoire le Grand s'y réfère lorsqu'il rappelle qu'on ne peut toucher aux reliques directement. Pour la papauté, en effet, la seule manière admissible et compatible avec la tradition de répondre à la demande croissante d'une Europe pauvre en martyrs et en souvenirs est la multiplication des *brandea* qui, enfermés dans des pyxides placées le plus près possible des sépultures des martyrs, en acquièrent les vertus. Bien que les *brandea* soient considérés comme des reliques à part entière, la conscience demeure d'une différence entre eux et les corps saints, de sorte qu'apparaissent toutes sortes de nuances terminologiques qui renvoient – comme l'atteste le *Liber diurnus* des pontifes romains – aux différentes formes de consécration en usage. Ainsi, quand on veut édifier un oratoire (ou une basilique), consacré à un saint, on demande les *sanctuaria* nécessaires au pape, lequel prend les mesures pour fournir le matériel en question et donne des instructions à l'évêque local qui effectuera la consécration ou la dédicace. Dans certains cas, comme pour les *brandea* obtenus près de la sépulture de saint Pierre, on utilise des termes plus spécialisés, en l'occurrence *palliola* (d'où dérivera le *pallium* des archevêques) et on peut aussi tirer parti de personnages qui, tels les anges, sont incapables de laisser des reliques. Tous ces usages ont des répercussions profondes sur l'architecture même des édifices ecclésiastiques. La présence de corps saints implique en effet une crypte de sépulture et, par conséquent, l'élévation du niveau du sanctuaire sur lequel est situé l'autel, lui-même fondé sur la tombe. Les deux parties, l'inférieure et la supérieure, sont reliées par un petit puits *(umbilicus)*, qui ouvre lui-même fréquemment sur une niche creusée dans le couvercle en pierre de la sépulture et protégée par une grille appelée *cataracta* ; l'*umbilicus* permet ainsi d'accéder sur un mode ritualisé au « cœur » sacré de l'autel lors de la consécration des *brandea* et en d'autres circonstances, quand un contact rapproché avec la sainte dépouille est nécessaire. A travers ces ouvertures, dont Augustin fera des « petites fenêtres de la mémoire », les prières des fidèles prennent le chemin du Ciel en s'infiltrant dans les voûtes souterraines des *loca sanctorum*.

Si le *Liber diurnus* atteste la persistance de la *consuetudo romana* imposant l'inviolabilité des reliques conservées dans les lieux sacrés de l'*Urbs*, on est moins sévère lorsqu'il s'agit d'« importer » des reliques et, donc, de procéder à ce qu'en Occident – loin du faste sacré des *translationes* byzantines –, on continue d'appeler des exhumations, soumises à la rigueur des normes funéraires du droit romain. Au IIIe siècle, les fidèles de la ville apostolique obtiennent, par exemple, l'autorisation de ramener à Rome les reliques du pape Pontien et de l'évêque Hippolyte, dont les dépouilles sont restées en Sardaigne, terre d'exil de ces deux personnages. De la même manière, le corps du pape Corneille, mort à Centumcellae, revient à Rome, tandis qu'on acquiert des reliques dont l'origine n'est pas toujours très claire, comme celles des Quatre Saints Couronnés arrivées par le Tibre de la lointaine Pannonie (Hongrie), lors, peut-être, de mouvements de réfugiés venant de ces contrées exposées aux invasions.

Désormais, dans la partie occidentale de la Chrétienté aussi, acheter des reliques dès qu'il est possible de s'en procurer devient une pratique courante, ce que font saint Paulin à Cimitile (Nole), Gaudence à Brescia ou Victrice à Rouen. Partout, comme l'attestent les auteurs, de Cyprien à Grégoire de Nysse, les reliques font l'objet d'une demande « privée » toujours plus importante, qu'elles deviennent ensuite, offertes pieusement par de généreux donateurs, le fondement d'édifices sacrés ou qu'elles demeurent dans les trésors domestiques en tant que protection de l'âme et du corps.

Le zèle avec lequel les papes, à commencer par Grégoire le Grand, rassemblent des reliques apostoliques qui compléteront, autour de Pierre, la première génération des témoins du Christ, est révélateur d'une attitude qui, de l'ère grégorienne, perdurera jusqu'aux triomphes de l'Église de la Renaissance. Pie II, en effet, n'aura de cesse de récupérer le chef de l'apôtre André après la chute de Patras aux mains des Turcs. Le souci de réunir les *capita* apostoliques a des racines anciennes : depuis les chefs de Luc et de Matthieu, acquis par Grégoire le Grand, jusqu'à ceux de Jean l'Évangéliste, de Philippe, de Jacques le Mineur, de Jude Thaddée, de Simon le Zélote, etc. ; et il est significatif que, parmi tant d'autres épisodes blasphématoires commis lors du sac de Rome en 1517, l'un des plus sacrilèges ait été, précisément, une partie de ballon jouée avec le crâne de saint Pierre.

177. Cloître du XIIIe siècle de l'église des Quatre-Saints-Couronnés de Rome. La construction médiévale a remplacé l'édifice du IVe siècle érigé pour accueillir les reliques des quatre martyrs.

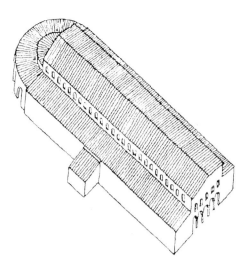

178. Reconstitution de la basilique paléochrétienne Saint-Laurent, construite sur la via Tiburtina à Rome.

179. Modèle de reconstitution permettant de reconnaître les caractéristiques paléochrétiennes. Gravure du XVIIIe siècle représentant la basilique Saint-Clément de Rome.

Quand, en 1154, l'abbé islandais Nicolas de Munkathvera visite en pieux pèlerin la Ville éternelle, il lui est possible de vénérer au maître-autel de la basilique vaticane les reliques de ces « disciples du Christ qui suivirent Pierre à Rome », confirmant ainsi la *translatio* apostolique réalisée dans le sillage du prince des apôtres.

Mise à part cette appropriation « spécialisée » qui permet à la papauté, au cours de sa longue histoire médiévale, de parachever l'image de sa légitimité charismatique en important des reliques de la première génération évangélique, c'est essentiellement son rôle de dispensatrice de sacré qui fait de Rome l'*omphalos* de la plus ancienne et de la plus légitime tradition des apôtres et des martyrs.

La grande diffusion de *brandea* explique les nombreuses inscriptions qui, en Afrique plus particulièrement, se réfèrent à la présence de « reliques » des saints Pierre, Paul ou Laurent, dont l'Église romaine garde jalousement les corps et ne veut rien céder. La sacralisation par contact permet aussi d'obtenir des fragments de reliques qui, glissés dans des « amulettes » fabriquées spécialement pour cet usage – généralement des médaillons ou des anneaux –, répondent à une nécessité individuelle. Grégoire de Nysse connaît bien cette forme de dévotion, puisque sa sœur Macrine porte en permanence un collier où sont suspendus une croix en fer et un anneau renfermant une relique de la Vraie Croix.

Parallèlement à cette « production » d'objets sacraux se généralise l'usage d'un espace ecclésial qui, désormais, n'est plus seulement un lieu de mémoire, mais bel et bien le siège d'une épiphanie dont le fidèle attend d'être mis en relation avec la réalité surnaturelle à laquelle participent les saints. L'importance que prend à Rome la dévotion à saint Laurent, devenu dans l'élaboration séculaire de sa légende hagiographique et de son culte le patron de la cité apostolique, illustre bien cette extension. La tradition veut que saint Laurent ait été supplicié sous le règne de l'empereur Dèce, près des thermes d'Olympia sur la via Tiburtina, et c'est là, nous dit le poète espagnol Prudence, dans les catacombes du *Campus Veranus*, qu'il a été enseveli. Et la légende, une fois encore, fait de Constantin le fondateur de la basilique du saint. C'est probablement sur le lieu du martyre (où l'on dit que l'empereur a fait édifier la basilique primitive dans laquelle, depuis le rez-de-chaussée, on accédait au tombeau souterrain par un escalier à deux rampes, l'une pour descendre, l'autre pour monter) que sera érigée, du temps du pape Sixte III (432-440), une construction plus vaste : le troisième grand édifice basilical *extra moenia*, après Saint-Paul et Saint-Pierre. En revanche, la basilique inférieure voulue par Pélage II (579-590) sera construite à la fin du VIe siècle. Enfin, les interventions médiévales d'Honorius III et d'Innocent IV donneront au site sa forme actuelle, abstraction faite des dommages que celui-ci a subis durant la dernière guerre.

A Rome, l'abondance des souvenirs de saint Laurent, répartis dans le labyrinthe citadin que dessinent la dévotion et la liturgie, confère aussi un relief particulier à la commémoration du saint dans le *circulus anni*. La fête de ce dernier qui, par ordre d'importance, vient immédiatement après celle des apôtres Pierre et Paul, est précédée d'une vigile solennelle célébrée dans la basilique *al Verano* (ou Saint-Laurent-hors-les-Murs), lieu identifié comme étant celui de la sépulture de Laurent par la *Depositio martyrum* et le Martyrologe attribué à Jérôme. Hormis l'ensemble du Verano, qui résume la stratigraphie complexe des monuments nés autour du tombeau, de nombreuses églises romaines témoignent de la popularité du patron de l'*Urbs* et de l'ampleur de son culte : Saint-Laurent in Lucina, où le gril conservé serait celui du martyre ; Saint-Laurent in Damaso, édifiée sur l'habitation du pape Damase qui a célébré le culte des martyrs ; Saint-Laurent in Panisperna, dont le nom dérive de l'usage voulant qu'on y distribuât aux pauvres du pain et du jambon ; enfin Saint-Laurent in Palatio, oratoire privé du pape dans le patriarcat du Latran où, en plus de la *Véronique* (l'empreinte miraculeuse du visage du Christ), on conserve alors les reliques les plus importantes de la ville. Bien des dédicaces

Contrepoids local de la puissance universelle de Rome et, en quelque sorte, réponse à son ambition théocratique, des reliques volées, transférées, achetées, échangées entre la Palestine et Byzance offrent une occasion exceptionnelle de légitimer les particularismes des Églises locales. C'est précisément contre cette mise en pièces de la mémoire chrétienne des origines, dont Jérusalem et la Palestine ont été le centre historique mais également le « dépôt », que Rome impose la notion d'héritage apostolique et fait de la cathédrale de Pierre l'unique point d'arrivée, en dignité et en ancienneté, de la diaspora véritable et légendaire qui a reconstitué en Europe, tessele après tessele, la grande mosaïque évangélique. Et cela, sur un mode d'autant plus impérieux quand, du XIIe au XIIIe siècle, la tournure prise par les événements dans le royaume latin de Jérusalem et l'évolution de l'utilisation de la croix, qui n'est plus tournée désormais vers la reconquête physique des lieux saints, permettent à la papauté d'affirmer sa suprématie œcuménique et de la justifier idéologiquement.

En ces années, le trafic de reliques, qui sont souvent l'occasion de refonder, d'édifier ou de consacrer des lieux de culte, détermine le développement d'un férial local, auquel on associe des distributions de bénéfices spirituels visant à stimuler la générosité des fidèles appelés à contribuer au financement des constructions. Ce facteur et d'autres favorisent la prolifération des indulgences, un phénomène dont les papes – et Innocent III, le premier – commencent à craindre qu'il n'entame l'autorité et le prestige de l'Église, d'autant qu'il s'accompagne de situations scandaleuses ou ridicules. Ainsi, quand Rome tente de reprendre les choses en main, lors du concile du Latran de 1215, à côté du problème des reliques et de leur « mobilité », on s'attache

186. A Sainte-Marie-in-Trastevere, la plus ancienne église mariale de Rome, Pietro Cavallini réalisait, à la fin du XIIe siècle, les célèbres mosaïques de la *Vie de la Vierge*. Ici, l'arrivée et l'adoration des Rois mages.

108. Le cloître du XIIIe siècle de Saint-Jean-de-Latran, réalisé par les Vassaletti.

Pages précédentes :
105. Dès l'époque paléochrétienne, on rassemble les reliques disséminées dans toute la Chrétienté, constituant ainsi un patrimoine précieux pour le pèlerin en quête de sacralité ; Rome était la plus riche mine de reliques. Ici, le transfert des reliques sur une mosaïque conservée au musée d'Apamée (Syrie).

106-107. Basilique Saint-Jean-de-Latran, façade et vaisseau central. Suite à l'apparition miraculeuse de l'image du Sauveur, le pape Clément VI ajoute cette église au nombre de celles que doit visiter le pèlerin pour gagner l'indulgence plénière, à partir du jubilé de 1350.

109. La basilique Saint-Paul-hors-les-Murs,
sur la voie Ostiense, est une des stations obligatoires
du pèlerin à partir du premier jubilé. C'est là qu'étaient
conservées les reliques de l'apôtre Paul, vénérées
en même temps que celles de Pierre.

110. Le pape Urbain VI ajoute Sainte-Marie-Majeure
aux trois autres basiliques que les pèlerins
se doivent de visiter lors du troisième jubilé
de 1390.

111. Vue de l'abside de Sainte-Marie-Majeure,
la plus ancienne église mariale de Rome, avec le
Rédempteur trônant en compagnie de la Mère,
mosaïque de Jacopo Torriti (1295).

112-113. Colonnade et vue d'ensemble de la basilique
Saint-Pierre réalisée au XVIᵉ siècle. C'est là qu'étaient
conservées les reliques du prince des apôtres,
qui attiraient les pèlerins à Rome depuis l'Antiquité.

Pages suivantes :
114-115. Basilique Saint-Pierre, la coupole de Michel-Ange.
Détail de l'intérieur et de l'extérieur.

116-117. Les statues de saint Pierre et saint Paul
sur la place Saint-Pierre de Rome.

118. Le *Sancta Sanctorum* de la basilique
Sainte-Croix-de-Jérusalem. On y conserve les reliques du
Christ ramenées de Jérusalem par sainte Hélène.

119. Vue intérieure de la basilique Saint-Laurent-hors-les-Murs.
Dernière église à intégrer, lors de l'année jubilaire de 1575, ce
qui sera dès lors le groupe des sept stations du pèlerin. La
mosaïque de l'arc triomphal reproduite ici remonte au VIᵉ siècle.

120. Ugo da Carpi, *Véronique entre les saints Pierre et Paul*, début du XVIe siècle. Fabrique de Saint-Pierre au Vatican, Archivio Storico.

187. François *alter Christus*, xylographie de la *Chronique de Nuremberg*. La vénération de ses disciples, devenue ensuite une véritable dévotion populaire, fera des lieux franciscains en Italie une seconde destination de pèlerinage.

aussi à mettre de l'ordre dans cette affaire d'indulgences. Dès lors, les évêques ne seront plus libres de disposer comme bon leur semble de cette dispense spirituelle, une mesure qui restreint l'autonomie ecclésiastique locale au profit de la seule *plenitudo potestatis* pontificale. Considérées comme un trésor universel qui ne doit pas être dilapidé selon le bon plaisir des évêques mais laissé à la seule discrétion souveraine du pape, les indulgences deviennent un thème d'une importance extrême dans la réflexion canonique du XIIIe siècle, à laquelle contribueront d'une manière décisive les ordres mendiants ; leur apport constituera en effet une étape fondamentale dans l'élaboration de la juridiction romaine. A la question de savoir si un évêque peut concéder des indulgences, Thomas d'Aquin répond : « *Potestas faciendi indulgentias plene residet in papa* » ; il ne reste donc plus aux évêques que la possibilité de les octroyer « *secundum ordinationem papae* ».

Seule dispensatrice de la « réserve » de salut, Rome commence aussi d'augmenter le patrimoine des indulgences attachées aux basiliques apostoliques, tandis que les *limina* ecclésiaux, auxquels on accorde peu à peu le même cérémonial liturgique, deviennent eux-mêmes sujet sacré et non plus arrière-plan d'un acte de pénitence ; autrement dit, on substitue au pèlerinage, qu'on prive ainsi de son sens profond, le simple fait d'atteindre au but, même si cet acte s'accompagne toujours des dévotions indispensables.

188. *Le pape Innocent III confirmant la règle à François.* Fresque de Giotto dans l'église-haute de Saint-François d'Assise.

Alors que l'espoir de récupérer physiquement les lieux saints s'amenuise à mesure qu'on prend conscience qu'il est impossible de continuer de se battre en Palestine, les idéaux armés de la guerre sainte cèdent la place aux visées pacifiques des missionnaires dans les nouveaux horizons ouverts à l'Occident par la conquête mongole. Le fait est que le climat spirituel et culturel comme le contexte politique et économique ont changé ; et la lointaine Jérusalem redevient un objet de nostalgie dans la pensée religieuse chrétienne, surtout après la chute de Saint-Jean-d'Acre, en 1291 – ultime rempart contre la reconquête musulmane –, qui réduit à néant les derniers espoirs d'une domination occidentale sur les lieux saints.

Bien que les croisades successives, impuissantes à restituer à la Chrétienté sa patrie spirituelle, n'aient jamais interrompu les pèlerinages de l'autre côté de la Méditerranée, désormais le voyage aux lieux saints se fait sous des auspices culturels et religieux totalement différents, en une époque où les impératifs commerciaux et les intérêts géographiques poussent la curiosité de l'Occident toujours plus à l'est de Jérusalem.

Dans ce contexte, la lente opération culturelle qui a consisté à transférer en Europe le patrimoine de souvenirs liés à la Palestine devient capable de produire des horizons de dévotion nouveaux, permettant ainsi de se passer définitivement des terres d'outre-mer. La série de miracles eucharistiques qui, au XIIIᵉ siècle, offrent à l'Europe des reliques neuves du sang du Christ, s'écoulant d'hosties consacrées, montre clairement que, dans la conscience des fidèles, le lointain Calvaire de Jérusalem est dorénavant présent sur chaque autel, où le mystère de la transsubstantiation réédite le sacrifice du Christ. Et comme l'a soutenu Innocent III, tandis que la Jérusalem historique devient « misérable », l'Occident est maintenant en mesure non seulement de reproduire chez lui l'ancienne suggestion sacrale des terres évangéliques de Palestine mais, qui plus est, de susciter et d'inscrire dans la réalité de nouveaux modèles religieux, dans lesquels la mémoire chrétienne va jusqu'à la superposition : ainsi saint François d'Assise, *alter Christus* dans la représentation qu'en donnent ses disciples, génère une nouvelle Terre sainte séraphique entre l'Ombrie et la Toscane, qui autorise des jumelages symboliques – Assise deviendra une nouvelle Bethléem, ou le mont de la Verna, une réplique du Calvaire. Et ce n'est pas un hasard si, à la fin du siècle, précisément, l'un des maîtres du mouvement spirituel franciscain, Pierre-Jean Olivi, mène cette superposition à ses conséquences extrêmes en établissant, d'une manière inattaquable au plan canonique, une indulgence *ad instar S. Sepulchri*, applicable au berceau de la première communauté apostolique franciscaine : la Portioncule.

La *plenitudo potestatis* instituée par le IVᵉ concile du Latran, qui a permis à la papauté d'endiguer les abus locaux dans l'attribution des indulgences, se transforme vers la fin du XIIIᵉ siècle, grâce à l'interprétation qu'en donnent les ordres mendiants, en un puissant instrument théocratique que les papes peuvent utiliser librement, même au-delà de la coutume canonique, et ce, grâce à une totale équivalence, fondamentale au plan conceptuel, entre pèlerinage et croisade. Donc, assimilés à ceux qui, armés ou non, sont *in partibus infidelium*, les pèlerins *in partibus fidelium* partageront désormais avec ces derniers les privilèges spirituels traditionnellement réservés aux croisés qui, *crux super vestem*, se font un devoir de défendre la foi là où l'Église, en Orient comme en Occident, désigne l'ennemi.

Des précédents, tels le privilège de rémission des péchés accordé à Assise et, plus encore, le Pardon concédé en 1295 par Célestin V à Sainte-Marie de Collemaggio à L'Aquila, annoncent cette évolution, puisqu'ils introduisent le « nouveau » phénomène d'une indulgence plénière appliquée à un pèlerinage exclusivement occidental.

Jusque-là, les modestes indulgences dont s'accompagnait la visite des monuments romains, quand bien même revalorisées au cours du XIIIᵉ siècle en vertu du pouvoir discrétionnaire que les dispositions conciliaires ont accordé au souverain pontife, n'ont

189. *Saint Pierre*. Détail de la fresque du Jugement dernier réalisée par Pietro Cavallini dans l'église Sainte-Cécile-in-Trastevere de Rome.

190. Véronique, lors d'une chute dans la montée au Calvaire, tend au Christ l'étoffe que l'on désignera ensuite par son nom. Gravure de 1511 d'Albrecht Dürer.

jamais revêtu, tant s'en faut, un tel caractère. Mais déjà, du temps de Grégoire IX, les périodes de rémission des péchés accordées aux pèlerins se rendant à Saint-Pierre marquent le début de ce processus d'extension, dont le sommet sera atteint lors du jubilé, tandis qu'on parachève progressivement la thèse de la supériorité de la basilique Saint-Pierre sur toutes les autres églises de Rome et du monde. Dans la pensée de la papauté du XIIIᵉ siècle, la basilique vaticane devient la Jérusalem céleste, comme le souligne, en 1279, Nicolas III et, en dépit de quelques détracteurs, c'est cette image qui domine désormais dans les consciences de ces pèlerins toujours plus nombreux, pour qui Rome est la seule capitale chrétienne, le lieu où, dans « notre Véronique », selon l'expression de Dante, le fidèle contemple le vrai visage du Christ et l'image triomphante de son Église.

A la fin du XIIIᵉ siècle, les libéralités de Nicolas IV permettent d'accroître énormément le potentiel spirituel de Rome et, dans cette dotation généralisée des églises romaines, Saint-Pierre se taille naturellement la part du lion.

Cette concentration de « sainteté » sur la basilique pontificale s'accompagne d'une volonté toujours plus ferme de centralisation, qui connaîtra son apogée sous Boniface VIII. A peine élu, celui-ci s'empresse, et ce n'est pas un hasard, de révoquer l'indulgence de Collemaggio, dont le succès et la relative justification formelle risquent de réduire à néant l'opiniâtre recomposition du *thesaurus ecclesiae* accomplie tout au long du XIIIᵉ siècle ; il confirmera en revanche l'indulgence d'Assise. Toutefois, malgré cet imposant processus de mainmise pontificale sur le domaine des indulgences, il n'est pas prévu – si l'on en croit le précieux témoignage du cardinal Stefaneschi – de confier l'extraordinaire trésor aux célébrations de l'année jubilaire.

Sous la pression de l'attente grandissante des fidèles, le pape assimilera pourtant, dans la teneur et dans la formulation de la concession, les pèlerins de l'an 1300 à tous ceux qui prennent part alors aux innombrables croisades politiques de la papauté, de sorte que les pèlerins de Rome, en cette année très spéciale, reçoivent pour prix de leur peine le grand pardon promis aux missionnaires franciscains évangélisant les Tatars, aux alliés du pape dans sa guerre contre les Siciliens ou à ceux qui combattent les Colonna sous les couleurs pontificales.

Apothéose et, en même temps, prémices du déclin de la théocratie romaine, le jubilé referme une époque. De fait, le siège apostolique partira bientôt pour Avignon, marquant le début de la longue crise qui, pendant plus d'un siècle, troublera les consciences européennes.

Parallèlement, les années saintes se font toujours plus fréquentes ; célébrées d'abord tous les cinquante ans, elles le seront ensuite chaque trente ans afin de permettre au pèlerin d'avoir accès, au moins une fois dans sa vie, au pardon général, tandis que se multiplient les lieux où le pieux voyageur peut gagner les indulgences attachées aux basiliques romaines, héritières des basiliques de Palestine.

Ce processus de banalisation contribue à la dévalorisation idéologique que connaît le pèlerinage dans les milieux intellectuels de la deuxième moitié du XIVᵉ siècle et du XVᵉ siècle. Le premier humanisme, relisant les Pères de l'Église, trouve dans les propos de saint Augustin ou dans la méfiance de saint Jérôme la confirmation de ses propres réserves vis-à-vis d'une pratique dévotionnelle dont les significations profondes ont été totalement débordées par des manifestations vénales.

Un autre pèlerinage prend alors la relève : pérégrination intérieure, voyage de l'âme qui s'effectue dans les lieux non plus physiques mais spirituels de l'identification et de la fusion mystique avec le Christ. Ce virage aboutira, à l'époque moderne, à la reproduction de la *Via Dolorosa* que les pèlerins parcouraient à Jérusalem et, dès lors, on pourra transposer tout l'itinéraire de la Passion là où une colline ou un mont permettront de reproduire le Calvaire : le Chemin de croix est né et, avec lui, toute la série des représentations et des monts sacrés que cette dévotion génère en Occident. La *Véronique*, exposée en un acte de piété, devient un patrimoine commun et une image définitive que même la réforme grégorienne du Martyrologe ne parviendra pas à effacer de l'imaginaire religieux.

Traduit de l'italien par Anne Guglielmetti

Compostelle

par Fernando López Alsina
Université de Saint-Jacques-de-Compostelle

191. L'évêque Théodemir découvrant le tombeau de saint Jacques, d'après une miniature d'un exemplaire de la première moitié du XIIIᵉ siècle de l'*Historia compostellana*, conservé à la bibliothèque de l'Université de Salamanque.

Compostelle partage avec Rome et Jérusalem une place privilégiée dans l'histoire des pèlerinages chrétiens. Ce sont ces trois villes qui deviennent les grands centres de pèlerinage du Moyen Age. Douze siècles après sa naissance, le pèlerinage de Saint-Jacques s'apprête à entrer dans le troisième millénaire avec une extraordinaire vitalité. Pourtant, Compostelle n'existait pas encore à l'époque où Rome et Jérusalem étaient déjà de hauts lieux spirituels, visités par des hommes et des femmes en provenance de toutes les nations de la Chrétienté. Car toutes deux possédaient une histoire propre, plusieurs fois séculaire, qui commence bien avant la naissance des pèlerinages chrétiens. Ce n'est pas le cas à Compostelle : les vagues souvenirs d'un passé remontant à l'Antiquité tardive, et qui est d'ailleurs circonscrit à l'histoire locale, sont vite effacés par l'éclat des lumières du IXᵉ siècle, qui attire l'attention de la Chrétienté vers l'église Saint-Jacques, nouvellement fondée *supra corpus apostoli*.

La Compostelle lévitique

Sa jeunesse par rapport à Rome et Jérusalem, de même que l'absence d'un passé glorieux, vont offrir à la Compostelle naissante du IXᵉ siècle les conditions optimales pour dessiner un projet de ville de pèlerinage, qui trouvait dans les deux villes saintes de la Chrétienté sa plus haute expression. Les différents éléments de ce projet urbanistique se développeront progressivement, prenant forme dans le tissu urbain et son architecture, dans la mesure où ils sont accueillis et compris par leurs destinataires et que la Chrétienté occidentale répond à l'appel en lançant le pèlerinage au tombeau de l'apôtre, et donc en traçant les chemins de Saint-Jacques sur le vieux continent.

Dès le IXᵉ siècle, Saint-Jacques-de-Compostelle commence à se définir en tant que ville étroitement liée aux modalités particulières de célébration d'un culte religieux. Elle acquiert ainsi progressivement son profil urbain caractéristique, dont certains traits sont encore visibles aujourd'hui. Un profil urbain qui se construit sur deux plans – le plan conceptuel et le plan physique – à partir des réalités antérieures au IXᵉ siècle, héritées de l'Antiquité. L'élément clé est dans tous les cas l'emplacement d'une petite église, fondée dans la troisième décennie du IXᵉ siècle pour accueillir le culte funéraire de saint Jacques le Majeur.

Sur le plan physique, l'héritage le plus manifeste que l'Antiquité lègue à la Compostelle médiévale est son emplacement, qui est probablement à mettre en rapport avec la maison romaine d'Asseconia et qui conditionne le cadre physique dans lequel se développera la ville. Ce premier axiome posé, il convient de s'interroger sur d'autres legs éventuels et de se demander dans quelle mesure ils étaient encore en vigueur au début du IXe siècle.

Le premier nom sous lequel est connue la ville du IXe siècle est *Arcis Marmoricis*. Le toponyme se maintient jusqu'au XIe siècle, parfois sous la forme de Saint-Jacques de Arcis. Il n'a jamais été prouvé de façon irréfutable que ce soit bien le nom du lieu avant le IXe siècle. Toutefois le terme, qui qualifie le nouveau noyau organisé autour de l'église Saint-Jacques, semble avoir été forgé en se fondant sur les anciennes sources littéraires qui déclarent que l'apôtre Jacques fut enseveli *in Acra Marmarica*. Ce lien reste hypothétique, car en fait les premiers récits de la translation du corps de l'apôtre en Galice, rédigés au IXe et au Xe siècle, évitent soigneusement de donner un nom au lieu où il repose.

Le premier grand projet de définition de la Compostelle médiévale a sans doute été proposé par les fondateurs du noyau primitif. Dans sa configuration matérielle, elle ressemble à n'importe quel petit établissement ecclésiastique à caractère rural du IXe siècle. Ce n'est guère plus qu'une petite agglomération de trois églises : Saint-Jacques, Saint-Jean-Baptiste et l'église du Sauveur de Antealtares. L'ensemble est séparé des alentours par des limites spatiales extrêmement précises qui déterminent le *locus sanctus*, ou lieu consacré. D'une surface d'environ trois hectares, ce nouveau domaine, qui voit le jour pour répondre à des exigences canoniques, conditionnera le plan de la ville historique.

La fondation de la première agglomération est une entreprise aussi bien royale qu'épiscopale, comme en témoignent la *Concordia de Antealtares* et les diplômes du *Cartulaire A*. L'archéologie est venue d'ailleurs corroborer les sources. Ainsi sur la dalle du tombeau de l'évêque d'Iria Flavia, Théodemir, trouvée lors des fouilles du sous-sol de la cathédrale, voit-on gravée la croix asturienne d'Alphonse II le Chaste (759-842). La participation du roi des Asturies et de León dans l'organisation du culte de saint Jacques est le corollaire de l'influence qu'exerce ce même culte sur l'organisation du noyau asturien et sur l'institutionnalisation d'une monarchie chrétienne dans le dernier tiers du VIIIe siècle.

En plus de garantir la continuité des sources apostoliques, l'apôtre Jacques est invoqué dans l'*Himno de Mauregato* comme protecteur de la communauté, du roi, du clergé et du peuple, rôle d'intercesseur caractéristique du martyr, et qualifié de « chef d'or éclatant de l'Hispanie ».

Comme l'a souligné Jean Brière, lorsque le chrétien veut éclaircir un aspect de sa vie et de sa foi, il interroge spontanément l'Ancien et le Nouveau Testament. L'histoire du

192. Partie d'un retable représentant la translation du corps de saint Jacques et les traditions sur son arrivée en Galice. Camerino, musée diocésain.

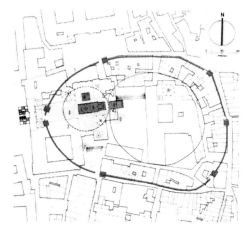

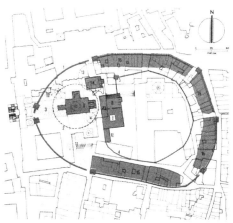

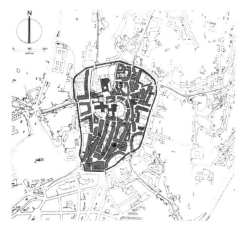

193. Phases du développement de la ville de Saint-Jacques-de-Compostelle, d'après la reconstitution de Fernando López Alsina.
a. *Locus Sancti Jacobi* (850-880).
b. *Villa Sancti Jacobi* (900-1040).
c. *Civitas Sancti Jacobi* (vers 1150).

peuple de Dieu représente pour le chrétien sa propre histoire. En plein IXᵉ siècle, l'éclosion du sépulcre de saint Jacques permet de se tourner vers le modèle de Jérusalem en tant que Ville sainte, et aussi vers l'histoire du peuple d'Israël. Les formulations théoriques seront d'une importance cruciale pour l'avenir politique du noyau asturien, pour l'implantation du culte du tombeau de l'apôtre dans la péninsule Ibérique et pour la configuration de la ville de Compostelle.

On soumet les conditions historiques à une interprétation religieuse éclairée par les images de l'Ancien Testament. La nouvelle Église asturienne est mise en parallèle avec le peuple élu d'Israël et la fidélité à l'Alliance avec Yahvé. L'acceptation passive de la domination politique musulmane est dénoncée et on propose à la place le couronnement d'un prince chrétien, afin de rétablir l'Alliance. Alphonse II sera le premier prince asturien à être sacré roi et l'artisan de la renaissance wisigothique à Oviedo, la nouvelle Tolède. Les clercs de l'Église asturienne, qui s'émancipent du métropolitain de Tolède, sont les prêtres du nouveau peuple élu, et à ce titre ils offriront des sacrifices et des prières pour invoquer l'expulsion des musulmans et la conquête de la nouvelle Terre promise. Dans la configuration de la frontière occidentale entre Chrétienté et Islam, la figure de l'apôtre Jacques se dresse toute puissante.

Ce fonds culturel, lié aux clercs qui motivent l'intervention d'Alphonse II, fournit la clé pour comprendre la première dimension urbaine du *locus sanctus* de Compostelle en tant que ville lévitique. Dans l'Ancien Testament, plusieurs passages font allusion à la cité lévitique, dont les contours sont définis avec précision. D'après le Livre des Nombres (Nb 35), Yahvé n'attribue pas un territoire particulier aux Lévites dans le partage de la Terre promise. Les autres tribus devront leur céder quarante-huit villes sur leurs possessions, pour qu'ils y demeurent, et des pâturages autour de chaque ville pour leurs bêtes et leur bétail. L'espace réservé au pâturage sera délimité par une circonférence d'un mille de rayon, en prenant pour centre la ville : *circuitum mille passuum spatio*, nous dit la Vulgate.

Sur les quarante-huit villes, six seulement bénéficieront d'un statut spécial : il s'agit des villes de refuge pour les meurtriers, dans lesquelles ne pourra être exercée la vengeance du sang. Le Livre de Josué décrit la répartition du pays entre les tribus. Il énumère les six villes privilégiées (Jos 20) et les quarante-deux autres villes qui furent données à la tribu de Lévi (Jos 21).

C'est selon toutes probabilités ce modèle biblique que suit Alphonse II lorsqu'il octroie en 834 à l'église compostellane un espace de trois milles autour du sanctuaire. L'enceinte est séparée du territoire auquel elle appartenait jusqu'alors et le roi cède au siège de Saint-Jacques les droits dont il jouissait.

Le martyr, témoin de sa foi au sein de la communauté, en devient l'intercesseur et le protecteur. L'apparition miraculeuse de son tombeau caché est interprétée comme une manifestation des bonnes dispositions du martyr à accepter ce rôle tutélaire. L'intervention d'Alphonse II dans l'acceptation du sens de l'*inventio*, dans la fondation de l'église dédiée à saint Jacques et dans la cession des trois milles apparaît comme le témoignage de la reconnaissance officielle de la part de la monarchie du rôle attribué au culte de saint Jacques dans la communauté politique asturienne. Par la révélation de son tombeau, l'apôtre Jacques répond à la communauté qui l'invoque et accepte le patronage de la monarchie et du royaume.

Le temple de la cité lévitique, la basilique compostellane, est élevé au rang de siège épiscopal. Théodemir d'Iria Flavia et ses successeurs y établiront leur résidence. L'Église asturienne et ses prêtres, confortés dans la célébration de la liturgie hispanique si controversée et libérés de la tutelle islamique, rétablissent la fidélité à l'Alliance. Le culte de l'apôtre Jacques devient l'instrument du renouveau. Le principal ministre du culte, l'évêque d'Iria, et les moines de Antealtares, les lévites auxquels Alphonse II donne l'enceinte de trois milles, sont l'expression du sacerdoce du peuple élu, sur son chemin historique comme un nouvel Israël vers la Terre promise. Les trois milles symbolisent l'aspiration de Compostelle au rang de cité lévitique.

L'influence du modèle hiérosolymitain et le sens de l'enceinte des trois milles, dans la proposition de projet urbain qu'elle renferme, ne sont perceptibles au IXᵉ siècle que sur le plan symbolique. Du point de vue socio-économique, Compostelle reste un espace strictement rural, dirigé depuis un centre également rural et entouré de l'enceinte de trois milles, qui est elle-même délimitée par ces bornes que sont les *milladoiros*.

Lorsqu'à l'initiative, semble-t-il, d'Ordoño Iᵉʳ, l'enceinte voit sa surface multipliée par deux pour atteindre un rayon de six milles, la symétrie avec le modèle lévitique devient encore plus manifeste. Si les Lévites d'une ville de refuge disposaient d'une enceinte d'un mille et qu'Israël comptait en tout six villes de refuge, les prêtres du sanctuaire compostellan – la cité lévitique du royaume asturien – ont sous leur contrôle une enceinte de six milles. Ce parallèle symbolique confère au clergé de la basilique compostellane une importance toute particulière au sein de l'Église asturo-léonaise. Dans le royaume asturien, la prééminence que conférait à un siège épiscopal la possession d'une enceinte de six milles était une idée familière à Pélage d'Oviedo.

La Compostelle apostolique

La jeune Compostelle propose des lectures symboliques de l'espace urbain, s'inspirant de l'organisation des grands centres de pèlerinage. Une deuxième proposition prend pour modèle la Rome chrétienne et présente Compostelle comme lieu apostolique. Ce sont Alphonse III le Grand (866-910) et Sisnando, quatrième évêque d'Iria-Compostelle, qui en sont les artisans ; elle coïncide avec une autre phase très caractéristique de l'évolution politique du royaume asturien, marquée par une expansion continue qui permet de gagner du terrain sur l'Espagne musulmane, dont la fin imminente était annoncée par la *Crónica Profética*, elle aussi inspirée de l'Ancien Testament. Certains diplômes d'Alphonse III attribuent d'ailleurs le succès des campagnes militaires à l'intercession efficace de l'apôtre Jacques.

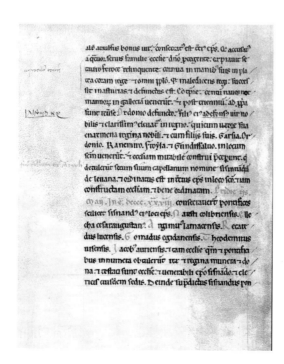

194. Mention dans le *Cronicón Iriense* de la construction de la basilique d'Alphonse III, consacrée par l'évêque Sisnando le 6 mai 899.

296

De samt iagues. anti

uc et deais yspanme sanctil

sime iacobe qui inter aplos

pmatum tenes pmuus eorum martuio

121. Le Christ envoie l'apôtre Jacques le Majeur prêcher en Hispanie. *Heures de François de Guise*, enluminure française de la seconde moitié du XVIe siècle. Chantilly, musée Condé, ms. 64/1671, f° 185v.

Pages suivantes :
122. L'apôtre Jacques le Majeur prêchant devant un groupe de six hommes. Enluminure flamande d'un livre d'heures (vers 1500). Bayerische Staatsbibliothek, Clm. 28345, f° 264v.

123. Saint Jacques représenté avec l'habit et le livre, attributs caractéristiques des apôtres, sur une enluminure du *Liber Sancti Jacobi* (XII siècle). Compostelle, trésor de la cathédrale, *Codex Calixtinus*, f° IVr.

VIIII Kł ac
Leo epte Be
ACOBVſ
ihu xp̄i ſerui
que ſunt ind
ETCETERA:

O

recolim̄: dign
xp̄i laudeſ n̄r
non ſileant; Ja
ihu xp̄i ſerui
ſuę ſe ēē aſſer
p̄ mittit: ut d
in dei ſeruici
uerit: p̄cul d

erit; Dixit de hoc iacobo: ap̄ſ pauluſ; Ja
qui uidebāt columne ēē: dextraſ dederit
uſ. ut noſ ingentib; illi aut̄ incircūciſi

125. La façade de la cathédrale de Compostelle donne un
cachet baroque à un édifice qui a pourtant conservé toutes
les caractéristiques de l'« église de pèlerinage » médiévale.

126. Détail du couronnement de la façade,
dominé par la statue de saint Jacques.

Pages précédentes :
124. Vue d'ensemble de Saint-Jacques-de-Compostelle.
Ville de pèlerinage, elle s'est développée autour du sépulcre
de saint Jacques le Majeur.

128. Sur la frise surmontant le portail des Orfèvres (*Platerías*),
l'apôtre Jacques, un livre à la main, se tient à la gauche
du Christ (vers 1116).

Ci-contre :
127. L'escalier de la place des Orfèvres,
menant au portail homonyme qui donne accès
à l'église du côté sud.

129. La porte du « Pardon » ou Porte Sainte.

130. Sur le trumeau du porche de la Gloire, au-dessous
du Christ en trône, saint Jacques accueille les pèlerins.
Cette œuvre de maître Mathieu (1188) atteste l'arrivée en
Galice, via la route de Saint-Jacques, de l'influence de l'art
bourguignon.

Pages suivantes :
131. Détails des vingt-quatre Vieillards de l'Apocalypse
sculptés sur la frise du porche de la Gloire.
On les voit accordant leurs instruments en l'attente
du Jugement dernier.

132. Bas-côté sud de la cathédrale,
vu du porche de la Gloire.

133. Statue polychrome de saint Jacques, sur le maître-autel
de la cathédrale. L'œuvre, qui date du XIIIe, a été remaniée
au cours des siècles : la pèlerine en argent et le bourdon
en or sont du XVIIIe.

134. Le vaisseau central et le maître-autel
de la cathédrale de Compostelle.

135. Le cap du Finisterre, extrême limite occidentale
du chemin de Saint-Jacques.

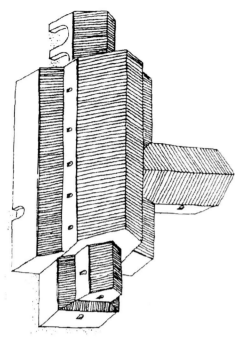

195. Reconstitution, d'après Hauschild, de la basilique d'Alphonse III, édifice majeur de ce que l'on a appelé l'*arte asturiano*.

Le siège apostolique de Compostelle occupe désormais une place privilégiée dans l'organisation ecclésiastique du territoire. Alphonse III mène à l'encontre des anciens sièges épiscopaux une politique sélective qui profite à Compostelle. Si d'un côté des évêques sont établis dans d'anciens sièges situés très au sud, comme à Coïmbre, de l'autre on évite soigneusement d'en faire autant à Braga et Dumio, si liée à la première. D'après la *Chronique de Braga* (vers 1109), Braga est cédée à la ville de Saint-Jacques, qu'elle doit servir. Parallèlement, le titre de Dumio est transféré dans un nouveau siège qu'Alphonse III installe dans le nord de l'actuelle province de Lugo, auprès de l'église de San Martín de Mondoñedo, et qui reçoit même en donation la ville de Dumio, près de Braga. L'ensemble Braga-Dumio, centre ecclésiastique du nord-ouest de la péninsule dans les siècles précédents, est volontairement exclu par le roi de la nouvelle configuration de l'Église du royaume asturo-léonais. Ses fonctions reviennent à l'évêque d'Iria, titulaire du siège apostolique et du temple de la cité lévitique.

L'évêque Sisnando Ier est le premier prélat à souligner le caractère apostolique de son siège. Au XIe siècle, son successeur Cresconio sera accueilli avec suspicion par le pape Léon IX et le concile de Reims de 1049, lorsqu'il réclamera indûment le *culmen apostolici nominis*, titre exclusivement réservé à l'évêque de Rome. L'apostolicité compostellane repose sur deux fondements. Le premier est la possession du corps de saint Jacques, affirmée de façon ininterrompue depuis l'invention du tombeau. Le deuxième est l'origine apostolique du siège, conférée par la prédication de saint Jacques en Hispanie et dans les contrées occidentales.

Intentionnellement voilé à la fin du XIe siècle, le second fondement joue pourtant dès les premiers temps de l'histoire du siège compostellan. Le fait qu'aucun des textes compostellans antérieurs à 1150 ne mentionne explicitement la prédication de l'apôtre en Hispanie ne doit pas nous induire en erreur ; nous savons d'ailleurs qu'elle est réfutée à l'époque même de Diego Gelmírez dans la *Historia Compostellana*. En revanche, le *Codex Calixtinus* fera simultanément appel aux deux fondements : présence du corps et prédication apostolique.

Avant le XIIe siècle, il n'y a pas fusion entre les deux fondements. Les deux voyages de saint Jacques en Occident étaient rapportés par des textes et des traditions qui s'ignoraient mutuellement. La tradition de la *missio* de saint Jacques en Occident avait abouti au développement d'une première géographie de son activité, centrée autour d'Iria et de Padrón. La fondation ancienne de l'actuelle église Saint-Jacques à Padrón au Xe siècle, précisément sur le lieu où se trouvait le « pedrón », témoigne de l'incorporation de la région inférieure de l'Ulla dans le cadre des activités de l'apôtre Jacques. Il en va de même de la tradition qui veut que vingt-quatre anciens évêques saints se soient succédé au siège d'Iria Flavia, assurant ainsi le lien avec la fondation du Ier siècle.

Le second voyage de saint Jacques en Galice, qui amena son corps sans vie, se concrétise dans la *translatio*, clé de la présence sépulcrale. La version la plus ancienne, du IXe siècle, n'établit pas le moindre lien avec le premier voyage de la mission apostolique. L'arrivée du corps en Galice n'est pas justifiée par une prédication préalable, mais par l'intervention divine qui guida la barque. Il existe cependant suffisamment d'indices permettant d'affirmer que l'adoption du titre apostolique par l'église compostellane s'est aussi appuyée sur la certitude d'un premier voyage, la mission en Occident d'un saint Jacques vivant. A ce propos, l'argument avancé par les évêques catalans, pour réfuter les prétentions de l'abbé Césaire de Montserrat, est très significatif : la prétendue autorité que s'arrogeait l'église de Saint-Jacques pour intervenir dans les affaires de l'ancienne Tarraconaise était dénuée de fondement, dans la mesure où l'apôtre était arrivé en Espagne mort, et non vivant. Ce raisonnement implique l'utilisation de l'argument contraire par Césaire, le siège compostellan et les évêques réunis en concile qui prirent la décision : saint Jacques avait exercé sa mission en Espagne.

Par ses aspirations à l'apostolicité, Compostelle revendiquait les caractéristiques qui distinguaient le siège apostolique de Rome. Cette conception apostolique du *locus sanctus* sert de principe directeur au programme de constructions et de réformes ecclésiastiques, mis en œuvre à Compostelle par Sisnando Ier et Alphonse III et qui transformera un *locus*, ecclésiastique et rural, en un noyau ouvert, adapté à l'installation et à l'organisation d'une communauté locale pré-urbaine proprement dite.

La mise en œuvre du nouveau modèle apostolique à Compostelle marque de son empreinte l'agglomération pré-urbaine, qui est complètement rénovée. L'église Saint-Jacques est reconstruite avec des dimensions plus importantes. On greffe sur le côté nord l'église Saint-Jean-Baptiste. La consécration de l'ensemble a lieu en 899. On reconstruit également l'église monastique du Sauveur de Antealtares et Saint-Félix de Lobio.

On érige l'église Sainte-Marie de la Corticela, qui est dotée de trois autels dédiés à saint Étienne, sainte Colombe et saint Silvestre. Ce dernier vocable nous livre une des clés de l'interprétation symbolique du nouveau paysage d'une Compostelle idéalement urbanisée à l'image de Rome. Le modèle de la ville apostolique compostellane ne saurait être que le lieu apostolique du Latran et Rome elle-même. Alors qu'un pape, Silvestre, et un empereur, Constantin, avaient fondé au IVe siècle la basilique du Sauveur et le baptistère de Saint-Jean-de-Latran auprès du lieu apostolique de Pierre, Sisnando et Alphonse III consacrent la basilique du Sauveur de Anteltares et le baptistère Saint-Jean dans un nouveau Latran – Compostelle –, édifié à côté du tombeau de l'apôtre Jacques. Le synchronisme parfait entre le souvenir du pape Silvestre à l'autel de la Corticela et le début de l'usage du titre d'évêque du siège apostolique est on ne peut plus éloquent.

L'influence du modèle romain continuera à se manifester à divers moments de l'histoire du siège compostellan. Les exemples sont nombreux au cours de l'épiscopat de Diego Gelmírez. L'évêque Gelmírez institue que, *ad instar romane curie*, le clergé et le peuple compostellan se rendent à l'église Sainte-Croix du Montjoie chaque année pour les litanies majeures, le jour de la fête de saint Marc. A l'intérieur de la basilique, il s'efforce d'introduire des usages romains et obtient du pape Pascal II que les dignitaires de l'église compostellane soient coiffés d'une mitre ornée de pierres précieuses lors des plus grandes solennités, « comme le sont les cardinaux-prêtres ou diacres du siège apostolique ». D'ailleurs, Gelmírez avait institué dans la cathédrale compostellane sept cardinaux-prêtres « selon l'usage de l'église romaine ». Et, à l'imitation de la chancellerie pontificale, il incorpore dans les documents épiscopaux la rote papale.

Toutes ces innovations se manifestaient également dans certains aspects du comportement du premier archevêque compostellan, ce qui fournit le prétexte à ses détracteurs pour l'accuser auprès d'Honorius II, car aussi bien dans ces ornements que lors de la réception des offrandes des pèlerins, il se comportait imprudemment comme un pape, *apostolico more*.

Les mêmes tendances apparaissent dans l'affaire du régime d'indulgences et des années jubilaires. Un des anachronismes les plus flagrants dans lequel tombe la bulle *Regis aeterni*, attribuée au pape Alexandre III, est d'invoquer une prétendue concession d'une année jubilaire à l'église de Saint-Jacques, par le pape Calixte II (1119-1124), *eisdem modo et forma, quo Romana ecclesia habet*. Le souci de prendre comme référence le modèle romain aboutit, en l'occurrence, à avancer qu'on célébrait à Compostelle au XIIe siècle une année jubilaire similaire à l'année sainte romaine, alors que la première année sainte à Rome n'eut lieu qu'en 1300.

Il est certain que la ville apostolique de Compostelle, qui dès le premier tiers du Xe siècle commence à accueillir les premiers pèlerins transpyrénéens qui soient attestés, connaît un essor rapide. La preuve en est fournie par la nature et les caractéristiques du système défensif mis en place, peu avant sa mort en 968, par l'évêque Sisnando II pour la protéger des incursions normandes. Il est même probable, bien que nous ne puissions

196. Entrée de l'église Sainte-Marie de la Corticela, qui sera intégrée à la cathédrale romane.

197. De la place des Orfèvres (*Platerías*), on accède à la cathédrale par un portail qui conserve, même à l'extérieur, sa structure romane.

198. Compostelle, *Cartulaire A*. Alphonse VI, *rex* et *pater patrie*.

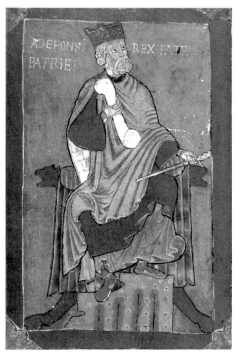

l'affirmer, qu'avant cette date on eût érigé une première enceinte défensive sur le périmètre du *locus*. Quoi qu'il en soit, l'ambition de l'œuvre de Sisnando II n'a aucun précédent à Saint-Jacques, ni de parallèles dans la Galice du haut Moyen Age.

L'ampleur du programme et la complexité d'exécution du système défensif permettent de comprendre pourquoi le *Cronicón Iriense* qualifie le maître d'œuvre d'architecte. Des fouilles entreprises récemment à Azabachería – mur et tours du X\ siècle – et à Senra – fossé du X\ siècle, rendu inutilisable par une tour de la muraille du XI\ – ont permis de localiser avec précision les deux parties du système défensif du X\ siècle, sur ces deux tronçons.

Pour se faire une idée de la croissance démographique, signalons simplement que vers 968, c'est-à-dire quelque 140 ans après la fondation de l'église, la surface de l'espace suburbain, dont on estimait qu'il fallait assurer la protection, correspond à celle qui sera délimitée par la seconde et dernière muraille de la ville, construite au XI\ siècle sur le fossé du siècle précédent.

L'universalité du grand centre de pèlerinage de l'Occident

Dès la naissance de Compostelle, sa vocation à devenir un grand centre de pèlerinage est manifeste. La première version du récit de la translation en Occident du corps de l'apôtre est attribuée – en toute logique puisque saint Jacques était mort dans la Ville sainte – à un évêque de Jérusalem. Mais le tombeau apostolique ne se trouve pas en Orient et l'évêque Léon exhorte toutes les nations occidentales à se rendre en toute confiance auprès du sépulcre de saint Jacques. Déjà au IX\ siècle, on rapporte que le tombeau compostellan fait l'objet d'une vénération très renommée. C'est ce qu'il advint en effet et Compostelle, à l'instar de Rome et Jérusalem, devint progressivement le centre d'un nouveau grand pèlerinage.

Le second millénaire est à peine entamé que les étrangers, ou *francigenae*, traversent les Pyrénées et se dirigent vers Compostelle en empruntant un seul chemin à partir de Puente la Reina. Il s'agit d'une route publique, soumise à péages, et sur laquelle la liberté de circulation est assurée. Trop souvent, on ne fait pas de différence entre marchands et jacquaires et on fait payer indûment des péages aux *pauperes Christi*. Les abus dont étaient victimes les pèlerins « d'Italie, de France et d'Allemagne » incitent Alphonse VI à supprimer en 1072 le péage de Santa María de Autares, à l'entrée de la Galice. Cette précision n'est pas une licence littéraire, délibérément magnifiée pour faire de la propagande au pèlerinage de Saint-Jacques, c'est la constatation documentaire de l'existence d'un flux important d'étrangers en provenance de trois grandes zones géographiques tout à fait distinctes, en route vers Compostelle depuis au moins la première moitié du XI\ siècle.

L'affluence de différentes nations d'Occident, preuve incontestable du succès du culte de saint Jacques, favorisera la troisième interprétation symbolique, la lecture universalisante d'un espace urbain lié à un chemin ouvert depuis les rivages de la Frise par l'empereur Charlemagne.

Dans la seconde moitié du XI\ siècle, cette importante mutation, qui vient nourrir les traditions jacquaires, est accomplie. Sous l'épiscopat de Diego Peláez, la *Concordia de Antealtares*, rédigée en 1077, rend compte du nouveau climat qui règne dans l'Église léonaise et dans les relations avec la papauté. Ce n'est plus l'évêque Léon qui est l'auteur de la lettre du haut Moyen Age relatant la translation du corps de saint Jacques, mais le pape Léon en personne. Rome est devenue pour l'Église léonaise la plus haute source d'autorité et l'origine du culte de saint Jacques est attestée par un document pontifical anachronique du IX\ siècle. Le recours au pape Léon III (795-816) permet de donner crédit non seulement à la translation, mais aussi à la découverte du tombeau et à une nouvelle chronologie des événements. La légende de l'intervention de l'empereur Charle-magne est née.

La valeur symbolique de la ville, qui revêt un caractère universel grâce au pèlerinage, est très clairement exprimée dans le *Codex Calixtinus*. La geste racontée par le pseudo-Turpin et l'ouverture du chemin constituent le préambule obligé du *Livre V*, où sont décrites les routes qui mènent à Saint-Jacques et la ville elle-même. Dans le *Livre V*, la description de la métropole compostellane des années 1140, siège d'un archevêché influent et où s'établit une société urbaine en pleine effervescence, est volontairement schématique et ne s'attarde que sur les éléments qui apparaissent comme essentiels et chargés de sens.

Le *Guide du pèlerin* du XIIᵉ siècle découvre la ville depuis le Montjoie, *milladoiro* de la cité lévitique par où arrivait à Saint-Jacques le grand pèlerinage de l'Occident. C'est là que le jacquaire sentait au plus profond de lui-même qu'il avait enfin atteint le but tant recherché. Parmi ceux qui entouraient Compostelle, ce *milladoiro* est le seul qui fut trans-formé en calvaire en raison des rites d'action de grâces auxquels se livraient les pèlerins.

L'éminence qui ferme la haute vallée du Sar, presque à la naissance de la rivière, aux confins de Amaía, rebaptisée par le pèlerinage Montjoie *(Monte del Gozo)*, est dans le *Livre V* la référence obligée pour donner une perception correcte de la ville : « la rivière Sar, qui coule entre le mont de la Joie et la ville de Saint-Jacques » ou « le Sar est à l'Orient, entre le mont de la Joie et la ville ». Dans la vision neuve et originale de Compostelle comme but de la route de pèlerinage, le Montjoie est transfiguré en symbole de rencontre entre la ville et le chemin. Ce n'est pas un hasard si ce lieu sert de cadre à l'action principale du quatrième miracle du *Livre II*, rappel permanent pour tous les jacquaires des valeurs spirituelles de solidarité dont devait être nourri tout véritable pèle-rin de Saint-Jacques lorsqu'il faisait son entrée à Compostelle.

Un autre moyen tout aussi efficace pour exprimer l'universalité de Compostelle est la présentation qui est donnée de la carte ecclésiastique de l'Occident. Le *Codex Calixtinus* (V, 8) énumère les corps saints qui reposent sur le chemin de Saint-Jacques et que les pèlerins doivent visiter. Les quatre grandes routes sur le sol français, présentées succincte-ment au chapitre premier, apparaissent ici comme une succession hiérarchisée de stations conduisant au but de cet itinéraire qu'est le tombeau de saint Jacques. Parmi les grands sanctuaires de l'Occident, Compostelle occupe encore une fois une place privilégiée grâce au pèlerinage.

Comme il est mentionné dans un autre passage (I, 17), si la Galice peut se réjouir de posséder le corps de saint Jacques et l'Espagne d'avoir bénéficié de sa prédication, par l'intermédiaire du pèlerinage compostellan, l'apôtre étend son patronage, au-delà du bienheureux peuple de Galice et d'Espagne, à toutes les nations occidentales qu'il attire jusqu'à son tombeau.

La portée universelle de la ville déteint sur la description du *Livre V*, qui évite les impressions personnelles comme celles que laisseront les pèlerins et voyageurs dans leurs récits à partir du XVᵉ siècle. Ici tout semble avoir été soigneusement choisi et mesuré. Pour ce qui est de l'emplacement, on signale simplement la situation entre le Sar et le Sarela, prétexte pour présenter le mythique Montjoie.

Puis on est immédiatement invité à entrer dans la ville, par l'une des sept portes qui s'ouvrent sur la muraille construite au XIᵉ siècle par l'évêque Cresconio. Du mur qui isole de l'extérieur, rien ne nous en est dit, ce qui est tout à fait dans la logique du récit, qui se propose d'amener le lecteur à accéder à l'intérieur comme un pèlerin et de l'attirer vers le centre symbolique de la ville.

Dans le centre idéal formé par les dix églises que compte la ville, resplendit de gloire la première d'entre toutes : celle du très glorieux apôtre Jacques. L'énumération des neuf autres églises tient compte du point de vue du pèlerin : Saint-Pierre est située « auprès du

199. Colonne à l'effigie de l'apôtre Matthieu provenant de l'église de Antealtares (vers 1152).

316

chemin de France », la Trinité « reçoit la sépulture des pèlerins » et Sainte-Suzanne est
« près de la route de Padrón ».

Le *Guide* conduit ensuite le pèlerin jusqu'à la dernière étape du chemin, devant une
cathédrale magnifiquement construite, dont il évalue les dimensions, énumère les
fenêtres et les dix portails, même si, sur les trois grandes entrées, seule est qualifiée la
porte septentrionale – la *Francigena* ou « porte de France » –, par où « nous autres, gens
de France, [...] entrons ».

Là se trouve « l'hospice des pèlerins pauvres » et plus loin, la fontaine, d'où jaillit une
eau « douce, fortifiante, saine, claire, excellente » pour « l'usage des pèlerins », puis le
parvis (« Paradis »), où « on vend aux pèlerins des petites coquilles de poissons qui sont
les insignes de Saint-Jacques ».

Après la description des répertoires sculptés des trois portails principaux et la présentation des neuf tours, qui n'étaient pas encore érigées, œuvres par lesquelles « la basilique
de Saint-Jacques resplendit de gloire magnifiquement », le pèlerin est introduit à l'inté-

200. Cathédrale de Saint-Jacques-de-
Compostelle.
a. Coupe longitudinale.
b. Élévation du côté sud d'après Conant.

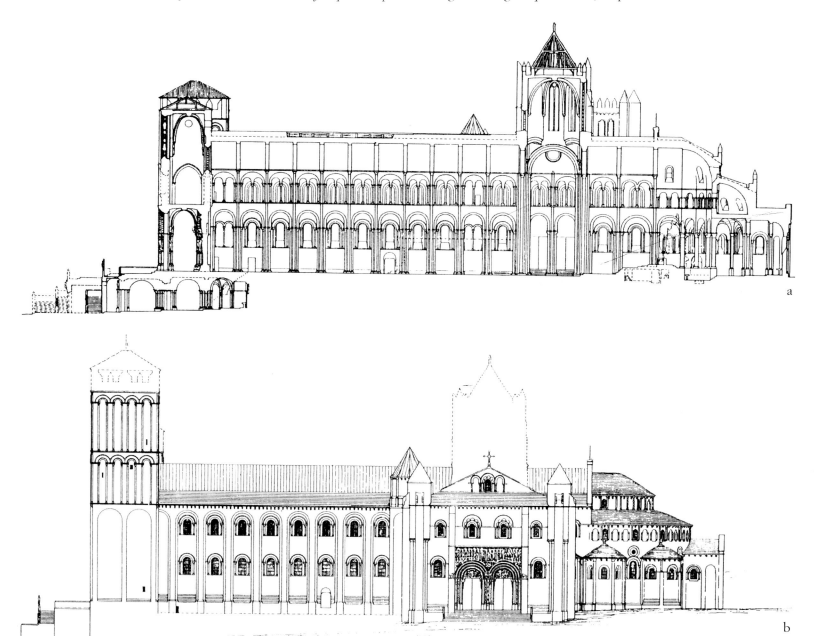

a

b

317

rieur de la cathédrale. Les treize autels secondaires sont cités dans l'ordre le plus appro-
prié, c'est-à-dire en partant toujours de la porte de France et sans oublier de signaler qu'à
l'autel de sainte Marie-Madeleine « l'on chante pour les pèlerins les messes mati-
nales ». Le révéré corps de saint Jacques repose avec tous les honneurs au-dessous du
maître-autel. La basilique brille par l'éclat des miracles de saint Jacques, la consolation est
donnée aux affligés et y accourent tous les peuples étrangers, de toutes les parties du
monde.

La perception de la ville par les auteurs du *Codex Calixtinus* n'a rien à voir avec la
réalité urbaine trépidante décrite par Giraldus de Beauvais dans le *Livre II* de la *Historia
Compostellana*. C'est une construction tenant compte des éléments essentiels qui caractérisaient la Compostelle du XIIᵉ siècle qui nous est offerte. On intègre les images lévitique
et apostolique du haut Moyen Age, qui enrichissent la construction, mais surtout on
présente pour la première fois l'image vivante et puissante de l'étape finale du grand pèlerinage occidental, qui à Compostelle devenait le but d'une géométrie symbolique, avec au
centre le sépulcre de saint Jacques.

De même que les précédentes, cette troisième grande interprétation de l'espace
urbain prend racine dans des conditions historiques précises. La vitalité du pèlerinage
international et la réalité du chemin servent d'arguments percutants pour justifier les aspirations de l'Église compostellane, dont la légitimation est attribuée par la légende à Charlemagne en personne, d'après le pseudo-Turpin. L'introduction de la liturgie romaine
sous le règne d'Alphonse VI s'accompagne d'une défense tenace de la romanité de

201. Plan des fouilles du sous-sol de la
cathédrale par Chamoso Lamas.
On remarque l'ancien mausolée apostolique
(B), l'église préromane dite d'Alphonse III *(C)*
et les vestiges de son petit portique.

202. Plan d'ensemble de la cathédrale romane
d'après Conant. A gauche, l'ancienne église
Sainte-Marie de la Corticela qui sera
incorporée dans le nouvel édifice.

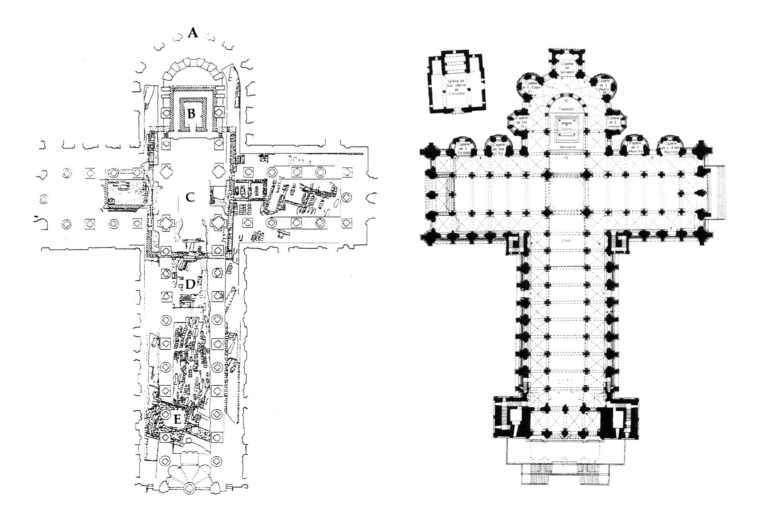

l'Église hispanique, exposée en 1074 par le pape Grégoire VII. L'église compostellane, voyant l'apostolicité du siège et son statut dans l'Église léonaise menacés, se plie aux exigences de Rome. Ainsi, dans la *Historia Compostellana*, on affirme explicitement que l'apôtre Jacques ne prêcha qu'à Jérusalem. La mission est sacrifiée, mais pour mieux revendiquer le sépulcre, but du pèlerinage. Sépulcre qui avait été délivré, à l'instar de toute l'Espagne musulmane, par un empereur qui octroya des fonctions privilégiées à l'église Saint-Jacques : « Il établit [...] dans la ville de Compostelle [...] que tous les prélats, princes et rois chrétiens [...] obéissent à l'évêque de Saint-Jacques [...] et on décida en ce jour que dorénavant l'église jouirait du titre de siège apostolique [...] et qu'en l'honneur de l'apôtre du Seigneur, l'évêque de ladite ville octroierait les crosses aux évêques et les couronnes aux rois. »

Le jubilé compostellan

En raison de sa jeunesse par rapport à Rome et Jérusalem, Compostelle bénéficiait du fonds culturel issu des pèlerinages chrétiens pour construire son propre sens historique. S'inspirant de ce langage commun, qu'elle contribua de façon décisive à développer, elle sut trouver sa place dans la géographie des grands centres de pèlerinage. A la fin du Moyen Age, Compostelle continue de se référer à ce fonds commun. Au XIIᵉ siècle, on

203. Détail de la bulle controversée (copie du XVᵉ siècle) par laquelle Alexandre III confirme en 1181 le jubilé compostellan accordé par Calixte II (1119-1124).

murs en marbre s'élèvent à vingt mètres. Hérode édifie aussi la forteresse Antonia, qui protège le côté nord-ouest de l'esplanade.

Le faste du nouveau Temple accroît la popularité du pèlerinage et attire dans une Jérusalem désormais entrée dans l'ordre pacificateur de l'Empire romain (une paix qui durera, plus ou moins ininterrompue, jusqu'en 66 ap. J.-C.), une foule de Juifs appartenant à une diaspora d'ores et déjà particulièrement importante si, comme le soutiennent les Actes des Apôtres, la Pentecôte juive réunit dans la Ville sainte « Parthes, Mèdes et Élamites, habitants de Mésopotamie, de Judée et de Cappadoce, du Pont et d'Asie, de Phrygie et de Pamphylie, d'Égypte et de cette partie de la Libye qui est proche de Cyrène, Romains en résidence, tant Juifs que prosélytes, Crétois et Arabes » (Ac 2,9-11), chaque groupe vêtu du costume et parlant la langue de son pays d'accueil.

Sous Hérode le Grand, les remparts de la ville, étendus, frôlent à l'ouest la colline de Gareb et, au nord, celle de Bethesda. Le nouveau périmètre est caractérisé par d'importants dénivelés, surtout dans la zone sud : 620 mètres au-dessus du niveau de la mer dans l'angle sud-est, contre 760 mètres dans l'angle opposé, où Hérode choisit d'édifier sa forteresse royale ; le site, plus connu sous la dénomination de Citadelle ou Tour de David, sera celui des demeures fortifiées des maîtres successifs de la ville. Si la Jérusalem d'Hérode n'est pas à proprement parler une métropole, ses dimensions, pour l'époque, sont cependant appréciables, puisqu'on a calculé qu'elle abritait quelque cent trente mille personnes.

Au lendemain de la mort d'Hérode (en l'an 6 ap. J.-C.), la Judée devient directement province romaine ; les procurateurs résident dans la plaisante Césarée, située en bord de mer, et n'acceptent de venir à Jérusalem que pour assister aux grandes fêtes juives. La ville est gouvernée par le grand prêtre et par le Sanhédrin, conseil des anciens et des sages ; les Romains continuent cependant de reconnaître une certaine autorité au fils

209. Le Temple de Jérusalem à l'époque d'Hérode le Grand. Dessin d'Antonio Molino d'après la reconstitution du comte de Vogüé.

cadet, puis au petit-fils d'Hérode Ier : Hérode Antipas, tétrarque de Galilée et de Pérée, et Hérode Agrippa (37-44).

Si la tradition veut qu'Hérode le Grand, effrayé par la prophétie annonçant la naissance à Bethléem d'un nouveau roi des Juifs, ait voulu tuer l'Enfant Jésus, le règne d'Hérode Antipas est marqué par les mises à mort de Jean-Baptiste et de Jésus lui-même, bien que la responsabilité du tétrarque, surtout dans le second cas, soit des plus minimes. Et la tradition imputera à Hérode Agrippa la persécution puis l'exécution de Jacques le Majeur et l'emprisonnement de Pierre : Jérusalem continue de supprimer les prophètes.

Quand Jésus parle d'un Temple qui, détruit, sera reconstruit en trois jours, il se réfère à son propre corps et non à Jérusalem et au Temple d'Hérode dont, en revanche, il prophétise la destruction. Crucifié sur le Golgotha, une colline aux pentes douces située sur la route de Damas à quelques pas du mur occidental (le « second mur »), le Christ est enseveli durant trois jours dans le sépulcre mis à sa disposition par Joseph d'Arimathie. Selon les calculs aujourd'hui admis par la majorité des spécialistes de la Bible, Jésus – né entre l'an 8 et l'an 6 avant notre ère – aurait été crucifié dans sa trente-septième année, le 7 avril 30. Cette année-là, la Pâque juive tombant le jour correspondant au 8 avril du calendrier actuel, la Résurrection a donc eu lieu le 9.

Le site de la crucifixion et celui de la sépulture du Christ, hors les murs comme le veut la tradition, deviennent très vite un but de pèlerinage, mais nous disposons de peu d'informations à ce sujet. Peu après l'événement, survenu donc en 30, Hérode Agrippa élargit le périmètre citadin en construisant un rempart au nord qui englobe les nouveaux quartiers de Bethesda et de Gareb (le « troisième mur ») : le Calvaire et le Sépulcre sont désormais inclus dans la ville fortifiée.

A la sagesse et à la modération du règne d'Hérode Agrippa succèdent la dureté et l'avidité des procurateurs que Rome envoie dans une Judée dont le statut de province romaine est reconduit. En 66, la Judée se soulève. Néron riposte en envoyant une formidable expédition militaire. Sous le commandement de Titus, les Romains pénètrent dans Jérusalem et, le 29 août 70, prennent d'assaut le Temple et l'incendient. Détruit pour la deuxième fois, très exactement le même jour que par les Babyloniens, il ne sera jamais reconstruit. Après avoir ordonné de raser la ville, Titus repart pour Rome où sont exhibés, lors du triomphe qui célèbre sa victoire, les objets sacrés les plus précieux du Temple, au premier rang desquels la *menorah*, le chandelier d'or à sept branches.

La destruction du Temple inflige un coup terrible à la tradition juive. Elle implique en effet la disparition d'un centre non seulement religieux et sacré mais aussi géographique et historique : avec le Temple, ce sont les pèlerinages, le sacerdoce et le culte sacrificiel correspondant qui disparaissent, autant de facteurs qui mettent en péril l'identité même d'Israël. Cette catastrophe sera néanmoins dépassée dans la mesure où l'identité juive, à côté du culte du Temple, est liée aussi au culte de la parole de Dieu que les synagogues célèbrent par la lecture de la Bible.

Les quartiers de la Xe Légion (la *Legio Fretensis*) qui, demeurée sur place, gouverne la Judée, s'établissent sur les ruines de Jérusalem. Les Juifs reviennent peu à peu vers la ville détruite et reprennent le pèlerinage à la pieuse mémoire des reliques de sa sainteté. Si le Temple n'est plus que ruines, la Parole demeure vivante et, en quelques années, six synagogues sont ouvertes sur le site détruit. En 130, Hadrien, en visite dans les provinces orientales de l'Empire, séjourne à Jérusalem et décide d'y édifier, à l'emplacement du Temple, l'ensemble d'Aelia Capitolina, qu'il entend consacrer à Jupiter. Ce faisant, il poursuit un but politique précis : la nouvelle ville et le nouveau temple hériteront de la sacralité du site précédent et, en même temps, constitueront une sorte de profanation dissuasive à l'adresse des nationalistes et religieux juifs. Une série de mesures visant à briser l'identité juive – interdiction de la circoncision et du sabbat, par exemple – montrent clairement que l'intention d'Hadrien est d'éliminer le judaïsme en tant que dimension religieuse et culturelle.

Profanée et manipulée, Jérusalem attire encore un temps les pèlerins, puis le centre religieux et culturel du judaïsme se déplace à Tibériade, où s'installe le Sanhédrin. Dans cette ville, l'étude de la Torah donnera naissance à une interprétation particulièrement importante, la *Mishnah*, venant compléter la Loi de Moïse.

La Jérusalem chrétienne

Dès le règne d'Hérode Agrippa, les juifs conservateurs, quand bien même divisés en différents groupes ou écoles, et ceux qui reconnaissent en Jésus de Nazareth le Messie s'opposent violemment, comme en témoignent l'assassinat de Jacques le Majeur sur ordre d'Hérode Agrippa, la lapidation d'Étienne à laquelle Saul de Tarse, qui deviendra plus tard saint Paul, n'est pas étranger ; ou encore, en 62, la mise à mort de Jacques le Mineur, que le grand prêtre Ananias ordonne de précipiter du haut du « pinacle du Temple » (là où le diable transporta Jésus pour le tenter), autrement dit du sommet sud-est de l'imposant édifice d'Hérode, où le portique royal (au sud) se conjuguait au portique de Salomon (à l'est). C'est à cet épisode légendaire que l'un

210. Vue des ruines du cardo romain près de Tibériade.

des tombeaux de la vallée de Josaphat doit d'être appelé « tombeau de saint Jacques ».

La rivalité entre les juifs et ceux que nous appelons les judéo-chrétiens se traduit aussi par un prosélytisme très actif des deux côtés. Dès 49, en effet, lors de ce qu'on considère comme le premier concile œcuménique de l'Église chrétienne, ceux qui ont cru à la venue du Messie (ou, en grec, du Christ) en la personne de Jésus reconnaissent le caractère préparatoire de cet événement. Ce faisant, et bien qu'ils adhèrent toujours pleinement à l'idée de l'Alliance entre Dieu et Israël, ils s'ouvrent au thème de l'universalité du message de la Révélation, suivant en cela une ligne déjà présente chez les prophètes et donc influente à l'intérieur du mouvement pharisien. Or, ce thème impliquant de renoncer à la rigueur de la règle mosaïque, le christianisme n'imposera plus désormais aux « prosélytes » venus des « gentils » – autrement dit aux convertis d'origine païenne – la circoncision et le respect des préceptes de Moïse quant à l'alimentation et au repos sabbatique. Bien qu'animé par une « première génération » d'extraction judaïque, le christianisme se détache donc de ce dernier, une séparation qui fut certainement beaucoup plus difficile et douloureuse que celle des réformés du XVIᵉ siècle (mais on se souvient que Luther, rompant ouvertement avec le jeûne catholique du vendredi, s'est inspiré précisément de ce précédent illustre). Et les accusations réciproques – de « trahison » de la part des Juifs, de « cécité » de la part des chrétiens – tisseront une aversion mutuelle, dont se nourrira, jusqu'au IVᵉ siècle, une lutte ponctuée d'épisodes dramatiques.

Le pèlerinage chrétien commence donc à Jérusalem, dont Hadrien a interdit l'accès aux juifs ; si cette interdiction s'étend aux judéo-chrétiens, elle ne s'oppose en rien, en revanche, à la venue des convertis d'origine « ethnique » : les chrétiens issus des *gentes* païennes. En réalité, la politique d'Hadrien aura un effet contradictoire. Dans sa volonté d'effacer toute trace des lieux de culte du judaïsme ou considérés tels – et comprenant par conséquent ceux qui se réfèrent à Jésus de Nazareth –, Hadrien pénalise aussi les juifs convertis qui, après le concile de 49, ont rejoint librement et en grand nombre l'Église (laquelle sera d'ailleurs l'objet de persécutions à partir de Néron) ; mais il contribue d'un autre côté, en érigeant le monumental complexe païen d'Aelia Capitolina, à souligner la présence des lieux saints chrétiens dont il pérennise la localisation et qu'il « scelle » finalement, en en permettant la conservation sous les nouveaux édifices. Du IIᵉ au IIIᵉ siècle, les juifs, tacitement tolérés, recommencent à visiter Aelia Capitolina (désormais Jérusalem porte en effet son nom romain) où, cherchant la trace de leurs lieux saints sous la croûte profanatrice des monuments romains, ils identifient le « mur occidental » du Temple d'Hérode, près de l'arche dite de Wilson, ancien viaduc reliant l'esplanade à la ville haute située plus à l'ouest. Quant au pèlerinage chrétien, attesté à cette époque, du fait des tensions entre juifs et chrétiens, il fréquente moins le Temple qu'il ne parcourt Jérusalem et la Terre sainte en quête des lieux mentionnés dans les Évangiles : la piscine probatique de Bethesda, celle de Siloé, la Porte Dorée de l'enceinte du Temple (par laquelle Jésus entra triomphalement dans la Ville sainte, le dimanche des Rameaux), le Cénacle des apôtres (lieu de la Dernière Cène), la hauteur de Gethsémani, le Calvaire, le Sépulcre, le mont des Oliviers (site de l'ascension du Christ) et les lieux liés à la Vierge (la maison de sainte Anne et de Marie près de la piscine probatique, la Sainte-Sion où Marie et les apôtres se réfugièrent après la mort, la résurrection et l'ascension du Christ et dans laquelle ils reçurent le Saint Esprit, enfin la maison de la Dormition). Dans les environs immédiats de Jérusalem, les pèlerins visitent le tombeau de Lazare à Béthanie, le mont de la Quarantaine qui domine Jéricho (et sur lequel le diable tenta le Christ), le gué du Jourdain (où Jésus fut baptisé), et, un peu plus loin, Bethléem et Ain Karim (*Montana Iudaeae*) où Élisabeth reçut Marie. Enfin, en Galilée, ils parcourent les lieux de la « Mer » (le lac de Tibériade), se rendent sur le mont Thabor (site de la transfiguration du Christ) et dans la

211. Vue actuelle de la mer de Galilée depuis le mont des Béatitudes.

sainte maison de Nazareth. C'est donc en ces années que se dessine une topographie évangélique liée en partie à des souvenirs transmis oralement et fruit, par ailleurs, de légendes et de traditions.

Les lieux saints chrétiens

En 313, au terme d'une longue guerre civile dont ils sortent vainqueurs, les empereurs Constantin et Licinius payent la dette contractée envers une large partie de l'opinion publique de l'*Urbs*, de l'Empire et, surtout, de bon nombre de divisions militaires depuis longtemps gagnées au christianisme : l'édit de Milan garantit la liberté de culte à l'Église chrétienne.

En 325, le premier concile œcuménique véritable de l'Église libre se réunit à Nicée. Là, Macaire, évêque d'Aelia Capitolina, suffragant de celui de Césarée, entretient l'impératrice Hélène de la situation de sa ville, où les monuments païens masquent et profanent les lieux saints de la Rédemption ; Macaire, en somme, plaide pour une renaissance, bien évidemment chrétienne et non pas juive, de Jérusalem. Le nom donné à la ville par Hadrien est intouchable : l'Empire tient à sa continuité et rien de ce qui a été voulu par un *princeps* légitime ne saurait être désavoué. Et pourtant, « Jérusalem », nom que les chrétiens ont toujours donné à la ville, supplantera peu à peu la dénomination d'Hadrien.

212. Mer de Galilée, côte orientale.

330

Un an plus tard, l'impératrice Hélène, en dépit de ses quatre-vingts ans, embarque pour la Terre sainte (326). Une fois à Jérusalem, dédaignant le Temple, elle accorde toute son attention à trois lieux saints chrétiens qui lui semblent particulièrement dignes de dévotion, appelés « les trois grottes mystiques ». Il s'agit en effet d'un tombeau creusé dans la roche et mis au jour sous le temple de Vénus-Astarté, que l'impératrice a fait détruire, d'une grotte naturelle située sur le mont des Oliviers où la tradition situe les entretiens du Christ avec ses disciples (au cours desquels il leur aurait enseigné le *Notre Père*) et, à Bethléem, d'une troisième grotte naturelle précédemment consacrée au culte d'Adonis dans une tentative de récupération païenne.

Le bref séjour d'Hélène à Jérusalem ne portera pas d'autres fruits que l'identification – au demeurant fondamentale – de ces lieux saints, sur lesquels, aussitôt peut-être, on décide de construire des sanctuaires de forme basilicale, une forme privilégiée par les chrétiens et adoptée à Rome même. En plus d'abriter les cérémonies liturgiques, la basilique à trois ou cinq vaisseaux permet en effet, et surtout, de réunir l'assemblée des fidèles, autrement dit l'*Ecclesia* ou Église, conformément à la tradition chrétienne. Ces nouveaux édifices se distinguent donc nettement des sanctuaires païens, dits, justement, *templa* (du grec *temno*, « diviser », « séparer »), espaces sacrés réservés uniquement au Divin et dont les fidèles sont ordinairement exclus. Sur les conseils et avec l'appui des membres les plus influents de l'Église, Constantin fait siennes les « découvertes » et les requêtes de sa mère. La Jérusalem chrétienne sera donc créée – peu après la fondation de la « nouvelle Rome » à Byzance – par des architectes de l'Empire qui recourront à des modèles constructifs et symboliques des deux capitales impériales ; avec ses lieux saints, elle ignorera d'une manière plus ou moins implicite les aspects sacrés du judaïsme.

L'époque à laquelle naissent et se répandent les légendes sur les découvertes « d'archéologie sacrée » et de reliques effectuées par Hélène, lors de son séjour hiérosolymitain – dont on pourrait presque faire un modèle de pèlerinage –, reste inconnue. En revanche, il est certain que le premier noyau de ce qui sera la très populaire *legenda crucis* circule dès la fin du IVᵉ siècle ; traduite au XIIIᵉ siècle par le dominicain Jacques de Voragine, elle deviendra sous la plume de ce dernier un véritable « roman de la Sainte Croix ». Avec l'aide de la communauté chrétienne locale, l'impératrice aurait retrouvé le rocher du Calvaire et, dans ses environs immédiats, la grotte artificielle adossée à un éperon rocheux dans laquelle Joseph d'Arimathie aurait enseveli le Christ. Mais voilà

213. *Jérusalem* sur la carte de Madaba et dans la planimétrie actuelle, avec l'identification des principaux monuments : 1. Porte de Damas ; 2. Église du Saint-Sépulcre ; 3. Église de la Mère de Dieu ; 4. Aire du Patriarcat ; 5. Forum byzantin ; 6. Église de la maison de Caïphe (?) ; 7. Basilique de la Sainte-Sion ou de la Dormition ; 8. Cénacle (?) ; 9-10. Piscine et église de Siloé ; 11. Église Sainte-Sophie et prétoire (?) ; 12. Église de la Piscine probatique ; 13. Esplanade du Temple ; 14. Forteresse Antonia (?).

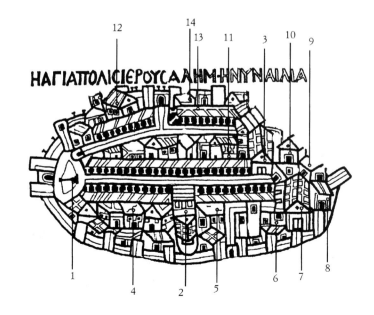

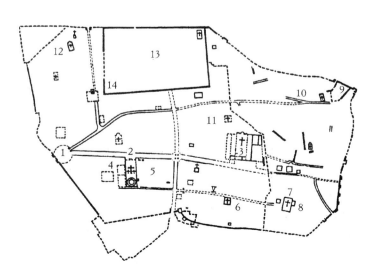

331

les plus pieux de la noblesse romaine compte aussi dans ses rangs la petite-fille de la compagne de Rufin d'Aquilée : Mélanie la Jeune, qui arrive en Terre sainte en 413 et dont la vie à Rome, en compagnie de sa mère, de son mari, de ses enfants et de ses domestiques, se déroulait déjà sous le signe d'une discipline laïque de type monacal. A Jérusalem, Mélanie la Jeune commencera par se faire anachorète, une vocation qu'elle partage alors avec de nombreux pèlerins qui se retirent dans les grottes et dans les tombes abandonnées du mont des Oliviers. Après sa conversion, sainte Pélagie aussi choisira cette existence ; et l'ancienne comédienne d'Antioche, célèbre pour sa beauté, tournant le dos au luxe et au péché de sa vie d'antan, s'enfermera dans une grotte proche de l'église de l'Ascension.

Jérusalem participe au débat théologique particulièrement vif qui occupe la Chrétienté du IVe au VIe siècle, bien que ce débat n'y suscite pas d'écoles de pensée originales et fortes. L'évêque Cyrille est surtout connu pour les écrits qu'il consacre aux catéchumènes et aux néophytes ; son successeur Jean polémique avec Jérôme qui l'accuse d'être favorable aux thèses origéniennes et, en 414, s'oppose farouchement à sa décision de recevoir le moine irlandais Pélage, bien connu pour ses positions hérétiques sur la grâce. Vers le milieu du Ve siècle, l'impératrice Eudoxie, qui fait alors presque figure de « patronne » de la Ville sainte, alimente à son tour ces querelles théologiques. Fille d'un philosophe athénien, Eudoxie, qui a hérité de son père le goût de la controverse et dont les sympathies vont aux thèses monophysites, soutient un patriarche monophysite, après le concile de Chalcédoine, et donne du fil à retordre à l'empereur Marcien, qui s'est rangé aux côtés du patriarche Juvénal. Les questions liées au concile de Chalcédoine et au

219. Fresque représentant saint Cyrille d'Alexandrie, autre Père de l'Église s'étant rendu à Jérusalem. Nebek, Syrie.

220. Antonello de Messine, *Saint Jérôme dans son cabinet de travail* (Londres, National Gallery). Le traducteur de la *Vulgate* nous a laissé des témoignages de Jérusalem et des autres lieux saints qu'il a visités au cours de ses voyages.

136. La route de Jérusalem venant de Syrie arrive à la porte
de Damas (1537-1538).

137. Les remparts de Jérusalem entourant la vieille ville et tous les lieux saints, comme l'avait conçu Soliman le Magnifique au XVIᵉ siècle. C'est ce sultan qui fait construire les remparts sur des substructures antiques et médiévales.

138. L'esplanade du Temple, avec le Dôme du Rocher et, derrière, la mosquée Al-Aksa. Lieu saint pour les juifs, en commémoration du sacrifice d'Abraham ; pour les chrétiens, car c'est de la forteresse Antonia, qui s'élevait au bout de l'esplanade, que le Christ fut envoyé au supplice ; et enfin pour les musulmans, qui se remémorent la chevauchée céleste de Mahomet.

141-142. Vues intérieure et extérieure de la coupole
de la Qubbat al-Sakhra, ou Dôme du Rocher.
Chef-d'œuvre de la première architecture islamique
d'inspiration byzantine, la mosquée fut transformée
en église par les croisées, avant d'être de nouveau affectée
au culte musulman en 1187, sous Saladin.

Pages suivantes :
143. Jérusalem attirait déjà les chrétiens au Vᵉ siècle.
C'est de cette époque que date la représentation
sur l'arc triomphal de Sainte-Marie-Majeure, à Rome.

144. Le moine allemand qui élabore à la fin du XVᵉ siècle
la carte Valsberger reprend l'image cosmogonique
du Moyen Age : le monde est formé par l'Europe, l'Asie
et l'Afrique avec, au centre, la ville de Jérusalem.

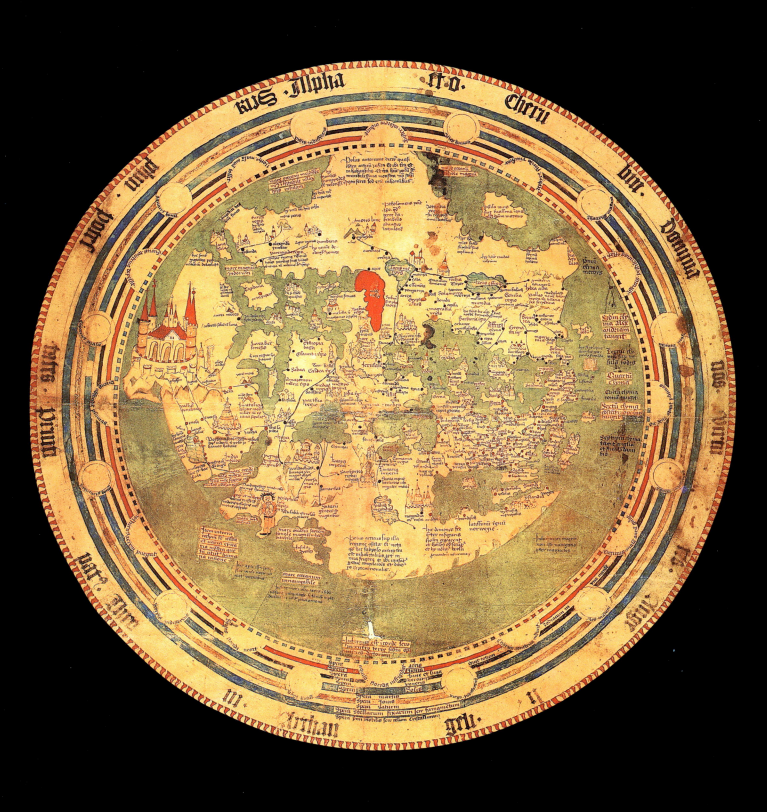

146. La rotonde ou *Anastasis* à l'intérieur
du Saint-Sépulcre est la partie la plus ancienne
de l'édifice. L'empereur Constantin la fit construire
autour du tombeau du Christ afin que sa lumière
rayonne sur le monde.

Ci-contre :
145. La place donnant accès à l'édifice du Saint-Sépulcre,
tel qu'il fut reconstruit sous les croisés.

Pages suivantes :
147. Les ruines de la basilique dite d'Eleona (« de
l'Oliveraie ») et l'église moderne du Pater Noster, au-dessus
de la grotte où Jésus enseigna le Notre Père aux apôtres.

148. Un des oliviers séculaires du jardin des Oliviers,
à l'est de la vieille ville, de l'autre côté de la vallée du Cédron.

149. Vue intérieure de l'église Sainte-Anne. Construite
par les croisés à proximité du lieu où la tradition
situe la maison d'Anne et de Joachim, cette église
est un très bel exemple du roman de Terre sainte.

150. Au premier plan, les fouilles archéologiques
des bains connus sous le nom de piscine probatique
ou de Bethesda.
Au second plan, vue extérieure de l'église Sainte-Anne.

155. La piscine de Siloé, dans la vallée du Cédron.

156. Dans la vieille ville, l'arc de l'*Ecce Homo*,
sur la via Dolorosa, conduit au rocher du Calvaire, qui est
intégré à l'édifice du Saint-Sépulcre. Le parcours est égrené
des stations du chemin de croix.

158. Le monastère géorgien d'époque croisée de la Sainte-Croix. Édifié au cœur de la forêt où aurait poussé l'arbre ayant servi à fabriquer la croix du Christ, il a subi plusieurs campagnes de construction entre le XIe et le XIXe siècle.

Ci-contre :
157. Dès le IVe siècle, les pèlerins ont identifié la vallée de Josaphat, lieu du Jugement dernier, avec la vallée du Cédron, à l'est de la vieille ville.

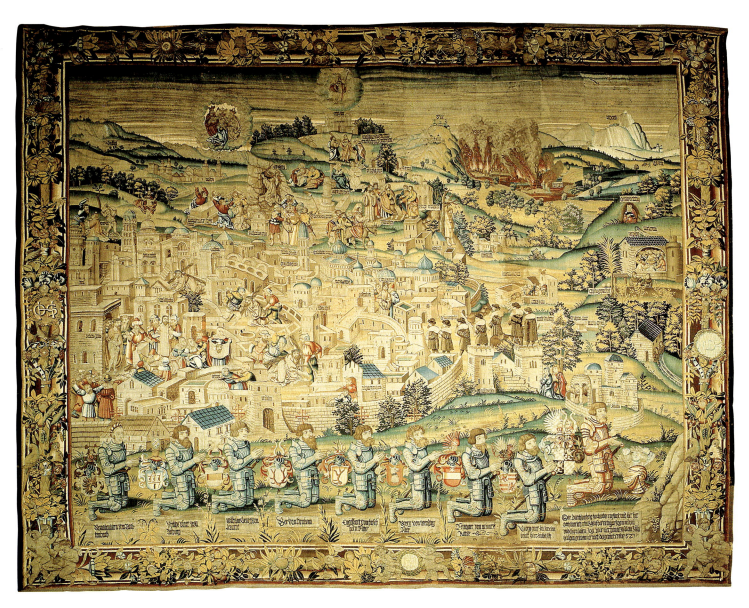

159. Tapisserie commémorative du pèlerinage à Jérusalem
du comte palatin Ottheinrich, au début du XVIᵉ siècle.
Au premier plan, les pèlerins agenouillés ; derrière,
la ville de Jérusalem dans laquelle sont représentés
des scènes de pèlerinage ainsi que des épisodes
de la Bible et de la Passion du Seigneur.
Munich, Bayerisches Nationalmuseum,
Atelier de Bruxelles, 1541.

monophysisme continueront longtemps de troubler les consciences, d'autant que de nombreuses Églises – de la Syrie à l'Arménie en passant par l'Égypte et l'Éthiopie – ne sont pas prêtes à accepter le principe de la double nature du Christ. Quant à Jérusalem, il faudra attendre 516, et la marche « pacifique » sur la Ville sainte qui réunit dix mille moines conduits par les deux pères du désert, Sabbas et Théodose, pour que le patriarche Jean reconnaisse enfin la solution adoptée par le concile.

Lieu privilégié au plan des expériences spirituelles, Jérusalem n'en devient pas pour autant une place forte de l'esprit. Si les riches et les patriciens, venus de Rome et d'autres métropoles de l'Empire, visitent effectivement en grand nombre la ville et si ces pèlerins souhaitent souvent et sincèrement y demeurer pour toujours, cela ne signifie pas que tout ce qui s'y passe est inspiré par un désir de sainteté : la vie mondaine, semble-t-il, y est intense et les occasions de pécher ne manquent pas. Saint Jérôme en est conscient qui, pour cette raison peut-être, a choisi de demeurer dans la ville voisine de Bethléem, plus tranquille, et qui écrit à son ami, Paulin de Nole, pour le dissuader de se rendre dans la Ville sainte. Ce double aspect donnera naissance à deux littératures étroitement liées, l'une de pèlerinage, l'autre *contra peregrinantes*; la seconde, élaborée surtout par des mystiques médiévaux (pour qui le pèlerinage doit être une *peregrinatio animae*, une quête intérieure de la Jérusalem spirituelle que chaque croyant porte en lui), donnera lieu finalement, à l'époque de la Réforme, au sévère réquisitoire d'Érasme de Rotterdam.

De Justinien à Héraclius

Dans la phase ouverte par la fondation des grands sanctuaires chrétiens, l'Empire de Justinien (527-565) coïncide avec l'épanouissement majeur de Jérusalem et de la Palestine. Les pèlerins continuent d'affluer, même s'il semble désormais que la pratique du voyage suivi du retour soit devenue habituelle et que le nombre des visiteurs s'installant à demeure ait diminué. Le commerce et l'économie de la région profitent largement de la faveur impériale et du succès du pèlerinage ; les routes sont bonnes, sûres, jalonnées d'hospices efficaces. On restaure ou on renforce la protection de certains sanctuaires – la basilique de la Nativité endommagée lors d'une révolte des Samaritains, la *laure* de saint Sabbas ceinte de murs comme une forteresse, ou le monastère géorgien de la Sainte-Croix, à l'ouest de la ville – et on en construit d'autres, dont Sainte-Marie-la-Neuve,

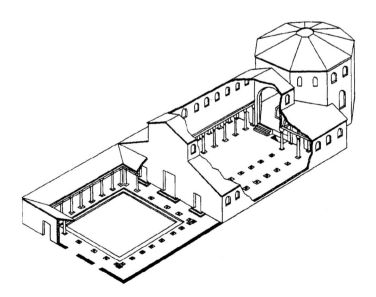

221. Reconstitution de la basilique de la Nativité de Bethléem, reconstruite par Justinien à l'emplacement de l'édifice constantinien antérieur.

aujourd'hui, hélas, disparue, mais attestée par les fouilles archéologiques et la représentation qu'en donne la mosaïque de Madaba.

L'ère justinienne est aussi très propice à la réinstallation des Juifs à Jérusalem, dont le bannissement décrété par Hadrien a progressivement perdu de sa vigueur du IIᵉ au IVᵉ siècle. L'impératrice Eudoxie lèvera définitivement cette interdiction et c'est pour témoigner de cette mesure que le commentaire de la *Mishna*, achevé à cette époque par les docteurs de l'école de Tibériade, sera appelé « Talmud de Jérusalem ». Des Juifs, peu nombreux en réalité, rentrent alors à Jérusalem : tirant parti de leur connaissance de l'Ancien Testament, ils servent de guides aux pèlerins ou bien exercent des professions liées au commerce et à l'artisanat.

Après Justinien, le contexte politique et économique dans l'est de l'Empire se dégrade. La prospérité et la sécurité reculent, les impôts augmentent et les persécutions dont les chrétiens dissidents sont l'objet valent au gouvernement de Constantinople maintes antipathies qui favorisent indirectement les ennemis éternels de Byzance : les Sassanides de Perse. De fait, si le Grand Roi Chosroès II déclenche une vaste offensive contre les provinces orientales de l'Empire, c'est aussi parce qu'il est parfaitement au courant du mécontentement qui ne cesse d'y grandir et, une fois de plus – car depuis plus de mille ans, désormais, c'est à chaque fois le cas –, la position des juifs influence les décisions du Grand Roi. Les Juifs, qui sont en relation avec les Perses à travers leurs nombreuses communautés disséminées dans l'empire sassanide, considèrent en effet avec une certaine sympathie le système mythologique et religieux mazdéen, dans lequel la vision du dieu suprême de la lumière, Ahura Mazda, est si fortement spiritualisée que certains de ses aspects peuvent être rapprochés de Yahvé, contrairement au concept chrétien d'Incarnation qui ne cessera de choquer juifs, mazdéens et, plus tard, musulmans.

Les persécutions dont les juifs sont l'objet sous l'empereur Héraclius (610-641) ne sont donc pas étrangères à la tournure que prennent les événements en 614 : l'armée perse a à peine franchi la frontière que les docteurs de la loi de Tibériade appellent les Juifs à s'armer et à rejoindre les troupes de Chosroès II, même si cet appel est motivé en réalité par l'espoir de récupérer la totalité de la Terre promise. Et ce sont aussi les juifs de Jérusalem qui, après quelques jours de siège seulement, ouvriront les portes de la ville. Une fois dans Jérusalem, les Perses se livrent à un horrible carnage, mettent à sac et détruisent les principaux sanctuaires. La tradition veut que seule la basilique de la Nativité, à Bethléem, ait été épargnée, à cause de la mosaïque représentant les Rois mages vêtus du costume perse et rendant hommage à l'Enfant Jésus (l'Enfant divin né de la

222. Représentation du dieu suprême Ahura Mazda, avec la roue ailée symbolisant le ciel, c'est-à-dire le monde de lumière où réside le dieu. La religion initiée par Zoroastre au début du Iᵉʳ siècle av. J.-C. a influencé les Juifs des premiers siècles de notre ère.

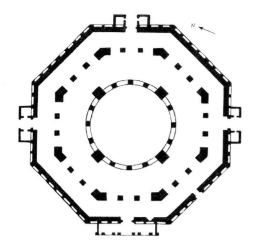

223. Plan du Dôme du Rocher, le rocher du mont Moriah. Construction musulmane sur le lieu sacré des Hébreux, que la tradition identifie avec l'endroit où Abraham s'apprêtait à immoler Isaac.

pierre et associé à l'étoile est une figure mythique du culte de Mithra, lié au mazdéisme, un mythe avec lequel le passage de l'Évangile de Matthieu, décrivant l'adoration des Mages, présente de nombreuses analogies). Le patriarche Zacharie et des milliers de chrétiens sont déportés à Ctésiphon, capitale de l'empire perse, où est apportée la relique de la Vraie Croix, volée dans la basilique de l'*Anastasis*, tandis que d'autres reliques, comme le calice de la Dernière Cène, sont dispersées. Tout l'Orient impérial est mis à feu et à sang : les Perses s'emparent de l'Égypte et, en Anatolie, atteignent Chalcédoine.

À vrai dire, passée l'affreuse phase du massacre, de la déportation et du saccage, le Grand Roi se montre modéré. Il confie Jérusalem au moine Modeste, qui en deviendra le patriarche, et celui-ci peut entreprendre immédiatement la restauration, quand bien même modeste, de l'église de l'*Anastasis*. En 624, Héraclius lance sa contre-offensive ; et cette campagne, qui dure jusqu'en 630, est couronnée d'un succès extraordinaire. L'empereur byzantin attaque d'abord les Perses en Arménie et en Médie, repousse une contre-attaque des Avares et des Perses, de nouveau aux portes de Chalcédoine et de Constantinople, puis se lance en Géorgie, d'où il descend le cours du Tigre jusqu'à Ctésiphon : l'administration perse s'effondre, Chosroès est fait prisonnier et tué. Héraclius récupère alors la relique de la Vraie Croix, libère les déportés chrétiens et, en mars 630, entre avec eux dans Jérusalem, pieds nus et portant la Croix sur ses épaules, selon la légende ; la Palestine, la Syrie et l'Égypte rentrent dans le giron byzantin. Mais cette magnifique victoire sera, comme nous allons le voir, de si courte durée qu'Héraclius lui-même vivra suffisamment pour constater qu'il ne s'agit que d'un bref répit.

La conquête musulmane

La brillante campagne militaire d'Héraclius, qui se solde par une victoire inattendue et sans doute inespérée par l'empereur lui-même, n'a pourtant rien résolu. Aux prises avec une crise économique, l'Empire continue d'être menacé au nord et au sud, tandis que ses provinces asiatiques et africaines, saignées à blanc par la fiscalité, subissent de surcroît une surveillance politique et religieuse qui se traduit par de continuelles mesures oppressives et répressives. L'autre colosse impérial aussi, la Perse, connaît une crise irréversible : après Chosroès II, les souverains se succèdent sur le trône à un rythme accéléré, sans qu'aucun parvienne à réorganiser l'État.

L'offensive arabo-musulmane lancée depuis la péninsule arabique, immédiatement après la mort du prophète Mahomet en 632, profite évidemment de cette double crise :

224. *Sacrifice d'Isaac*, dessin d'après la mosaïque de pavement de Beth Alpha (Palestine). Dieu exige d'Abraham un acte prouvant sa foi, mais l'empêche de sacrifier son fils. Dieu montre ainsi qu'il n'exige d'Abraham que sa foi.

363

le pèlerin, désormais, est avant tout un pécheur, et l'Église souhaite établir clairement ses droits et ses devoirs. A l'intérieur comme à l'extérieur de Jérusalem, les itinéraires sont donc de plus en plus définis, afin d'aider le visiteur et d'assurer sa sécurité ; et l'interminable route qui mène à la Ville sainte est jalonnée, en Italie particulièrement, d'hospices et de sanctuaires mineurs, où le voyageur peut gagner diverses indulgences et être accueilli. Comparées aux récits pèlerins d'avant l'invasion perse, les descriptions de l'*Anastasis* de cette période soulignent l'importance des dommages infligés à l'église et combien les restaurations ont été hâtives. En revanche, un hospice – mentionné par un moine breton nommé Bernard, en pèlerinage à Jérusalem en 870 – a été ouvert près du Saint-Sépulcre pour les pèlerins de langue et de rite latins ; il semble que cet établissement ait été celui dont Charlemagne a négocié la construction avec le calife de Bagdad, Harun Al-Rashid. L'hospice est construit en même temps que l'église Sainte-Marie-Latine, située dans le voisinage immédiat de l'église du Saint-Sépulcre et dont le service est assuré par les moines d'un monastère bénédictin adjacent.

Mais les luttes qui déchirent l'Islam n'épargnent pas longtemps Jérusalem. Car à côté de l'émiettement du pouvoir du calife, des rivalités dynastiques et de l'opposition entre sunnites et chiites, il existe un facteur géographique et historique, récurrent depuis les temps bibliques, dont l'action s'exerce sur tout le Proche-Orient et ce qu'on appelle le Croissant fertile : la zone comprise entre les rives orientales de la Méditerranée et le Jourdain d'une part, le Liban et la mer Rouge de l'autre, est une région de mouvements caravaniers et de frontières que se sont toujours disputée la Syrie, la Mésopotamie et l'Égypte. Or cette vieille rivalité refait surface à la fin du Xᵉ siècle, quand l'Égypte devient le centre du califat chiite des Fatimides (969-1171), lesquels contestent le pouvoir des califes sunnites de la dynastie abbaside qui réside à Bagdad. Jérusalem tombe très vite aux mains des califes égyptiens qui ont Le Caire pour capitale. L'un d'entre eux, Al-Hakim (en qui l'islam verra par la suite un hérétique) persécute, en plus des sunnites, les juifs et les chrétiens. Non content de fermer les synagogues et les églises, de vider les monastères et d'entraver les pèlerinages, Al-Hakim ordonne en 1009 la destruction de l'église hiérosolymitaine de l'*Anastasis*, y compris l'édicule du Saint-Sépulcre. Les ordres

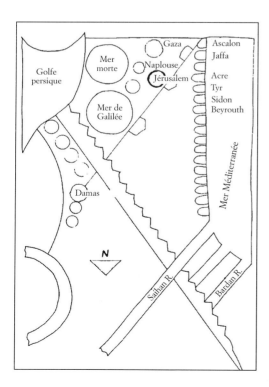

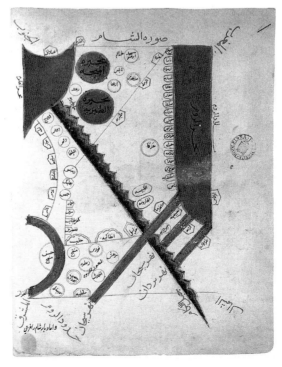

227. Carte de la Syrie et de la Palestine exécutée par Al-Iṣṭakhrī en 952. Au Xᵉ siècle on a réalisé beaucoup d'atlas portatifs, utilisés surtout par les pèlerins se rendant à La Mecque.

du calife seront peu et mal appliqués, à cause, peut-être, d'une certaine résistance de la part des musulmans de Jérusalem, pour la plupart sunnites et qui, par ailleurs, sont déjà lésés au plan économique par la suspension des pèlerinages. L'ampleur des détériorations, attestée par les fouilles archéologiques, est cependant considérable.

Cette période de tourmente passée, ce sont les autorités musulmanes elles-mêmes qui demandent la réfection des édifices saccagés et la reprise des pèlerinages. L'empereur byzantin Constantin IX Monomaque, considéré comme le protecteur naturel des chrétiens locaux (qu'on appelle de ce fait *melkiti*, les gens du roi, du terme arabe *malik* qui équivaut au *basileus* grec ou empereur), prend en charge la restauration de l'*Anastasis* et de la chapelle abritant le rocher du Calvaire ; cette restauration sera achevée au milieu du XIᵉ siècle. Quant aux marchands amalfitains, qui constituent depuis longtemps déjà à Jérusalem un groupe puissant et apprécié, ils s'attellent, dans les années 1030 et 1040, à la réfection du vieil hospice de Charlemagne ; doté de nouvelles églises, le *Mouristan* (l'Hospice) occupe désormais une zone bien définie au sud-ouest du Saint-Sépulcre.

Il n'est pas impossible que, par la suite, les chrétiens locaux et surtout les pèlerins aient eu de nouveau maille à partir avec les musulmans, puisque les califes de Bagdad emploient des milices turques seldjoukides, composées de soldats fraîchement convertis à l'islam et passablement frustes – au cours du XIᵉ siècle, la Palestine est tantôt sous domination fatimide, tantôt sous domination abbasside. En Occident, on entend alors parler d'abus, de violences, de vols commis en Terre sainte et attribués à ces brutes, même si, en réalité, les récits de ces exactions sont plutôt des justifications *a posteriori* de la Première Croisade. Il n'empêche que les environs de Jérusalem sont peu sûrs ; un brigandage endémique y sévit et, pour entrer dans la Ville sainte et accéder à l'église de l'*Anastasis*, le pèlerin doit ouvrir sa bourse. Malgré tout, au cours de la seconde moitié du XIᵉ siècle, non seulement les pèlerinages reprennent, mais deviennent toujours plus fréquents ; les pèlerins se déplacent en groupe, parfois fort nombreux, et sous protection armée, ce qui tend à prouver que le coût du voyage est moins élevé qu'on ne l'imagine.

La Jérusalem des croisés

La horde d'hommes en armes et de pèlerins estropiés, qui constituent ce que nous appelons « la première croisade », déferle sur Jérusalem du printemps au début de l'été 1099 et prend d'assaut la ville le 15 juillet de cette même année. L'enceinte fortifiée est franchie en son point le plus faible, l'angle nord-ouest ; les Francs (nom que les Byzantins et les Sarrasins donnent aux Occidentaux) envahissent la ville et massacrent la presque totalité de ses habitants musulmans et juifs. Jérusalem est ensuite repeuplée par les chrétiens d'Orient, qui en avaient été expulsés, et par leurs coreligionnaires syriaques et arméniens : dans un premier temps, au moins, il est en effet interdit aux musulmans et aux juifs d'y séjourner.

Il semble que les Occidentaux, en s'emparant de la Ville sainte, aient eu en tête d'en faire une possession ecclésiastique ou de la confier directement, en tant que telle, à la tutelle de l'Église de Rome. Un patriarche latin est aussitôt élu (le schisme entre les Églises d'Orient et d'Occident étant entériné depuis quarante-cinq ans, on juge inopportun de s'en remettre à un prélat grec), tandis que les chefs militaires de l'expédition, incapables de se mettre d'accord, finissent par élire un seigneur de santé précaire et peu énergique dont ils n'auront pas à craindre l'autorité. Leur choix se porte donc sur Godefroy de Bouillon, duc de Basse-Lorraine, qui refuse de son propre chef, dit-on (mais cette idée lui est peut-être soufflée par quelque évêque), de « porter une couronne d'or là où le Christ a été couronné d'épines ». En d'autres termes, ce n'est pas un roi qui vient d'être désigné, mais un simple *Advocatus Sancti Sepulchri*, un procurateur gérant les affaires mondaines de l'église du Saint-Sépulcre. Cet expédient signifie que le pouvoir est détenu en réalité par « l'église du Saint-Sépulcre », cathédrale patriarcale et, de fait, Daimbert, l'archevêque de Pise qui a rejoint Jérusalem avec une nombreuse flotte sitôt la ville conquise et qui a été élu patriarche, se pose en détenteur légitime du pouvoir. Mais après la mort de Godefroi, en 1100, ses ambitions se heurtent aux intentions du frère du disparu, Baudouin de Boulogne, comte de la ville arménienne d'Édesse. Baudouin descend en effet à Jérusalem et, bien qu'on ne sache pas trop en vertu de quelle autorité, s'y fait couronner roi. C'est ainsi que naît le « royaume latin de Jérusalem » qui, pendant deux siècles, sera une monarchie élue présentant par intermittence des caractères dynastiques et dont la couronne se transmet aussi par les femmes.

A peine couronné, Baudouin Ier s'installe dans la mosquée Al-Aksa, que les croisés rebaptisent *Templum Salomonis* en souvenir, peut-être, du grand palais de Salomon qui occupait le sud de l'esplanade du Temple et dont, par la suite, le portique royal du palais d'Hérode avait tiré son nom. Plus tard, les souverains de la Jérusalem des croisés choisiront pour demeure la citadelle dite Tour de David, située près de l'actuelle porte de Jaffa, laissant la mosquée Al-Aksa aux *pauperes milites Christi*, un ordre militaro-religieux que l'on désignera dès lors du nom de Templiers. Les Templiers utiliseront la mosquée et ses vastes souterrains (les « écuries de Salomon ») comme église, forteresse, monastère, dépôt d'armes et de matériels. Des sources arabes nous apprennent que certains musulmans de passage désireux de prier – hôtes de marque vraisemblablement – sont reçus au *Templum Salomonis* et il n'est pas exclu que les Templiers y aient transformé, dans ce but précisément, un oratoire en mosquée.

228. Schéma reproduisant un manuscrit du XIIe siècle. L'idéalisation de Jérusalem est clairement exprimée : la croix définit la structure interne de la ville et la muraille circulaire en symbolise la perfection.

229. Manuscrit du milieu du XIIe siècle sur lequel on voit celle que l'on appelait la Jérusalem des croisés. Les chevaliers chrétiens, sous les murs de Jérusalem, défendent la ville contre les Sarrasins.

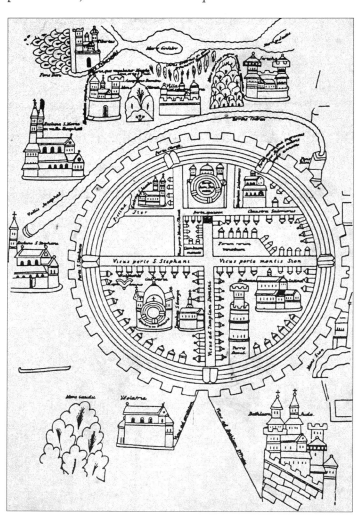

230. Ancienne église Saint-Jean des Templiers, aujourd'hui intégrée à la grande mosquée de Jérusalem.

La zone du Temple fait l'objet d'une curieuse dichotomie dans la toponymie de ses nouveaux occupants. Car si la mosquée Al-Aksa, aux mains des Templiers, devient le *Templum Salomonis*, le Dôme du Rocher, placé sous la tutelle d'un groupe de chanoines réguliers de l'ordre de saint Augustin et, en tant qu'église, consacré à la Vierge, est rebaptisé *Templum Domini*. Le Saint-Sépulcre est confié à d'autres augustins, tandis que le monastère et l'hôpital de Sainte-Marie-Latine sont dirigés par les Hospitaliers de Saint-Jean (autre ordre militaro-religieux, dont les membres prendront par la suite le nom de chevaliers de Rhodes, puis de chevaliers de Malte).

En dépit de sa relative brièveté, le royaume « latin » a profondément marqué Jérusalem, même si cette empreinte est masquée par les superpositions urbanistiques et architecturales et les multiples adaptations qu'a connues la ville. Les croisés, qui emploient la main-d'œuvre locale et se montrent très perméables aux usages et aux coutumes du lieu, demeurent cependant fidèles au style architectural de leur époque – le roman pré-gothique – et il est certain qu'ils font appel à des architectes et à des compagnons spécialisés venus d'Europe.

Des restaurations récentes ont fait renaître la Jérusalem des croisés et ce, en particulier, à travers trois monuments romano-gothiques qui avaient conservé et ont retrouvé il y a peu leur aspect caractéristique.

L'église Sainte-Anne illustre d'une manière très émouvante ce que le charme de Jérusalem doit aux « Francs ». Cette église a été construite sur ce qui était, selon la tradition, la maison hiérosolymitaine d'Anne et de Joachim, située entre la piscine de Bethesda et le côté nord du Haram as-Sharif (l'esplanade du Temple), le long de la route qui, traversant d'est en ouest le quartier musulman de Jérusalem, prolonge la Via Dolorosa et se termine à la porte des Lions (ou *Bab Sitna Mariam*, « porte de Notre-Reine-Marie »). La restauration a restitué à la façade comme à l'intérieur de cette belle église aux dimensions modestes les lignes très pures de son architecture franco-septentrionale ; l'espace intérieur, de simple pierre grise désormais, est rythmé par de robustes piliers nus.

A l'est de la ville, dans la vallée du Cédron (ou de Josaphat), les croisés reconstruisent l'église du Tombeau-de-la-Vierge, dite aussi Sainte-Marie-en-Vallée-de-Josaphat. L'intérieur se compose aujourd'hui d'une sorte de nef en pente, entièrement occupée par un escalier gigantesque qui rejoint, en une volée vertigineuse de marches, la crypte abritant le tombeau où les apôtres auraient déposé le corps de la Vierge, morte sur la colline de Sion, avant qu'elle ne monte au Ciel. Cette église ne correspond plus qu'à la crypte de la magnifique basilique du XIIe siècle qui fut détruite par Saladin en même temps que les grandes églises adjacentes (y compris celles des croisés) de Gethsémani, de Sion (remplacée aujourd'hui par une énorme construction moderne), de l'Eleona et de l'Ascension.

Au cours des deux siècles du royaume latin de Jérusalem, les péripéties de l'*Anastasis* – que les croisés d'alors, comme les pèlerins occidentaux d'aujourd'hui, appellent basilique du Saint-Sépulcre – sont aussi complexes qu'attachantes. A la fin du XIe siècle, si le Saint-Sépulcre garde encore quelques traces de son ancienne splendeur constantinienne, il est néanmoins très abîmé, passablement rafistolé et un tantinet croulant. Détruite à deux reprises, par les Perses d'abord en 614, par Al-Hakim ensuite en 1009, il ne reste plus de la grande basilique du *Martyrium* qu'une vague chapelle à l'ouest de la « rotonde » – endommagée elle aussi mais encore debout –, tandis que la chapelle-tour du Calvaire, toute proche, abrite au rez-de-chaussée un petit oratoire dit chapelle d'Adam. Les rois francs de Jérusalem se feront ensevelir sur le Calvaire ; les reines, quant à elles, choisiront l'église du Tombeau-de-la-Vierge, dans la vallée de Josaphat.

Les croisés transforment complètement – et d'une manière géniale – la disposition d'ensemble byzantine que les reconstructions de Modeste et de Constantin IX Monomaque avaient respectée dans ses grandes lignes. La cour entre la « rotonde » du Saint-

Sépulcre et la basilique, dont il ne reste alors qu'un amas de ruines sur lequel se dressent des constructions de fortune, est couverte et transformée en une nouvelle basilique avec abside, de style roman et prégothique. Orientée à l'est (contrairement à l'édifice constantinien), l'abside de la basilique donne donc à présent sur la « rotonde ». En somme, rotonde et basilique, bien que séparées par un grand arc triomphal, sont réunies en un seul édifice couvert qui, en plus de chapelles rayonnantes, abrite la chapelle haute du Calvaire et l'entrée de la crypte de l'impératrice Hélène, d'où l'on accède à la fameuse citerne dans laquelle les trois croix avaient été retrouvées en 326. La coupole qui coiffait l'édicule du tombeau est remplacée par une sorte de cône en bois percé d'un grand oculus ; à l'ouest de celui-ci, une coupole plus petite, couverte de plomb argenté, domine le vaisseau central de la basilique et le « Chœur des Grecs », dans lequel, posé sur le pavement, une pierre désigne aujourd'hui encore *l'umbilicus mundi*, le « nombril du monde », dont la localisation est attribuée à Jésus par la cosmologie médiévale. Du XIᵉ au XIIIᵉ siècle, voire plus tard, Jérusalem figure en effet au centre de l'univers sur les mappemondes.

Parmi les nombreux détails remarquables qui témoignent de la présence des croisés à Jérusalem, il faut mentionner le portail sud de la basilique, à deux entrées, qui en est aussi l'accès principal, situé juste en face de la chapelle du Calvaire et de la Pierre de l'Onction. Si l'on peut en admirer sur place le beau tracé, ses architraves en pierre, finement sculptées, sont conservées au Rockfeller Museum ; avec les chapiteaux de la basilique de Nazareth, elles constituent le plus bel exemple de sculpture des croisés parvenu jusqu'à nous

231. Le Paradis, métaphore de la cité idéale. Au début du XIIᵉ siècle, lorsque l'Europe s'intéresse à la renaissance chrétienne, le paradis est représenté dans le *Liber Floridus* de Lambert de Saint-Omer comme une ville idéalisée, une nouvelle Jérusalem.

232. *Jérusalem*. La mappemonde du XIIIᵉ siècle reproduite ici est à la fois une description géographique et une explication cosmogonique qui place Jérusalem au centre du monde.

et, d'une manière générale, elles comptent au nombre des chefs-d'œuvre de l'art médiéval.

Des autres édifices construits par les Francs, comme les églises sur la colline de Sion (la Dormition, Saint-Pierre-in-Gallicantu), seuls ont subsisté quelques rares vestiges archéologiques. Ainsi, l'église Sainte-Marie, située aujourd'hui dans le quartier juif – au sud de la ville, non loin de l'église érigée sur la maison de Caïphe –, où sera fondé à la fin du XIIᵉ siècle un ordre consacré à Marie ; réservé aux chevaliers d'origine allemande, il deviendra plus tard le fameux ordre des Chevaliers Teutoniques.

Ayyubides, Mamelouks, Ottomans

Saladin entre à Jérusalem en octobre 1187 ; comme Omar en 637, il respecte les sanctuaires chrétiens, mais rend au culte musulman les mosquées que les croisés avaient transformées en églises et, en premier lieu, les deux situées sur l'esplanade du Temple : on ôte les symboles chrétiens de leurs coupoles et, avec de l'eau parfumée, on y efface la profanation que constitue aux yeux des musulmans le dogme trinitaire, considéré comme relevant du polythéisme. Saladin laisse partir les Francs et les laisse aussi emporter leurs biens, ne réclamant en échange que des sommes dérisoires et bien souvent remises. En revanche, il séquestre les biens immobiliers et mobiliers des ordres militaires (dont la totalité du siège des Hospitaliers), ordonne la destruction des sanctuaires chrétiens situés hors les murs de la ville, transforme en madrasa (école coranique) l'église Sainte-Anne, fait fondre les cloches des églises dont les musulmans exècrent le son, et restaure le système des péages pour les pèlerins aux portes de Jérusalem et à l'entrée des églises chrétiennes, dotées désormais de gardiens musulmans (comme c'est encore le cas aujourd'hui au Saint-Sépulcre et ailleurs).

Lorsque Saladin meurt en 1193, le vaste empire qu'il a constitué disparaît avec lui, divisé entre ses descendants. La Terre sainte est alors de nouveau au centre du phénomène récurrent dont nous parlions plus haut : les pouvoirs syrien (ou mésopotamien) et égyptien se disputent son contrôle. Les sultans de la dynastie ayyubide, descendants de

233. Architrave est du Saint-Sépulcre, avec ornementation de l'époque des croisades, mêlant influences classiques et méditerranéennes.

Saladin, se partagent donc l'empire et Jérusalem revient au prince ayyubide du Caire, Al-Malik Al-Kamil. En 1229, celui-ci négocie avec l'empereur Frédéric II une trêve stipulant le démantèlement de tout dispositif militaire, le libre accès des chrétiens sur leurs lieux saints et le contrôle du Haram as-Sharif (l'esplanade du Temple) par les musulmans. Cet accord, presque idéal dans son équité, ne durera malheureusement pas. En 1244, des mercenaires venus du Kharezm, entre l'Ouzbékistan et le Turkménistan, s'emparent de Jérusalem qu'ils mettent à sac, profanant les lieux saints et massacrant les habitants.

Du temps de Saladin – et encouragée par lui, selon les traditions islamiques –, une communauté juive importante s'était reconstituée à Jérusalem, composée en grande partie de familles fuyant la France et l'Angleterre où elles commençaient d'être l'objet de restrictions et de persécutions et où circulaient alors des rumeurs les accusant d'infanticides et de profanation d'hosties consacrées. A la même période, de nombreux juifs, venant surtout de France, se réfugièrent aussi en Espagne islamique. Du temps des croisés, d'éminentes personnalités juives avaient déjà visité Jérusalem, tels Maimonide et le grand voyageur espagnol Benjamin de Tudèle. Sous les Ayyubides, la culture juive à Jérusalem s'organisera autour d'un autre espagnol : Moïse Ben Nahman, dit Nahmanide.

234. L'empereur Frédéric II rencontre le Sultan aux portes de Jérusalem. Miniature conservée à la Bibliothèque Vaticane.

Au milieu du XIIIᵉ siècle, les califes du Caire sont renversés par leur propre milice recrutée parmi les esclaves blancs : les Mamelouks, qui installent l'un d'entre eux sur le trône.

Jérusalem, dans un premier temps tout au moins, ne peut que se féliciter de ce nouveau gouvernement. Les anciens esclaves devenus maîtres se montrent pleins d'égards

235. Le Saint-Sépulcre sur une gravure du XVᵉ siècle (B. Breydenbach, *Sainctes pérégrinations de Jérusalem*).

envers l'islam, respectueux des droits des juifs et des chrétiens, corrects avec les pèlerins qui, du XIIIᵉ au XIVᵉ siècle, sont si nombreux à visiter Jérusalem – et à emplir les caisses des sultans et les bourses des marchands musulmans – que leur transport, par « bateaux de ligne », est organisé depuis Venise. En outre, les nouveaux maîtres restaurent les remparts de la ville, ouvrent de nombreuses madrasas, embellissent l'Haram as-Sharif, où l'on construit des minarets et, autour de la coupole du Dôme du Rocher, d'élégants portiques dits *mawazin*, « balances », selon la légende voulant que les anges y suspendent les balances pour peser les âmes.

Mais les Mamelouks estiment aussi que diviser pour mieux régner est un excellent principe et, bien qu'ils n'abusent pas de ce stratagème, ils n'en favorisent pas moins les chrétiens par rapport aux juifs, par exemple ; les dominicains jouiront tout particulièrement de ces faveurs, leur ordre étant protégé au XIIIᵉ siècle par les Anjou de Naples, dont les Mamelouks sont de fidèles alliés. En 1309, les franciscains sont officiellement autorisés à s'installer au Saint-Sépulcre, sur la colline de Sion et à Bethléem.

En 1333, Robert, roi de Naples, achète au sultan la propriété du Cénacle et, dix ans plus tard, la transmet à l'ordre des frères mineurs ; cet acte fondateur de la Custodie de Terre sainte (le provincial du monastère franciscain de Sion deviendra par la suite le custode de la Terre sainte) permet aussi d'aménager en style gothique la salle du Cénacle, sur la colline de Sion. Néanmoins, les Mamelouks appliquant strictement la loi musulmane qui interdit de restaurer les édifices de culte des communautés assujetties, pèlerins et voyageurs remarquent bientôt le piètre état de maintes églises, dont certaines sont sur le point de crouler ; cet aspect désolé, conforme peut-être au goût romantique, confère aux édifices une tristesse que traduisent bon nombre de descriptions et de dessins du XVIᵉ au XVIIIᵉ siècle.

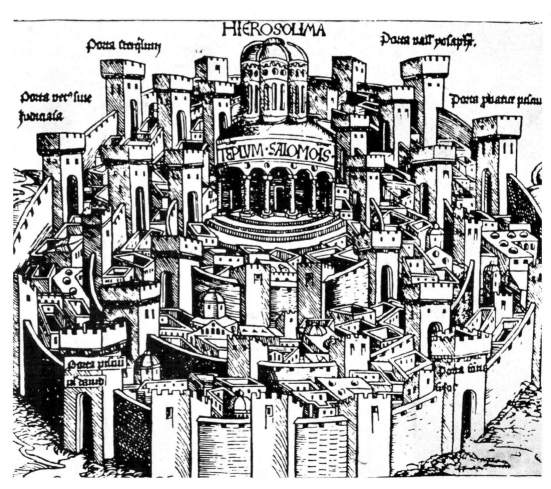

236. Représentation de Jérusalem datant de 1493, soit un an après la découverte de l'Amérique. Gravure de la *Weltchronik (Historia aetatum mundi et descritio urbium cum figuris ligneis pictis)* de Hartmann Schedel, publiée à Nuremberg. Il s'agit de l'un des premiers livres imprimés, comportant des illustrations xylographiques, qui ait été destiné à un publique instruit et populaire.

Dans le courant du XVe siècle, les bonnes dispositions des maîtres mamelouks de Jérusalem commencent de se dégrader, un changement auquel les affaires politiques intérieures de l'Égypte ne sont pas étrangères. Du milieu du XIVe siècle au début du XVIe siècle, les descriptions que les journaux des pèlerins occidentaux donnent de Jérusalem se font toujours plus alarmantes : l'état d'abandon de la ville empire au fil des ans, l'administration est de plus en plus inefficace et vénale, quant à la population, dont le nombre ne cesse de diminuer et la pauvreté de croître, c'est tout juste si elle a encore la force de réagir face aux catastrophes naturelles – famines, épidémies, tremblements de terre. On estime que les Hiérosolymites, qui étaient presque cinquante mille au milieu du XIIIe siècle, ne sont plus que dix mille, deux siècles et demi plus tard.

Les Turcs ottomans, qui se sont emparés en 1453 de ce qui restait de l'Empire byzantin et de sa capitale, associent la Palestine et l'Égypte sous leur pouvoir en 1516. Jérusalem, dès lors intégrée à la province ayant pour chef-lieu Damas, restera aux mains des sultans turcs pendant quatre siècles.

Suleyman, ou Soliman le Magnifique (1520-1566), qui a succédé à son père Sélim Ier et se montre désireux de valoriser Jérusalem, s'intéresse tout particulièrement à l'approvisionnement en eau de la ville. Il fait réparer la vieille digue qui fermait la zone en amont de la vallée de la Géhenne, au sud de la ville, créant ainsi la fameuse Piscine du Sultan, restaure l'aqueduc qui approvisionne Jérusalem en eau depuis Bethléem et Hébron, et ordonne de construire dans la ville une série de fontaines ; son nom est aussi lié à la réfection des remparts et, aujourd'hui encore, la vieille ville est enfermée dans la belle enceinte qu'il a fait édifier.

Soliman s'intéresse aussi au Dôme du Rocher. Bien que cette mosquée ait été entretenue par les Mamelouks, elle s'est en effet détériorée et les mosaïques ornant ses murs extérieurs – dont la splendeur première égalait celle des mosquées de Damas – sont fort abîmées. Mais l'art de la mosaïque, très lié à la culture byzantine chrétienne, étant plus ou moins perdu au XVIe siècle, le sultan fait recouvrir la mosquée de magnifiques carreaux de faïence bleue, fabriqués à Kachan, en Iran. Ce revêtement mural, toujours existant, distingue le Dôme du Rocher des autres édifices sacrés arabes et turcs, l'apparentant plutôt à la Perse et à l'Asie centrale, où ce type d'ornement est très répandu. La citadelle dite Tour de David, qui bénéficie aussi de l'attention du sultan, acquiert alors l'aspect qu'on lui connaît aujourd'hui.

Bien que Soliman se méfie probablement moins de l'Occident chrétien, désormais en position de repli, que de la Perse, les relations tendues avec l'Europe et la nécessité de se démarquer de la politique mamelouk infléchissent son attitude dans un sens qui n'est guère favorable aux chrétiens de rite latin. Les Mamelouks s'étant montrés conciliants avec ces derniers et, en particulier, nous l'avons vu, avec les franciscains, le sultan d'Istanbul choisira de privilégier la communauté hébraïque. Entre 1523 et 1551 – s'appuyant sur un principe déjà ratifié par Saladin, selon lequel les lieux saints chrétiens de Jérusalem appartiennent aux autorités musulmanes gouvernant la ville –, il parvient à chasser les Frères mineurs, précisément, du Cénacle d'abord, de leur célèbre et vénérable monastère de la colline de Sion ensuite.

Les Grecs orthodoxes aussi sont bien vus du nouveau maître de Jérusalem. Rappelons à ce propos que les fidèles de l'Église de Constantinople sont, après 1453, sujets du sultan et que bon nombre d'évêques orthodoxes ont toujours déclaré « préférer le turban à la tiare », autrement dit un gouvernement turc qui leur permet au moins de garder leur identité à une Église latine leur imposant de renoncer à leurs rites et à leurs traditions. Si les patriarches chrétiens de Jérusalem, après la prise de la ville par Saladin, se sont effectivement tournés vers l'Église byzantine, ils n'ont jamais cessé d'appartenir au monde arabe ; à partir de 1534, les patriarches sont grecs et, désormais, il en ira toujours ainsi. Avec la bénédiction du sultan, les propriétés des immeubles associés au Saint-Sépulcre et de l'église qui lui est liée passent rapidement entre les mains des Grecs. Si le patriarche de Constantinople est le chef des chrétiens d'Orient – y compris au plan civil, puisque la loi coranique n'est pas applicable aux chrétiens –, il est aussi un fonctionnaire du sultan.

Avec le règne de Soliman, Jérusalem et les lieux saints des trois confessions acquièrent, à quelques détails près, l'aspect que nous leur connaissons aujourd'hui. En dépit de la révision du statut de Jérusalem, imposée après 1967 et controversée, et malgré les travaux de restauration et de restructuration effectués sur certains édifices, l'organisation générale de la ville est aujourd'hui encore celle que le grand sultan a définie au XVIe siècle. Et s'il est évident que cette histoire aussi est en devenir, le règne de Soliman, cependant, peut être vu comme un aboutissement dans le cadre d'une connaissance générale des faits et des monuments.

Traduit de l'italien par Anne Guglielmetti

Bibliographie

Actas del Congreso de estudios jacobeos (Saint-Jacques-de-Compostelle, 4-6 novembre 1993), Saint-Jacques-de-Compostelle, 1995.

Actas del II Congreso internacional de estudios jacobeos (Ferrol, 12-15 septembre 1996), Saint-Jacques-de-Compostelle, 1996.

ALMAZÁN V., *Gallaecia Scandinavica, Introducción ó estudio das relacións galaico-escandinavas durante a Idade Media,* Vigo, 1986.

ALMAZÁN V., « Las vías marítimas de peregrinación a Santiago de Compostela de los países escandinavos », in *Actas del Congreso de estudios jacobeos*, pp. 17-27.

Altopascio, un grande centro ospitaliero nell'Europa medioevale, Actes du colloque (22 juillet 1990), Altopascio, 1992.

AMMAN A. M., « Due immagini del cosiddetto "Cristo di Edessa" », in *Rendiconti della Pontificia Accademia Romana di Archeologia*, 38 (1965-1966), pp. 185-194.

ANDALORO M., « Il tesoro della basilica di San Giovanni in Laterano », in *San Giovanni in Laterano,* sous la dir. de C. Pietrangeli, Florence, 1990, pp. 271-295.

ANGLES H., « El "Llibre Vermell" de Montserrat y los cantos y la danza sacra de los peregrinos durante el siglo XIV », in *Anuario Musical*, 10 (1955), p. 45.

ARMAS CASTRO J. A., « Santiago en los siglos XI al XIII. Aproximación histórica a la morfología urbana compostelana », in *Compostellanum*, 19 (1974), pp. 221-238.

ARONSTAM R. A., « Penitential Pilgrimages to Rome in the Early Middle Ages », in *Archivum historiae pontificiae*, 13 (1975), pp. 65-84.

AVRIL F., GABORIT J.-R., « L'*Itinerarium Bernardi Monachi* et les pèlerinages d'Italie au Moyen Age », in *Mélanges d'archéologie et d'histoire de l'École française de Rome*, 79 (1967), pp. 269-298.

AZCÁRATE J. M., « El Hospital Real de Santiago : la obra y los artistas », in *Compostellanum*, 10 (1965), pp. 865-878.

BABELON J., « Le Chemin de Saint-Jacques dans la littérature », in *Pèlerins et chemins de Saint-Jacques*, pp. 111-120.

BAHAT D., *Carta's Historical Atlas of Jerusalem*, Jérusalem, s.d.

BARRET J., GURGAND J.-N., *Priez pour nous à Compostelle. La vie des pèlerins sur les chemins de Saint-Jacques*, Paris, 1978.

BAUCKNER H., « Die Wallfahrt nach Santiago de Compostela. Spuren in unserer Heimat », in *Das Markgräferland*, 2 (1985), pp. 57-90.

BÉDIER J., *Les légendes épiques*, Paris, 1908-1912, 4 vol.

BELLI BARSALI I., « Contributo alla topografia medioevale di Roma. 1. La via Francigena presso la città leonina ; 2. Roma vista da nord-ovest nelle carte dei secc. XIV e XV », in *Studi Romani*, XXI (1973), pp. 451-468.

BELLI BARSALI I., « Le strade dei pellegrini », in *Roma sancta. La città delle basiliche*, sous la dir. de M. Fagiolo, M. L. Madonna, Rome-Reggio de Calabre, 1985, pp. 218-232.

BELLI D'ELIA P., *La basilica di S. Nicola a Bari*, Galatina, 1985.

BENASSAR B., *Saint-Jacques de Compostelle*, Paris, 1971.

BENVENUTI A., « Gli itinerari religiosi », in *Le Italie del tardo medioevo*, sous la dir. de S. Gensini, Pise, 1990.

BENVENUTI A., « Pellegrinaggio, reliquie e devozioni alla vigilia del centesimo anno », in *La storia dei Giubilei,* I, pp. 32-55.

BERNHARD VON BREYDENBACH, *Die Reise ins Heilige Land. Ein Reisebericht aus dem Jahre 1483*, sous la dir. de E. Geck, Wiesbaden, 1977.

BERSCHART A., « Zwischen Zwei Welten. Illustrationen in Berichten Westeuropäischer Jerusalemreisender des 15. und 16. Jahrhunderts », in *Würzburger Beiträge zur Deutschen Philologie*, 15 (1996).

BONET CORREA A., « Le Chemin et la cathédrale de Saint-Jacques-de-Compostelle à l'époque baroque », in *Santiago de Compostela. 1000 ans de pèlerinage européen*, pp. 61-69.

BOTTINEAU Y., *Les chemins de Saint-Jacques*, Paris-Grenoble, 1966.

BREFELD S. J. G., *A Guidebook for the Jerusalem Pilgrimage in the Late Middle Ages*, Hilversum, 1994.

BREZZI P., *Storia degli anni santi*, Milan, 1975.

BRIAN TATE R., « Investigaciones recientes sobre el tema de la peregrinación a Santiago de Compostela durante la última década en lengua inglesa », in *La « Peregrinatio Studiorum » Iacopea in Europa nell'ultimo decennio*, pp. 183-198.

BROWN P., *The Cult of the Saints. Its Rise and Function in Latin Christianity*, Chicago, 1981.

BRÜCKNER W., « Christlicher Amulett-Gebrauch der frühen Neuzeit – Grundsätzliches und Spezifisches zur Popularisierung der Agnus Dei », in *Frömmigkeit. Formen, Geschichte, Verhalten, Zeugnisse*, Lenz Kriss-Rettenbeck zum 70. Geburtstag, 1993, pp. 89-134.

BUX N., CARDINI F., *L'anno prossimo a Gerusalemme*, Milan, 1997.

Cantigas de Santa María, éd. W. Wettmann, (« Clásicos Castalia »), Madrid, 1989, 3 vol.

CARDINI F., *Il pellegrinaggio. Una dimensione della vita medievale*, Rome, 1996.

CARDINI F., « Il pellegrinaggio in Terrasanta », in *Homo Viator*, pp. 9-36.

CARDINI F., « In principio era la crociata », in Coll., *Il papa eremita*, Rome, 1996, pp. 82-89.

CARDINI F., « L'indulgenza e le crociate », in Coll., *Indulgenza nel medioevo e perdonanza di papa Celestino*, L'Aquila, 1987, pp. 33-46.

CARDINI F., « Reliquie e pellegrinaggi », in *Santi e Demoni nell'Alto Medioevo Occidentale (secoli V-XI)*, II, Spolète, 1989, pp. 981-1035.

CARDINI F., *Studi sulla storia e sull'idea di crociata*, Rome, 1993.

CARLEN L., *Straf und Sühnewallfahrten nach Rom, in Recht und Geschichte*, FS Hermann Baltl Zum 70. Geburtstag, Hg. Von Helfried Valentinisch, Graz, 1988, pp. 131-153.

CASELLI G., *La Via Romea « Cammino di Dio ». Sulla grande via dei pellegrini da Canterbury a Roma,* Florence, 1990.

CASTELNUOVO E., *Un pittore italiano alla corte di Avignone. Matteo Giovannetti e la pittura in Provenza nel secolo XIV*, Turin, 1962.

CAUCCI J., « Cor unun et anima una : tipologia del pellegrino compostellano nel Sermone Venerunda Dies », in *Compostella*, 22 (1997), pp. 5-17.

CAUCCI VON SAUCKEN P. G., *Guida del pellegrino di Santiago. Libro quinto del Codex Calixtinus*, Milan, 1989.

CAUCCI VON SAUCKEN P. G., « I convegni internazionali di studio nell'ultimo decennio », in Actes du colloque *La « Peregrinatio Studiorum » Iacopea in Europa nell'ultimo decennio*, pp. 57-84.

CAUCCI VON SAUCKEN P. G. (sous la dir. de), « I testi italiani del viaggio e pellegrinaggio a Santiago de Compostela », in *I testi italiani del viaggio e pellegrinaggio a Santiago de Compostela e diorama sulla Galizia*, Pérouse, 1983, pp. 9-29.

CAUCCI VON SAUCKEN P. G., « Il bordone e la penna : introduzione alla storiografia jacopea », in Actes du colloque *El Camino de Santiago y la articulación del espacio hispánico*, Estella, 1993, pp. 19-58.

CAUCCI VON SAUCKEN P. G., « Il "vero camino dritto de san Giacopo" e gli itinerari lombardi per Santiago de Compostela secondo la letteratura odeporica », in Actes du colloque international *Le vie del cielo : itinerari di pellegrini attraverso la Lombardia*, Milan, 1998, pp. 23-31.

CAUCCI VON SAUCKEN P. G., « Il Cammino di Santiago, gli Ordini ospitalieri e Altopascio », in *Altopascio, un grande centro ospitaliero nell'Europa medioevale*, pp. 19-30.

CAUCCI VON SAUCKEN P. G., *Il Cammino italiano a Compostella. Il pellegrinaggio a Santiago di Compostella e l'Italia*, Pérouse, Université, 1984.

CAUCCI VON SAUCKEN P. G., *L'Ordine di Malta e il Cammino di Santiago*, Pérouse, 1994.

CAUCCI VON SAUCKEN P. G., « La memoria de Santiago y su catedral en la literatura odepórica compostelana », in *Compostellanum*, XL, n⁰ˢ 3-4 (1995), pp. 367-378.

CAUCCI VON SAUCKEN P. G., « La Via Francigena et les itinéraires vers Saint-Jacques-de-Compostelle », in *Les chemins de Saint-Jacques-de-Compostelle*, pp. 62-67.

CAUCCI VON SAUCKEN P. G., « La littérature de voyage et de pèlerinage à Compostelle », in *Santiago de Compostela. 1000 ans de pèlerinage européen*, pp. 173-181.

CAUCCI VON SAUCKEN P. G., « La tematica jacopea nelle sacre rappresentazioni italiane del Cinquecento e Seicento », in *Teoría y realidad en el teatro español del siglo XVII. La influencia italiana,* Rome, 1981, pp. 471-484.

CAUCCI VON SAUCKEN P. G., « Le distanze nei pellegrinaggi medievali », in *Spazi, Tempi, Misure e percorsi nell'Europa del bassomedioevo*, pp. 297-315.

CAUCCI VON SAUCKEN P. G., « Le vie del Giubileo, metodo e tipologia », in Actes du colloque *Vie di pellegrinaggio medievale attraverso l'Alta Valle del Tevere* (Sansepolcro, 27-28 septembre 1996), sous la dir. de E. Mattesini, Città di Castello, 1998, pp. 1-16.

CAUCCI VON SAUCKEN P. G., « Vita e senso del pellegrino di Santiago », in *Santiago. L'Europa del pellegrinaggio*, pp. 91-113.

CHAMOSO LAMAS M., « Noticias de las excavaciones en la Catedral de Santiago », in *Compostellanum*, 1 (1956), pp. 5-48, pp. 257-328 ; 2 (1957), pp. 225-330.

CHELINI J., BRANTHOME H., *Les Chemins de Dieu. Histoire des pèlerinages chrétiens des origines à nos jours*, Paris, 1982.

CHRISTIANSEN E., *The Northern Crusades : The Baltic and the Catholic Frontier, 1100-1525*, Minneapolis, 1980.

CID C., « Santiago el Mayor en el texto y en las miniaturas de los códices del "Beato" », in *Compostellanum*, 10 (1965), pp. 587-638.

COLLIN B., *Les Lieux Saints*, Paris, 1969.

CONSTABLE G., « Opposition to Pilgrimage in the Middle Age », in *Studia Gratiana*, 19/1976, pp. 125-146.

CORBO V., *Il Santo Sepolcro di Gerusalemme*, Jérusalem, 1981.

COTURRI E., « L'ospedale di S. Iacopo di Altopascio in Toscana lungo la via Francesca », in *Pistoia e il Cammino di Santiago*, pp. 331-342.

DAUX C., *Le pèlerinage à Compostelle et la confrérie des pèlerins de Mgr Saint-Jacques à Moissac*, Montauban, 1898-1899.

DAVID P., « Études sur le *Livre de saint Jacques* attribué au pape Calixte II », in *Bulletin des études portugaises*, 10 (1945), pp. 1-41 ; 11 (1947), pp. 113-185 ; 12 (1948), pp. 70-223 ; 13 (1949), pp. 52-104.

DAVIDSON L. K., DUNN WOOD M., *Pilgrimage in the Middle Ages*, Hamden CT, 1993.

DE CUSATIS B., *O Portugal de seiscentos na « Viagem de Páova a Lisboa » de Domenico Laffi. Estudo crítico*, Lisbonne, Editorial Presença, 1998.

DE LA COSTE-MESSELIÈRE R., « Avec les hospitaliers et les pèlerins sur les chemins de Saint-Jacques », Catalogue de l'exposition de Cadillac-sur Garonne *Hôpitaux et confréries de pèlerins de Saint-Jacques,* Cadillac-Bordeaux, 1967.

DE LA COSTE-MESSELIÈRE R., « Des chemins de Saint-Jacques, et de quelques itinéraires jacobites », in *Santiago de Compostela. 1000 ans de pèlerinage européen*, pp. 103-121.

DE LA COSTE-MESSELIÈRE R., « Hôpitaux à l'usage des pèlerins, chapelles et confréries de Saint-Jacques » (en collaboration avec J. Warcollier), in *Actes du congrès national des sociétés savantes,* Pau, 1969. Extraits publiés dans *Bulletin philosophique et historique*, Paris, 1971.

DE MANDACH A., *Histoire de Saint Jacques et de ses miracles au Moyen Age, VIIIᵉ-XIIᵉ siècles*, Nantes, 1987.

DE MANDACH A., *Naissance et développement de la chanson de geste en Europe*, I, Genève, 1961.

DÉFOURNEAUX M., « Saint-Jacques et Charlemagne », in *Pèlerins et chemins de Saint-Jacques*, pp. 105-109.

DÉFOURNEAUX M., « Saint-Jacques et Charlemagne : le pèlerinage et les légendes épiques françaises », in *Bulletin de l'Institut français en Espagne*, 46 (1950), pp. 214-217.

DIACONO P., *Storia dei Longobardi*, sous la dir. de L. Capo, Milan, 1995.

DÍAZ Y DÍAZ M. C., « Die spanische Jakobus-Legende bei Isidor von Sevilla », in *Historisches Jahrbuch*, 77 (1958), pp. 467-472.

DÍAZ Y DÍAZ M. C., *El Códice Calixtino de la Catedral de Santiago. Estudio codicológico y de contenido, Santiago de Compostela*, Centro de Estudios Jacobeos, Saint-Jacques-de-Compostelle, 1988.

DÍAZ Y DÍAZ M. C., « El liber Sancti Iacobi. Situación de los problemas », in *Compostellanum*, 32 (1987), pp. 359-442.

DÍAZ Y DÍAZ M. C., « El texto y la tradición textual del Calixtino », in *Pistoia e il Cammino di Santiago,* pp. 23-55.

DÍAZ Y DÍAZ M. C., « Estudios sobre la antigua literatura relacionada con Santiago el Mayor », in *Compostellanum*, 11 (1966), pp. 487-503.

DÍAZ Y DÍAZ M. C., « La literatura jacobea anterior al Códice Calixtino », in *Compostellanum*, 10 (1965), pp. 283-305.

DÍAZ Y DÍAZ M. C., « La littérature jacobite jusqu'au XIIᵉ siècle », in *Santiago de Compostela. 1000 ans de pèlerinage européen*, pp. 165-171.

DÍAZ Y DÍAZ M. C., « Literatura jacobea hasta el signo XII », in *Il Pellegrinaggio a Santiago de Compostela e la letteratura jacopea*, pp. 225-250.

DÍAZ Y DÍAZ M. C., *Visiones del Más Allá en Galicia durante la Alta Edad Media*, Saint-Jacques-de-Compostelle, 1985.

DÍAZ Y DÍAZ M. C., LÓPEZ ALSINA F., MORALEJO ALVAREZ S., *Los tumbos de Compostela*, Madrid, 1985.

D'ONOFRIO M., « Pellegrinaggio medievale e cultura artistica itinerante », in *Homo Viator*, pp. 175-188.

D'ONOFRIO M., *Roma e Aquisgrana*, Rome, 1983.

Dubler C. E., « Los Caminos a Compostela en la obra de Idrisi », in *Al-Andalus*, 14 (1949), pp. 59-122.

Duchesne L., « Saint-Jacques en Galice », in *Annales du Midi*, 12 (1900), pp. 145-180.

Dupront A., *Du sacré. Croisades et pèlerinages. Images et langages*, Paris, 1987.

Durliat M., « Le *Camino francés* et la sculpture romane », in *Les dossiers de l'archéologie*, 20 (1977), pp. 58-72.

Durliat M., « Les chemins de Saint-Jacques et l'art : l'architecture et la sculpture », in *Santiago de Compostela. 1000 ans de pèlerinage européen*, pp. 155-164.

Echevarría Bravo P., *Cancionero de los Peregrinos de Santiago*, Madrid, Centro de Estudios Jacobeos, 1971.

El Camino de Santiago, Universidad Internacional del Atlántico, Poyo, dir. S. Moralejo Alvarez, Saint-Jacques-de-Compostelle, 1990. Avec les contributions de P. Caucci von Saucken, M. C. Díaz y Díaz, J. Filgueira Valverde, F. López Alsina, S. Moralejo Alvarez, R. G. Plötz et J. C. Valle Pérez.

El Camino de Santiago. La hospitalidad monástica y las peregrinaciones, sous la dir. de H. Santiago Otero, Salamanque, 1992.

Eloudy E., « La tradición jacobea de Galicia en el siglo IX », in *Hispania*, 22 (1962), pp. 321-356.

Esch A., « Gemeinsames Erlebnis – Individueller Bericht. Vier Parallelberichte aus einer Reisegruppe von Jerusalempilgern 1480 », in *Zs. für historische Forschung*, 11(1984), pp. 385-416.

Fagiolo M., Madonna M. L., *La città degli anni santi. Atlante*, Milan, 1985.

Fagiolo M., Madonna M. L., *Roma 1300-1875. L'arte degli anni santi*, cat. exposition (Rome, Palazzo Venezia, décembre 1984-avril 1995), Milan, 1984.

Fagiolo M., Madonna M. L., *Roma sancta, La città delle basiliche*, Roma-Reggio de Calabre, 1985.

Fahrat E. (sous la dir. de), *Gerusalemme nei documenti pontifici*, Cité du Vatican, 1987.

Faix G., *Reichert, Folker, Eberhard im Bart und die Wallfahrt nach Jerusalem im späten Mittelalter*, Lebendige Vergangenheit 20, Stuttgart, 1998.

Farinelli A., *Viajes por España y Portugal desde la Edad Media hasta el siglo XX*, 4 vol., Rome, 1942-1979.

Fasola U. M., *Pietro e Paolo a Roma*, Rome, 1980.

Favreau Lilie M. L., « The German Empire and Palestine : German Pilgrimages to Jeru-

salem between the 12th and 16th Century », in *Journal of Medieval History*, 21/1995, pp. 321-341.

Fernández Albor A., « La delincuencia en el Camino de Santiago en la Edad Media », in *Il pellegrinaggio a Santiago de Compostela e la letteratura jacopea*, pp. 127-134.

Fernández Alonzo J., « Giacomo il Maggiore. Iconografi », in *Bibliotheca Sanctorum*, VI, Rome, 1965, coll. 381-387.

Filgueira Valverde J., « Cantos y narraciones en el camino de la peregrinación », in *Historias de Compostela*, Saint-Jacques-de-Compostelle, 1970.

Filgueira Valverde J., « La littérature sur le chemin du pèlerinage de Saint-Jacques-de-Compostelle : poésie et théâtre », in *Santiago de Compostela. 1000 ans de pèlerinage européen*, pp. 183-194.

Fletcher R. A., *Saint James's catapult. The life and times of Diego Gelmírez*, Oxford, 1984.

Foreville R., « Pèlerinage, croisade et jubilé au Moyen Age », in *Les amis de saint François*, VII, 2 (1966), pp. 48-61.

Foulché-Delbosc R., « Bibliographie des voyages en Espagne et en Portugal », *Revue historique*, 3 (1896), pp. 1-349.

Frugoni A., « Il giubileo di Bonifacio VIII », in *Bullettino dell'Istituto Storico Italiano per il Medio Evo*, 62 (1950), pp. 1-121.

Frugoni A., *Il Libro del giubileo del cardinal Stefaneschi*, Brescia, 1950.

Frugoni A., « La figura e l'opera del cardinale Jacopo Stefaneschi », in *Rendiconti dell'Accademia Nazionale dei Lincei*, 3ª s., 5 (1950), pp. 397-424.

Fucelli A., *L'itinerario di Bartolomeo Fontana*, Naples, 1987.

Fucelli A., « Gli studi italiani sul tema jacopeo dell'ultimo decennio », in *La « Peregrinatio Studiorum » Iacopea in Europa nell'ultimo decennio*, pp. 297-316.

Gai L., *L'altare argenteo di San Iacopo nel duomo di Pistoia*, Turin, 1984.

Gai L., « Pistoia e il Cammino di Santiago : un bilancio degli studi e delle iniziative di un decennio », in *La « Peregrinatio Studiorum » Iacopea in Europa nell'ultimo decennio*, pp. 345-366.

Gai L., « Testimonianze jacopee e riferimenti compostellani nella storia di Pistoia dei secoli XII-XIII », in *Pistoia e il Cammino di Santiago*, pp. 119-230.

Gambacorta A., « Culto e pellegrinaggi a San Nicola di Bari fino alla prima Crociata », in *Pellegrinaggi e culto dei santi in Europa fino alla prima crociata*, pp. 487-502.

Ganz-Blaettler U., *Andacht und Abenteuer.*

Berichte europäischer Jerusalem und Santiago-Pilger (1320-1520), (« Jakobus-Studien », 4), Tübingen, 1991.

García Alvarez M. R., « El Cronicón Iriense. Estudio preliminar, edición crítica y notas históricas », in *Memorial Histórico Español*, 50 (1963), pp. 1-240.

García Villada Z., *Historia Eclesiástica de España*, I, Madrid, 1929.

Glass D. F., *Portals, Pilgrimage, and Crusade in Western Tuscany*, Princeton, 1997.

Graf A. C., *Miti, leggende e superstizioni del medioevo*, Milan, 1984.

Graf A. C., *Roma nella memoria e nelle immaginazioni del medioevo*, Turin, 1924.

Graf B., « Oberdeutsche Jakobsliteratur, Eine Studie über den Jakobuskult in Bayern, Österreich und Südtirol », in *Kulturgeschichtliche Forschungen*, 14, Munich, 1991.

Gregorovius F., *Storia di Roma nel medioevo*, sous la dir. de V. Calvani et P. Micchia, Rome, 1972.

Guarducci M., *I graffiti sotto la Confessione di San Pietro in Vaticano*, Cité du Vatican, 1958, 3 vol.

Guarducci M., *La tomba di San Pietro*, Milan, 1989.

Guerra Campos J., « Bibliografía (1950-1969) : veinte años de Estudios Jacobeos », *Compostellanum*, 16 (1971), pp. 672-675.

Guerra Campos J., *Exploraciones arqueológicas en torno al sepulcro del Apóstol Santiago*, Saint-Jacques-de-Compostelle, 1982.

Guerra Campos J., *Roma y el sepulcro de Santiago. La Bula « Deus Omnipotens » (1884)*, Saint-Jacques-de-Compostelle, 1985.

Guinard P., « Saint-Jacques dans l'estampe populaire française », in *Compostellanum*, 10 (1965), pp. 941-960.

Guyon J., Rouillard P., Vauchez A., *Pèlerins de Rome*, sous la dir. de J. Guyon, A. Vauchez, Rome, 1976.

Habler K., *Das Wallfahrtsbuch des Hermannus Künig Von Vach und die Pilgerreisen der Deutschen nach Santiago de Compostela*, Strasbourg, 1899.

Halbwachs M., *Memorie di Terrasanta*, Venise, 1988.

Hame K., *Das Hochmittelalter, Geschichte des Abendlandes von 900 bis 1250*, Cologne-Vienne, 1977.

Heiligenverehrung in Geschichte und Gegenwart, sous la dir. de Peter Dinzelbacher et Dieter R. Bauer, Ostfildern, 1990.

Hell V. et H., *Die grosse Wallfahrt des Mittelalters*, Tübingen, 1964, 1979.

Herbers K., « Der Jakobuskult des 12. Jahrhunderts und der *Liber Sancti Jacobi*. Studien zum Verhältnis zwischen Religion und Geschichte im hohen Mittelalter », (*Historische Forschungen*, 7), Wiesbaden 1984.

HERBERS K., *Der Jakobsweg. Mit einem mittelalterlichen Pilgerführer unterwegs nach Santiago de Compostela*, Tübingen, 1986, 4ª éd. 1991.

HERBERS K. (sous la dir. de), *Deutsche Jacobspilger und ihre Berichte*, (« Jakobus-Studien », 1), Tübingen, 1988.

HERBERS K., « Gli studi iacopei pubblicati in lingua tedesca negli ultimi dieci anni », in Actes du colloque international *La « Peregrinatio Studiorum » Iacopea in Europa nell'ultimo decennio*, pp. 161-182.

HERBERS K., « Karl der Grosse und Spanien », in *H. Müllejans (Hg), Karl der Grosse und sein Schrein in Aachen. Eine Festschrift*, Aix-la-Chapelle, 1988, pp. 47-55.

HERBERS K. (sous la dir. de), *Libellus Sancti Jacobi. Auszüge aus dem Jakobsbuch des 12. Jahrhunderts*, (« Jakobus-Studien », 8), Tübingen, 1997.

HERBERS K., *Reisen für das Seelenheil*, in *Fernweh – Seelenheil – Erlebnislust. Von Reisemotiven und Freizeitfolgen*, Bensberger Protokolle 92, Bensberg, 1998, pp. 27-51.

HERBERS K., *Rom im Frankenreich – Rombeziehungen durch Heilige in der Mitte des 9. Jahrhunderts*, in *Herrschaft – Kirche – Mönchtum 750-1050, Festschrift Josef Semmler*, sous la dir. de R. Dieter Bauer, R. Hiestand, B. Kasten, S. Lorenz, Sigmaringen, 1998, pp. 133-169.

HERBERS K., « Stadt und Pilger », in *Stadt und Kirche*, sous la dir. de F.-H. Hye, Beiträge zur Geschichte der Städte Mitteleuropas, Schriftenreihe des Österreichischen Arbeitskreises für Stadtgeschichtsforschung 12, Linz/D. 1995, pp. 199-238.

HERBERS K., *The Miracles of Saint James*, (« Jakobus-Studien », 4), Tübingen, 1992, pp. 11-35.

HERBERS K., *Via peregrinalis*, (« Jakobus-Studien », 2), Tübingen, 1990, pp. 1-25.

HERMANN F., « Note sulla "Peregrinatio Jacobea" in Svizzera », in *Il pellegrinaggio a Santiago de Compostela e la letteratura jacopea*, pp. 151-163.

HEYER F., *Kirchengeschichte des Heiligen Landes*, Stuttgart-Berlin-Cologne-Mayence, 1984.

Historia Compostellana, éd. Flórez E. (*España sagrada*, t. XX), facsimilé de l'édition de 1765, s.l., Real Academia de la Historia, 1965.

Historia compostelana, trad. esp. de E. Falque Rey, Madrid, 1994.

HOHLER CH., « A Note on Jacobus », in *Journal of the Warburg and Courtauld Institutes*, 35 (1972), pp. 31-80.

HONEMANN V., « Santiago de Compostela in deutschen Pilgerberichten des 15. Jahrhunderts », in *Der Jakobuskult in « Kunst » und « Literatur ». Zeugnisse in Bild, Monument, Schrift und Ton*, sous la dir. de K. Herbers et R. Plötz, Jakobus-Studien 9, Tübingen, 1998, pp. 129-139.

Hôpitaux et Confréries de pèlerins de Saint-Jacques, par René DE LA COSTE-MESSELIÈRE, Château des ducs d'Épernon, Cadillac-sur-Garonne, mai-septembre 1967.

Homo Viator nella fede, nella cultura, nella storia, Actes du colloque (Abbazia di Chiaravalle di Fiastra, Tolentino, 18-19 octobre 1996) sous la dir. de B. Cleri, Urbino, 1997.

HUIDOBRO Y SERNA L., *Las peregrinaciones jacobeas*, Madrid, Publicaciones del Instituto de España, 1950-1951, 3 vol.

Il pellegrinaggio a Santiago de Compostela e la letteratura jacopea, Actes du colloque internazionale (Pérouse, 23-25 septembre 1983), sous la dir. de G. Scalia, Pérouse, Universitaé, 1985.

Il pellegrinaggio medievale per Roma e Santiago de Compostela : itinerari di Val di Magra, Actes du colloque sous la dir. de G. Ricci, Aulla, 1992.

Il volto santo. Storia e culto, cat. exposition, sous la dir. de C. Baracchini et M. T. Fileri, Lucques, 1982.

Indulgenza nel Medioevo e perdonanza di papa Celestino, L'Aquila, 1987.

Itinerarium Bernardi monachi Franci, éd. Titus Tobler/A.Molinier, Itineraria Hierosolymitana et descriptiones Terrae Sanctae, Genève, 1879, pp. 309-321.

JACOMET H., « Pierre Plume, Gilles Mureau, Jehan Piedefer, Chanoines de Chartres, Pèlerins de Terre Sainte et de Galice », in *Bulletin de la Société d'archéologie*, 48/1996, pp. 1-32 ; 49/1996, pp. 1-33 ; 50/1996, pp. 1-34 ; suppl. aux bulletins 49 et 50/1996, pp. 1-32.

Jérusalem, Rome, Constantinople. L'image et le mythe de la ville au Moyen Age, Colloque du Département d'études médiévales de l'université de Paris-Sorbonne, Paris, 1986.

KAFTAL G., « James the More », in *Iconography of the Saints in Central and South Italian Schools of Painting*, Florence, 1965, coll. 577-854.

KAFTAL G., « James the More », in *Iconography of the Saints in Painting of North East Italy,* Florence, 1978, coll. 447-469.

KAFTAL G., « James the More », in *Iconography of the Saints in Tuscan Painting,* Florence, 1952, coll. 507-510.

KING G., *The Way of Saint James*, New York, 1920.

KLEIN H. W., « Karl der Grosse und Compostela », in *Deutsche Jacobspilger und ihre Berichte*, Tübingen, 1988, pp. 133-148.

KÖSTER K., *Gemalte Kollektionen von Pilgerzeichen und religiösen Medaillen in flämischen Gebet und Stundenbüchern des 15. und frühen 16. Jahrhunderts. Neue Funde in handschriften der Gent-Brügger Schule*, in *Liber amicorum Herman Liebaers*, Amis de la Bibliothèque Royale Albert Iᵉʳ, Bruxelles, 1984, pp. 485-535.

KÖSTER K., « Les coquilles et enseignes de pèlerinage de Saint-Jacques-de-Compostelle et les routes de Saint-Jacques en Occident », in *Santiago de Compostela. 1000 ans de pèlerinage européen*, pp. 85-95.

KÖSTER K., « Mittelalterliche Pilgerzeichen und Wallfahrtsdevotionalien (des Rhein-Maas-Gebietes) », in *Rhin-Meuse. Art et culture 800-1400*, Cologne, 1972, pp. 146-160.

KÖSTER K., *Pilgerzeichen und Pilgermuscheln von mittelalterlichen Santiagostrassen*, Neumünster, 1983.

KRAAK D., *Monumentale Zeugnisse der spätmittelalterlichen Adelsreise. Inschriften und Graffiti des 14.-16. Jahrhunderts*, Abhandlungen der Akademie der Wissenschaften in Göttingen, phil.-hist. Kl., 3. Folge Nr. 224, Göttingen, 1997.

KRAAK D., *Monumentale Zeugnisse der spätmittelalterlichen Adelsreise. Inschriften und Graffiti des 14.-16. Jahrhunderts*, Abhandlungen der Akademie der Wissenschaften zu Göttingen, vol. 224, Göttingen 1997.

KRAUTHEIMER R., *Corpus basilicarum Christianarum Romae*, Cité du Vatican, 1980.

KRAUTHEIMER R., *Roma, profilo di una città, 312-1308*, Rome, 1981.

KRISS-RETTENBECK L., *Bilder und Zeichen religiösen Volksglaubens*, Munich, 1963.

KRÖTZL C., « Migrations und Kommunikationsstrukturen im finnischen Mittelalter, "Quotidianum Fennicum" », sous la dir. de C. Krötzl, J. Masonen, in *Medium Aevum Quotidianum,* 19 (1989), pp. 13-28.

KRÖTZL C., « Wege und Pilger aus Skandinavien nach Santiago de Compostela », in *Europäische Wege der Santiago-Pilgerfahrt,* sous la dir. de R. Plötz, (« Jakobus-Studien », 2), Tübingen, 1990, pp. 157-169.

KURYLUK E., *Veronica, Storie e simboli della « vera imagine » di Cristo*, tr. it., Rome, 1993.

L'arte degli anni santi, sous la dir. de M. Fagiolo, M. L. Madonna, Milan, 1984.

L'Oriente e l'Occidente da Urbano II a San Luigi, 1096-1270, catalogue de l'exposition, sous la dir. de M. Rey-Delqué, Milan, 1987.

La « *Peregrinatio Studiorum* » *Iacopea in Europa nell'ultimo decennio*, Actes du colloque international (Pistoia-Altopascio, 23-25 septembre 1994), sous la dir. de L. Gai, Pistoia, 1997.

La storia dei Giubilei 1300-1423, sous la dir. G. Fossi, textes de J. Le Goff, A. Caquot, A. Benvenuti, F. Cardini, T. Szabó, M. Miglio, G. Fossi, S. Maddalo, M. Righetti Tosti Croce, P. Silvan, G. Morello, A. Paravicini Bagliani, A. Ilari, G. Ragionieri, A. M. d'Achille, A. Tomei, F. Pomarici, A. Esch, A. de Vincentis, A. Cavallaro, C. Strinati, Florence, 1997.

LABANDE E. R., « *Ad limina*. Le pèlerin médiéval au terme de sa démarche », in *Mélanges R. Crozet*, Poitiers, 1966, pp. 283-291

LABANDE E. R., « Éléments d'une enquête sur les conditions de déplacement du pèlerin au Xe-XIe siècle », in *Pellegrinaggi e culto dei santi in Europa fino alla prima crociata*, pp. 97-111.

LABANDE E. R., *Spiritualité et vie littéraire de l'Occident, X^e-XIVe siècle*, Londres, 1974.

LABANDE E. R., « Recherches sur les pèlerins dans l'Europe des XIe et XIIe siècles », in *Cahiers de Civilisation Médiévale*, 1, 1958, pp. 159-169.

LABANDE E. R., « Recherches sur les pèlerins des XIe et XIIe siècles », in *Cahiers de civilisation médiévale*, n°s 2 et 3, Université de Poitiers, 1958, pp. 339-347.

LACARRA J. M., « Espiritualidad del culto y de la peregrinación a Santiago antes de la primera Cruzada », in *Pellegrinaggi e culto dei santi in Europa fino alla prima crociata*, pp. 113-144.

LAFFI D., *Viaggio in ponente a San Giacomo di Galitia e Finisterrae*, éd. A. S. Capponi, Naples, 1989.

LAMBERT E., *Études médiévales*, Toulouse et Paris, 1956-1959.

LAMBERT E., « Ordres et confréries dans l'Histoire du pèlerinage à Compostelle », in *Annales du Midi*, (1943), pp. 7-218, pp. 269-403.

Le crociate. L'Oriente e l'Occidente da Urbano II a san Luigi. 1096-1270, sous la dir. de M. Rey-Delqué, cat. exposition (Rome, Palazzo Venezia, 1997), Milan, 1997.

LE GOFF J., *La civilisation de l'Occident médiéval*, Paris, 1964.

Les chemins de Saint-Jacques-de-Compostelle, Rapport du congrès de Bamberg, Conseil de l'Europe, Strasbourg, 1989.

Les pèlerinages de l'Antiquité à l'Occident médiéval, Paris, 1973.

Liber Sancti Jacobi. Codex Calixtinus, éd. sous la dir. de K. Herbers et M. Santos Noia, Saint-Jacques-de-Compostelle, 1998.

Liber Sancti Jacobi. Codex Calixtinus, traduction et notes de Á. Moralejo, Saint-Jacques-de-Compostelle, 1951.

LOARS G., *De Sacris Peregrinationibus*, Coloniae Agrippinae, 1619.

LOMAX D. W., *La Orden de Santiago, 1170-1273*, Madrid, 1965.

LÓPEZ ALSINA F., « "Cabeza de oro refulgente de España" : los orígenes del patrocinio jacobeo en el reino astur », in *Las peregrinaciones a Santiago de Compostela y San Salvador de Oviedo en la Edad Media* (Actes du Congrès international tenu à Oviedo du 3 au 7 décembre 1990), coord. J.I. Ruiz de la Peña Solar, Oviedo, 1993, pp. 27-36.

LÓPEZ ALSINA F., « Compostelle, ville de Saint-Jacques », in *Santiago de Compostela. 1000 ans de pèlerinage européen*, pp. 53-60.

LÓPEZ ALSINA F., « El cartulario medieval como fuente histórica : el Tumbo A de la Catedral de Santiago de Compostela », in *Pistoia e il Cammino di Santiago*, pp. 93-117.

LÓPEZ ALSINA F., *La ciudad de Santiago de Compostela en la Alta Edad Media*, Saint-Jacques-de-Compostelle, 1988.

LÓPEZ ALSINA F., « La invención del sepulcro de Santiago y la difusión del culto jacobeo », in *El Camino de Santiago y la articulación del espacio hispánico* (XX Semana de Estudios Medievales, Estella, 26-30 juillet 1993), Pampelune, 1995, pp. 59-83.

LÓPEZ ALSINA F., « La percepción de la ciudad de Santiago a través de los autores del Códice Calixtino », in *Guía del peregrino del calixtino de Salamanca*, Salamanque, 1993.

LÓPEZ ALSINA F., « Santiago una città per l'Apostolo », in *Santiago. L'Europa del pellegrinaggio*, pp. 57-73.

LÓPEZ CALO J., *La Música medieval en Galicia,* Fundación Barrié de la Maza, La Corogne, 1982.

LÓPEZ FERREIRO A., *El Pórtico de la Gloria, Platerías y el primitivo altar mayor de la Catedral de Santiago*, Saint-Jacques-de-Compostelle, 1975 (1re éd., 1893).

LÓPEZ FERREIRO A., *Historia de la S. A. M. Iglesia de Santiago de Compostela*, 11 vol., Saint-Jacques-de-Compostelle, 1898-1911, éd. facsimile, Sálvora, Saint-Jacques-de-Compostelle, 1983.

Lucca, il Volto Santo e la civiltà medioevale, Actes du colloque international d'études (Lucques, 21-23 octobre 1982), Lucques, 1984.

MACCARONE M., « Devozione a San Pietro, missione ed evangelizzazione nell'alto Medioevo », in *Evangelizzazione e culture*, II, Rome, 1976.

MACCARONE M., « Il pellegrinaggio a San Pietro. I Limina apostolorum », in *Romana ecclesia. Cathedra Petri,* sous la dir. de P. Zerbi, R. Volpini, A. Galluzzi, Rome, 1991, I, pp. 207-286.

MACCARONE M., « La "Cathedra Petri" nel Medioevo : da simbolo a Reliquia », in *Romana ecclesia. Cathedra Petri,* sous la dir. de P. Zerbi, R. Volpini, A. Galluzzi, Rome, 1991, II, pp. 1249-1374.

MADDALO S., « Bonifacio VIII e Jacopo Stefaneschi. Ipotesi di lettura dell'affresco della loggia lateranense », in *Studi romani*, 31 (1983), pp. 129-50.

MADDALO S., *In figura Romae, Immagini di Roma nel libro medievale*, Rome, 1990.

MÂLE E., *L'art religieux du XIIe siècle en France*, Paris, 1922.

MANDACH A. DE, *Naissance et développement de la chanson de geste en Europe*, t. II : *Chronique de Turpin*, texte anglo-normand inédit de Willem de Briane, Genève-Paris, 1963.

MARAVAL P., *Les pèlerinages de l'Antiquité biblique et classique à l'Occident médiéval*, Paris, 1973.

MARIUTTI DE SÁNCHEZ RIVERO A., « Da Veniexia per andar a meser San Zacomo de Galizia per la via de Chioza », in *Príncipe de Viana*, 28 (1967), pp. 441-514.

MARIUTTI DE SÁNCHEZ RIVERO A., *Viaje de Cosme de Médicis por España y Portugal*, Madrid, 1933.

MARTÍ BONET J. M., « Las pretensiones metropolitanas de Cesáreo, abad de Santa Cecilia de Monserrat », in *Anthologica Annua*, 21 (1974), pp. 157-182.

MELONI P. L., « Appunti sulla "Peregrinatio Jacobea" in Umbria », in *Il pellegrinaggio a Santiago de Compostela e la letteratura jacopea*, pp. 171-197.

MENACA M. DE, *Histoire de Saint-Jacques et des ses miracles au Moyen Age,* Nantes, 1987.

MENÉNDEZ PIDAL R., *Poesía juglaresca y juglares,* (« col. Austral », n. 300), Madrid, 1975.

MENESTÒ E., « Relazioni di viaggi e di ambasciatori », in Coll., *Lo spazio letterario nel Medioevo*, I, *Il Medioevo latino*, sous la dir. de G. Cavallo, C. Leonardi, E. Menestò, I. *La produzione del testo*, II, Rome, 1992, pp. 535-605.

MIECK I., « Kontinuität im Wandel, Politische und soziale Aspekte der Santiago-Wallfahrt vom 18. Jahrhundert bis zur Gegenwart », in *Geschichte und Gesellschaft*, 3 (1977), pp. 299-328.

MIECK I., « Les témoignages oculaires du pèlerinage à Saint-Jacques-de-Compostelle. Étude bibliographique (du XIIe au XVIIIe siècle) », in *Compostellanum*, 22 (1977), pp. 201-232.

MIEDEMA N. R., *Die « Mirabilia Romae ». Untersuchungen zu ihrer Überlieferung mit Edition der deutschen und niederländischen Texte*, Münchener Texte und Untersuchungen zur deutschen Literatur des Mittelalters 108, Tübingen, 1996.

MIGLIO M., *Scrittori e Storia*, I : *Per la storia del Trecento a Roma*, Manziana, 1991.

MIGLIO M., « "Se vuoi andare in paradiso, vience". Aspetti economici e politici dei primi giubilei » (1989), in *Scritture, Scrittori e Storia*, I : *Per la storia del Trecento a Roma*, Manziana ,1991, pp. 175-82.

MILLÁN GONZÁLEZ PARDO I., « Autenticación arqueológico-epigráfica de la tradición apostólica jacobea », in *El Camino de Santiago, Camino de Europa* (Curso de conferencias, El Escorial, 22-26 juillet 1991), Pontevedra, 1993, pp. 45-105.

MOISAN A., « L'exploitation de l'épopée par la chronique du pseudo-Turpin », in *Le Moyen Age*, 95 (1989), pp. 195-224.

MOLTENI F., *Memoria Christi. Reliquie di terrasanta in Occidente*, Florence, 1996.

MONTESANO M., « Il culto dei Magi in Lombardia », in *Le vie del cielo, itinerari di pellegrini attraverso la Lombardia*, pp.180-183.

MOORE W. J., *The Saxon Pilgrims to Rome and The Schola Saxonum*, Fribourg/Schw., 1937.

MORALEJO ALVAREZ S., « "Ars sacra" et sculpture romane monumentale : le trésor et le chantier de Compostelle », in *Les Cahiers de Saint-Michel de Cuxa*, 11 (1980), pp. 189-238.

MORALEJO ALVAREZ S., « Arte del Camino de Santiago y Arte de Peregrinación (ss. XI-XIII) », in *El Camino de Santiago*, Universidad Internacional del Atlántico (Poyo, 1987), Saint-Jacques-de-Compostelle, s.d., pp. 7-28.

MORALEJO ALVAREZ S., « Artistas, patronos y público en el arte del Camino de Santiago », in *Compostellanum*, 30 (1985), pp. 395-403.

MORALEJO ALVAREZ S., « El patronazgo artístico del arzobispo Gelmírez (1100-1140) : su reflejo en la obra e imagen de Santiago », in *Pistoia e il Cammino di Santiago*, pp. 245-272.

MORALEJO ALVAREZ S., « L'image de saint Jacques à l'époque de l'archevêque compostellan Béranger de Landore (1317-1330) », in *Les traces du pèlerinage à Saint-Jacques de Compostelle dans la culture européenne*, Strasbourg, 1992, pp. 67-71.

MORALEJO ALVAREZ S., « La imagen arquitectónica de la Catedral de Santiago de Compostela », in *Il pellegrinaggio a Santiago de Compostela e la letteratura jacopea*, pp. 35-59.

MORALEJO ALVAREZ S., « La primitiva fachada norte de la Catedral de Santiago », in *Compostellanum*, 14 (1969), pp. 623-668.

MORALEJO ALVAREZ S., « Las Islas del Sol sobre el Mapamundi del Beato de Burgo de Osma (1086) », in *Actas do Colóquio Internacional sobre a Imagem do Mundo na Idade Média*, éd. H. Godhino, Lisbonne, 1992, pp. 41-62.

MORALEJO ALVAREZ S., « Le lieu saint : le Tombeau et les basiliques médiévales », in *Santiago de Compostela. 1000 ans de pèlerinage européen*, pp. 41-52.

Mostra di Bonifacio VIII e del primo giubileo, Rome, 1950.

Mostra documentaria degli anni santi (1300-1975), Cité du Vatican, 1975.

OHLER N., *Vita pericolosa dei pellegrini nel Medioevo. Sulle tracce degli uomini che viaggiavano nel nome di Dio*, Casale Monferrato, 1996.

ONOFRI L., « Roma come nuova Terrasanta », in *Roma Sancta. La città delle basiliche*, sous la dir. de M. Fagiolo, M. L. Madonna, Rome-Reggio de Calabre, 1985.

OURSEL R., *La Via Lattea. I luoghi, la vita, la fede dei pellegrini di Compostela*, Milan, 1985.

OURSEL R., *Le strade del Medio Evo. Arte e figure del pellegrinaggio a Compostela*, Milan, 1982.

OURSEL R., *Pellegrini nel Medioevo. Gli uomini, le strade, i santuari*, Milan, 1988.

Paris, Carrefour des routes de Compostelle, catalogue de l'exposition sous la dir. de R. de la Coste-Messelière, Paris, 1982.

PASSINI J., *Villes médiévales du chemin de Saint-Jacques-de-Compostelle, de Pampelune à Burgos*, Paris, 1984.

PAULUS N., *Geschichte des Ablasses im Mittelalter vom Ursprunge bis zur Mitte des 14. Jahrhunderts*, Paderborn, 1921-1923, 3 vol.

PEANO P., « La "Quaestio fr.Petri Johannis Olivi" sur l'indulgence de la Porziuncule », in *Archivum Franciscanum Historicum*, 74 (1981), pp. 33-67.

Pèlerins et chemins de Saint-Jacques en France et en Europe du Xᵉ siècle à nos jours, textes réunis par R. de la Coste-Meselière, Archives nationales, Paris, 1965.

« Pellegrinaggi e culto dei santi in Europa fino alla prima crociata », in *Convegni del Centro di studi sulla spiritualità medievale*, IV, (Todi, 8-11 octobre 1961), Todi ,1963.

PERALI P., « Saggio di bibliografia degli Anni Santi dal 1300 al 1900 », in *Cronistoria dell'anno santo MCMXXV. Appunti storici, dati statistici, atti ufficiali, con appendice storico-bibliografica*, Rome, 1928, pp. 105-190.

PEREIRA MENAUT G., avec la collaboration de G. Baños, J. M. Caamaño, M. D. Dopico et P. Rodrìguez, *Corpus de inscrións romanas de Galicia*, I : *Provincia de A. Coruña*, Saint-Jacques-de-Compostelle, 1991, pp. 123-139.

PÉREZ DE URBEL FRAY J., DEL ARCO GARAY R., « La España cristiana, 711-1038 », in *Historia de España*, dirigé par Menéndez Pidal, Madrid, 1956.

PÉREZ DE URBEL FRAY J., « Orígenes del culto de Santiago en España », in *Hispania Sacra*, 5 (1952), pp. 1-31.

PETRUCCI A., « Aspetti del culto e del pellegrinaggio di S. Michele Arcangelo sul monte Gargano », in *Pellegrinaggi e culto dei Santi*, pp. 145-180.

PEYER CONRAD H., *Viaggiare nel Medioevo : dall'ospitalità alla locanda*, trad. it. de N. Antonacci, Rome-Bari, 1990, p. 397.

PFEIFFER H., « L'immagine simbolica del pellegrino a Roma : la Veronica e il volto di Cristo », in *L'arte degli anni santi*, Rome, 1980.

PICCAT M., « Il miracolo jacopeo del pellegrino impiccato : riscontri tra narrazione e figurazione », in *Il pellegrinaggio a Santiago de Compostela e la letteratura jacopea*, pp. 287-310.

PIERACCINI P., *Gerusalemme, Luoghi santi e comunità religiose nella politica internazionale*, Bologne, 1996.

Pistoia e il Cammino di Santiago. Una dimensione europea nella Toscana medioevale, Actes du colloque international (Pistoia, 28-30 septembre 1984) sous la dir. de L. Gai, Pérouse-Naples, 1987.

PLÖTZ R., « *Benedictio perarum et baculorum* und *coronatio peregrinorum*, Beiträge zur Ikonographie des Hl. Jacobus im deutschsprächigen Raum », in *Volkskultur und Heimat, Festschrift für Josef Dünninger zum 80. Geburtstag*, Würzburg, 1986, pp. 339-376.

PLÖTZ R., « Der Apostel Jacobus in Spanien bis zum 9. Jahrhundert », in *Spanische Forschungen der Görresgesellschaft*, 1 Reihe, vol. 30, Münster, 1982, pp. 19-145.

PLÖTZ R., « Der hunrl hinder dem altar saltu nicht vergessen. Zur Motivgeschichte eines Flügelaltars der Kempener Propsteikirche », in *Epitaph für Gregor Hövelmann, Beiträge zur Geschichte des Niederrheins*, Geldern, 1987, pp. 119-170.

PLÖTZ R., « Deutsche Pilger nach Santiago de Compostela bis zur Neuzeit », in HERBERS K. (Hg.), *Deutsche Jakobspilger und ihre Berichte*, (« Jakobus-Studien », 1), Tübingen, 1988, pp. 1-27.

PLÖTZ R., *Europaïsche Wege der Santiago-Pilgerfahrt*, Tübingen, 1990.

PLÖTZ R., « Homo viator », in *Compostellanum*, 36 (1991), pp. 265-281.

PLÖTZ R., « Imago Beati Iacobi. Beiträge zur Ikonographie des Hl. Jacobus Maior im Hochmittelalter », in *Wallfahrt kennt keine Grenzen*, Munich-Zürich, 1984, pp. 248-264.

PLÖTZ R., « Indumenta peregrinorum. El equipo del peregrino hasta el siglo XIX », in *Peregrino*, 11 (décembre 1989), pp. 4-7.

PLÖTZ R., « Jakobspilger », in *Enzyklopädie des Märchens, Handwörterbuch zur historischen und vergleichenden Erzählforschung* 7, Berlin-New York, 1992, pp. 459-467.

PLÖTZ R., « La peregrinatio como fenómeno Alto-Medieval. Definición y componentes », in *Compostellanum*, 29 (1984), pp. 239-265.

PLÖTZ R., « Las irradiaciones del culto jacobeo en Franconia : un modelo metodológico », in *Il pellegrinaggio a Santiago de Compostela e la letteratura jacopea*, pp. 135-150.

PLÖTZ R., « Lazo espiritual y cultural entre América y Europa : Santiago de Compostela », in *Galicia, Santiago y América*, La Corogne, 1991, pp. 57-74.

PLÖTZ R., « Litterae Sancti Jacobi », in *Compostellanum*, 36 (1991), pp. 563-575.

PLÖTZ R., « O desenvolvimento histórico do culto de Santiago », in *I Congresso Internacional dos Caminhos Portugueses de Santiago de Compostela*, Porto-Lisbonne, 1992, pp. 53-66.

PLÖTZ R., « Peregrini-Palmieri-Romei, Untersuchungen zum Pilgerbegriff der Zeit Dantes », in *Jahrbuch für Volkskunde*, N.F., 2 (1979), pp. 103-134.

PLÖTZ R., « Peregrinatio Germanorum ad Romam », in *Le vie del Cielo*, pp. 33-45.

PLÖTZ R., « Pilger und Pilgerfahrt gestern und heute am Beispiel Santiago de Compostela », in *Jakobus-Studien*, 2, Tübingen, 1990, pp. 171-213.

PLÖTZ R., « Sancti Jacobi maioris reliquiae verae », in *Pistoia e il Cammino di Santiago*, pp. 343-357.

PLÖTZ R., « Santiago-peregrinatio und Jacobus kult », in *Spaniche Forschungen der Görresgesellschaft*, 31, Münster, 1984, pp. 25-135.

PLÖTZ R., « Traditiones hispanicae Beati Jacobi. Les origines du culte de Saint-Jacques à Compostelle », in *Santiago de Compostela. 1000 ans de pèlerinage européen*, pp. 27-39.

POCH Y GUTIÉRREZ DE CAVIEDES A., « Un status de inmunidad internacional del peregrino jacobeo », in *Compostellanum*, 10 (1965), pp. 739-762.

POMBO RODRÍGUEZ A. A., « Cartografía y guías prácticas españolas para peregrinos (1971-1994) », in *La « Peregrinatio Studiorum » Iacopea in Europa nell'ultimo decennio*, pp. 431-502.

PORTELA E., PALLARESE M. C., « Revueltas feudales en el camino de Santiago », in *Las peregrinaciones a Santiago de Compostela y a San Salvador de Oviedo en la Edad Media*, Oviedo, 1993, pp. 313-333.

PRANDI A., « La tomba di S. Pietro nei pellegrinaggi dell'età medievale », in *Pellegrinaggi e culto dei santi in Europa fino alla prima crociata*, pp. 283-448.

PUY MUÑOZ F., « Santiago abogado en el "Calixtino" (1160) », in *Pistoia e il Cammino di Santiago*, pp. 57-92.

QUAIFE P., « Saint-James in English Literature », in *Il pellegrinaggio a Santiago de Compostela e la letteratura jacopea*, pp. 249-442.

QUATTROCCHI D., « L'anno santo del 1300. Storia e bolle pontificie da un codice del XIV secolo del cardinal Stefaneschi », in *Bessarione* 45-46 (1899-1900), pp. 291-317.

QUATTROCCHI D., REILLY B. (sous la dir. de), *Santiago, Saint-Denis and Saint-Peter. The reception of the Roman liturgy in León-Castile in 1080*, New York, 1985.

QUINTAVALLE A. C., *La strada Romea*, Milan, 1975, p. 257.

Religieuze Volkscultuur. De spanning tussen de voorgeschreven orde en de geleefde praktiij, sous la dir. de G. O. Rooijakkers et T. Van der Zee, Nijmegen, 1986.

RADKE E. *Viae publicae romanae*, trad. it. de G. Sigismondi, Bologne, 1981, p. 429.

REMUÑÁN FERRO M., « Gremios Compostelanos relacionados con la peregrinación Jacobea », in *Il pellegrinaggio a Santiago de Compostela e la letteratura jacopea*, pp. 109-126.

RENOUARD Y., « Le pèlerinage à Saint-Jacques-de-Compostelle et son importance dans le monde médiéval », in *Revue historique*, 206 (oct.-déc. 1951), pp. 254-261.

RICHARD J., *Les récits de voyages et de pèlerinages*, Turnhout, 1981.

RIMOLDI A., *L'apostolo Pietro fondamento della Chiesa, Principe degli apostoli e ostiario celeste nella chiesa primitiva, dalle origini al concilio di Calcedonia*, Rome, 1958.

ROBBERTO E., *L'arche de Saint-Jacques le Majeur à Camaro et la propagation du culte compostellan en Sicile*, Naples, 1987.

RODRÍGUEZ GONZÁLEZ A., « Las murallas de Santiago en el siglo XVI », in *Cuadernos de Estudios Gallegos*, 24 (1969), pp. 395-412.

Roma. Anno 1300, sous la dir. de A. M. Romanini, Rome, 1983.

ROMANO S., « Il Sancta Sanctorum : gli affreschi », in *Sancta Sanctorum*, sous la dir. de C. Pietrangeli e F. Mancinelli, Milan-Cité du Vatican, 1995, pp. 38-125.

ROMERO POSE E., « La investigación jacobea y la revista "Compostellanum" », in Actes du colloque international *La « Peregrinatio Studiorum » Iacopea in Europa nell'ultimo decennio*, pp. 135-148.

Saint-Jacques de Compostelle, Turnhout (Belgique), 1985.

Sancta Sanctorum, sous la dir. de C. Pietrangeli et F. Mancinelli, Milan-Cité du Vatican, 199.

Santiago de Compostela. 1000 ans de pèlerinage européen, Catalogue Europalia d'exposition, Gand, 1985.

Santiago en España, Europa y América, Madrid, 1971.

Santiago, Camino de Europa. Culto y cultura en la peregrinación a Compostela, Catalogue de l'exposition sous la dir. de S. Moralejo Alvarez, Saint-Jacques-de-Compostelle, 1993.

Santiago. L'Europa del pellegrinaggio, sous la dir. de P. Caucci von Saucken, Milan, 1993.

SCALIA G., « Il Viaggio d'andare a Santo Jacopo di Galizia », in *Il pellegrinaggio a Santiago de Compostela e la letteratura jacopea*, pp. 311-343.

SCHIMMERLPFENNIG B., « Die Anfänge des Heiligen Jahres von Santiago de Compostela in Mittelalter », in *Journal of Medieval History*, 4 (1978), pp. 285-305.

SCHLUNK H., *Las cruces de Oviedo. El culto de la Vera Cruz en el reino asturiano*, Oviedo, 1985.

SCHMUGGE L., « "Pilgerfahrt macht frei" – Eine These zur Bedeutung des mittelalterlichen Pilgerwesens », in *Römische Quartalschrift*, 74 (1979), pp. 16-31.

SCHMUGGE L., « Deutsche Pilger in Italien », in *Kommunikation und Mobilität im Mittelalter*, sous la dir. de S. de Rachewiltz, J. Riedman, Sigmaringen, 1995, pp. 97-113.

SCHMUGGE L., *Die Pilger, in Unterwegs sein im Spätmittelalter*, ed. P. Moraw (1985), pp. 17-49. Supplément n° 1 de *Zeischrift für Historische Forschung*.

SCHMUGGE L., « Kirche - Kommune - Kaiser », in *Rom im hohen Mittelalter, FS Reinhard Elze zur Vollendung seines siebzigsten Lebensjahres*, sous la dir. de B. Schimmelpfennig, L. Schmugge, Sigmaringen, 1992, pp. 169-180.

SCHMUGGE L., *Kollektive und individuelle Motivstrukturen im mittelalterlichen Pilgerwesen*, in *Migration in der Feudalgesellschaft*, sous la dir. de G. Jaritz, A. Müller, Frankfort-New York, 1988, pp. 263-290.

SCHMUGGE L., « Zu den Anfängen des organisierten Pilgerverkehrs und zur Unterbringung und Verpflegung von Pilgern im Mittelalter », in *Gastfreundschaft, Taverne und Gasthaus im Mittelalter*, ed. C. Peyer, E. Müller-Luckner, (1983), pp. 37-60.

SCHNEIDER W., *Peregrinatio Hierosolymitana. Studien zum spätmittelalterlichen Jerusalembrauchtum und zu den aus der Heiliglandfahrt hervorgegeangenen nordwesteurop. Jerusalembruderschaften*, Inaug.-Diss. Berlin, Münster, 1982.

SCHOTTIN R., *Tagebuch des Erich Lassota von Steblau*, Halle, 1866.

SCHREIBER G., « Deutschland und Spanien, Volkskundliche und kulturkundliche Beziehungen. Zusammenhänge abendländischer und ibero-amerikanischer Sakral-Kultur », in *Forschungen zur Volkskunde*, 22/24, Düsseldorf, 1936.

SCUDIERI RUGGIERI J., « Il pellegrinaggio compostellano e l'Italia », in *Cultura neolatina*, 30 (1970), pp. 185-202.

SENSI M., « Arcano e Gilio, santi pellegrini fondatori di Sansepolcro », in *Vie di pellegrinaggio medievale attraverso l'Alta Valle el Tevere*, Actes du colloque sous la dir. de E. Mattesini, Citta di Castello, 1998, pp.17-58.

SERCAMBI G., *Le croniche*, sous la dir. de S. Bongi, Rome, 1892, 3 vol.

SERGI G. (sous la dir. de), *Luoghi di strada nel medioevo : fra il Po, il mare e le Alpi occidentali*, Turin, 1999, p. 287.

SERGI G., *Potere e territorio lungo la strada di Francia : da Chambery a Torino fra X e XIII secolo*, Naples, 1981, p. 338.

Sette Colonne e sette Chiese. La vicenda ultramillenaria del complesso di Santo Stefano in Bologna, Catalogue de l'exposition, Casalecchio di Reno, Bologne, 1987.

SICART GIMÉNEZ A., « La figura de Santiago en los textos medievales », in *Il pellegrinaggio a Santiago de Compostela e la letteratura jacopea*, pp. 271-286.

SIGAL P. A., « Les différents types de pèlerinages », in *Santiago de Compostela. 1000 ans de pèlerinage européen*, pp. 97-101.

SIGAL P. A., *Les marcheurs de Dieu, Pèlerinages et pèlerins au Moyen Age*, Paris, 1974.

Spazi, tempi, misure e percorsi nell'Europa del Bassomedioevo, Actes du XXXIIe Convegno storico internazionale (Todi, 8-11 octobre 1995), sous la dir. de E. Menestò, Spoleto, 1996.

SPINA A., « L'indulgenza nel secolo XIII », in *L'Italia francescana*, 56 (1981), pp. 55-74, pp. 191-214.

SPRINGER O., « Mediaeval Pilgrim Routes from Scandinavia to Rome », in *Medieval Studies*, 12 (1950).

STALLEY R., « Pèlerinage maritime à Saint-Jacques », in *Santiago de Compostela. 1000 ans de pèlerinage européen*, pp. 123-128.

STEFANSSON J., « The Vikings in Spain. From Arabic (Morish) and Spanish Sources », in *Saga Book of the Viking Club*, 6 (1909).

STEPPE J. K., « L'iconographie de Saint-Jacques le Majeur (Santiago) », in *Santiago de Compostela. 1000 ans de pèlerinage européen*, pp. 129-153.

STOPANI R., *La Via Francigena del Sud. L'Appia Traiana nel Medioevo*, Florence, 1992.

STOPANI R., *La Via Francigena in Toscana. Storia di una strada medievale*, Florence, 1984.

STOPANI R., *La Via Francigena : una strada europea nell'Italia del Medioevo*, Florence, 1988.

STOPANI R., « Le grandi vie di pellegrinaggio nel medioevo : spedali, lebbrosari e xenodochi lungo l'itinerario toscano della Via Francigena », in *Pistoia e il Cammino di Santiago*, pp. 313-330.

STOPANI R., *Le vie del Giubileo : guida storia percorso*, Rome, 1996.

STOPANI R., *Le vie di pellegrinaggio del Medioevo : gli itinerari per Roma, Gerusalemme, Compostella : con un'antologia di fonti*, Florence, 1991.

SUMPTION J., *Monaci santuari pellegrini*, Rome, 1981.

SUMPTION J., *Pilgrimage. An Image of Medieval Religion*, Londres, 1975.

SWINARSKI U., *Herrschen mit den Heiligen. Kirchenbesuche, Pilgerfahrten und Heiligenverehrung früh- und hochmittelalterlicher Herrscher (ca. 500-1200)*, Geist und Werk der Zeiten 78, Bern, u. a., 1991.

TALIANI DE MARCHIO, « Peregrinos de Italia a Santiago », in *Santiago en la historia, la literatura y el arte*, I, Madrid, 1954, pp. 129-143.

TANGHERONI M., *Commercio e navigazione nel Medioevo*, Rome-Bari, 1996.

TANGHERONI M., « Il barone per cui là giù si vicita Galizia », in *Pistoia e il Cammino di Santiago*, pp. 301-312.

TANGHERONI M., Pisa, « L'Islam, il Mediterraneo, la prima crociata : alcune considerazioni », in *Toscana e Terrasanta nel Medioevo*, pp. 31-55.

TELLENBACH G., « La città di Roma dal IX al XII secolo vista dai contemporanei d'oltre frontiera », in *Studi storici in onore di Ottorino Bertolini*, II, Pise, 1972, pp. 679-734.

TELLENBACH G., « Die Stadt Rom in der Sicht ausländischer Zeitgenossen (800-1200) », in *Saeculum*, 24 (1973), pp. 1-40.

TOBLER T., MOLINIER A., *Itineraria Hierosolymitana et descriptiones Terrae Sanctae*, Publications de la Société de l'Orient latin, Sér. Géographique 1.4, Genève 1879.

TORNAME PEZZA G., PEZZA F., *L'ordine mortariense : un baluardo della fede tra via francigena e cammino compostellano*, Novare, 1996.

Toscana e Terrasanta nel Medioevo, épeuves rassemblées et classées sous la dir. de F. Cardini, Florence, 1982.

TYLENDA J.N., *The Pilgrim's Guide to Rome's Principal Churches*, Minnesota, 1993.

VALENTINI R., ZUCCHETTI G., *Codice topografico della città di Roma*, II, Fonti per la Storia d'Italia 88, Rome, 1942.

VALIÑA SAMPEDRO E., *El Camino de Santiago. Estudio histórico-jurídico*, Lugo, 1990.

VAN CAUWENBERGH E., *Les pèlerinages expiatoires et judiciaires dans le droit communal de la Belgique au Moyen Age*, Louvain, 1922.

VAN HERWAARDEN J., *Opgelegde Bedevaarten, Een studie over de praktijk van oblegen van bedevaarten in de Nederlande gerunde de late meddeleenwen (ca. 1300 – ca. 1500)*, Amsterdam, 1978.

VAN HERWAARDEN J., « Pèlerins des Pays-Bas », in *Saint-Jacques-de-Compostelle*, Turnhout, 1985, pp. 158-171.

VAN HERWAARDEN J. (red*.*), *Pelgrims door de eeuwen heen. Santiago de Compostela in woord en beeld*, Utrecht-Turnhout, 1985, part. 79-81 ; 124-131 ; pp. 221-257.

VAN HERWAARDEN J., « Pilgrimage asocial prestige. Some reflections on a theme », in *Wallfahrt und Alltag in Mittelalter und früher Neuzeit*, Veröffentlichungen des Instituts für Realienkunde des Mittelalter und der frühen Neuzeit 14, Vienne, 1992, pp. 27-79.

VAN HERWAARDEN J., « The Origins of the Cult of St. James of Compostela », in *Journal of Medieval History*, 6 (1980), pp. 1-35.

VAUCHEZ A., « Reliquie, santi e santuari, spazi sacri e vagabondaggio religioso nel medioevo », in *Storia dell'Italia religiosa*, I, Rome-Bari, 1993, pp. 454-83.

VÁZQUEZ DE PARGA L., LACARRA J. M., URÍA RIU J., *Las peregrinaciones a Santiago de Compostela*, Madrid, 1948-1949, 3 vol.

Vie (Le) del cielo : itinerari di pellegrini attraverso La Lombardia, Actes du colloque international (Milan, 22-23 novembre 1996) sous la dir. de G. Manzoni di Chiosca, Milan, 1998.

VIELLIARD T., *Le Guide du pèlerin de Saint-Jacques-de-Compostelle*, Mâcon, 1963.

VOGEL C., *Il peccatore e la penitenza nella chiesa antica*, Turin, 1967.

VOGEL C., « Le pèlerinage pénitentiel », in *Pellegrinaggi e culto dei santi in Europa fino alla prima crociata*, Todi, 1963, pp. 37-94.

VONES L., *Die Historia Compostellana und die Kirchenpolitik des nordwestspanischen Raumes 1070-1130. Ein Beitrag zur Geschichte der Beziehungen zwischen Spanien und dem Papstum des 12. Jahrhunderts*, Cologne, 1980.

Wallfahrt kennt keine Grenzen, Catalogue de l'exposition sous la dir. de L. K. Rettenbeck et G. Möhler, Munich-Zurich, 1984.

WILKINSON J., *Jerusalem as Jesus knew it*, Londres, 1984.

Références iconographiques

Illustrations couleurs

Akademie der Wissenschaften und der Literatur Mainz: Corpus Vi-
    trearum Deutschland, Freiburg i.Br. (R. Becksmann): 24
AKG, Berlin: 39
Amendola Aurelio, Pistoia: 26, 29
Archivi Giraudon/Alinari: 10, 11, 121
Archivio di Stato di Lucca: 18
Archivio Fotografico Vasari: 15, 19, 106, 107, 108, 110, 111
Artothek, Peissenberg: 27
Badische Landesbibliothek Karlsruhe: 13
Badisches Landesmuseum, Karlsruhe: 34
Bayerische Staatsbibliothek, München: 30, 37, 122
Bayerisches Nationalmuseum, München: 159
Bibliothèque Municipale de Toulouse: 23
Bibliothèque Royale Albert Ier, Bruxelles: 12
Cancogni Michela e Erio Forli, Pietrasanta: 66
Caucci von Saucken Paolo: 66, 77, 125, 127
Clichés Bibliothèque Nationale de France: 33, 96, 98
Fabbrica di San Pietro in Vaticano: 120
Germanisches Nationalmuseum, Nürnberg: 83
Isber Melhem: 105
Jaca Book/Adros Studio: 36, 128, 132
Jaca Book/Mauro Magliani: 40, 41, 48, 52, 55, 84, 118, 119
Jaca Book/Mendrea: 8, 20
Kowall Earl: 7

Kvíz Jaroslav, Praha: 54
Lensini, Siena: 57
Lobato Xurxo: 42, 131, 133, 134
Mendrea Dinu, Radu e Sandu: 28, 94, 99, 100, 101, 102, 136, 137,
    138, 139, 140, 146, 147, 148, 149, 150, 151, 150, 153, 154, 155,
    156 157, 158
MNAC Photographic Services: 9
Museo Diocesano Lérida: 21
Reischl Eva: 93
Rodella Basilio, Montichiari: 31, 32, 46, 47, 50, 51, 53, 56, 88, 89, 90,
    91, 97, 104
Rodriguez Carlos, 70, 71, 72, 73, 74, 75, 76, 78, 79, 80, 81, 82, 124,
    126, 129, 130, 135
Scala: 16, 17, 22, 35, 85
Soprintendenza Beni Artistici e Storici, Milano: 103
Stabin Angelo: 2, 87
Stade Tourismus: 38
Svizzera Turismo, Milano: 44
The Master and Fellows of Corpus Christi College, Cambridge: 95
The Metropolitan Museum of Art, Gift of J. Pierpont Morgan, 1917: 25
Trentani Edoardo, Pavia: 49
Vannini Sandro: 42, 43, 58, 59, 60, 61, 62, 63, 64 (Sergio Galeotti), 65
    (Sergio Galeotti), 109, 112, 113, 114, 115, 116, 117
Zodiaque, Ste. Marie-de-la-Pierre-qui-Vire: 14, 45, 67, 68, 69, 92

Illustrations noir et blanc

Aletti A., disegno: 208
Archivio Vasari: 186
Caucci von Saucken Paolo: 118, 123, 124, 127, 128, 129, 135, 137,
    144
Cecchi L., disegno: 9
Ciol Elio: 108
Delahoutre Michel: 5
Isber Melhem: 217, 218, 219
Jaca Book/Mauro Magliani: 6, 42, 44, 176
Langé Santino: 13
Lanzi Fernando: 17, 18

Lavayen Carlos: 19
Lobato Xurxo: 31, 33, 46, 96
Meazza Carlo: 12
Mendrea Dinu, Radu e Sandu: 11, 70, 204, 207, 210, 211, 212
Photo Israel Antiquities Authority/Dinu Mendrea: 233
Rodella Basilio: 110, 111, 226
Scala: 158
Stabin Angelo: 2, 86
Vannini Sandro: 177
Vautier Mireille: 10
Zodiaque, Ste. Marie-de-la-Pierre-qui-Vire: 32, 78, 79, 92, 138

Ouvrages de référence

Archéologia, 328, 11/96
Cantieri Medievali, Jaca Book, 1995
Ciudades Antiguas del Mediterráneo, Lunwerg Editores, 1998
El Camino de Santiago, Lunwerg Editores
Hell V. u. H., *Die grosse Wallfahrt des Mittelalters*, E. Wasmuth, 1964
Huellas Jacobeas, Xunta de Galicia, 1998
Hutter I. - Holländer H., *Kunst des frühen Mittelalters*, Belser 1987
L'arte paleocristiana, Jaca Book, 1998

La Navigation dans l'Antiquité, Edisud, 1997
La Storia dei Giubilei, vol. I, Giunti, 1997
Le Religioni, Jaca Book, 1993
Santiago, Camiño de Europa, Xunta de Galicia, 1993
Santiago. L'Europa del pellegrinaggio, Jaca Book, 1993
Stopani Renato, *La via francigena*, Le Lettere, 1998
Sulle orme di San Giacomo di Compostella, Arca, 1994
Wallfahrt kennt keine Grenzen, Schnell & Steiner, 1984

384